Susanna Kubelka

Endlich
über vierzig

Der reifen Frau gehört die Welt

Droemer Knaur

Gesamtauflage 35 000

© Droemersche Verlagsanstalt Th. Knaur Nachf.,
München/Zürich, 1980
Satz: IBV Lichtsatz KG, Berlin
Druck und Einband: Richterdruck, Würzburg
Printed in Germany · 3 · 8 · 80
ISBN 3-426-26029-8

Für meine Mutter, die mir nicht nur das Leben, sondern auch die Freude daran geschenkt hat

Inhalt

Vorwort

Midlife-Crisis, Torschlußpanik, Altersangst – diese Worte sind aus unserem Leben kaum mehr wegzudenken. Künstlich aufgebauscht, verwirren sie die Vernunft und erzeugen Terror, der durch nichts gerechtfertigt ist. Realistisch betrachtet, gibt es keinen Grund, sich vor dem Älterwerden zu fürchten. Und dies werde ich hier beweisen.

Ich komme aus einer glücklichen Familie, einer, in der es keine Altersangst gab. Meine Mutter heiratete spät. Als ich geboren wurde, war sie zweiundvierzig Jahre alt. Heute ist sie neunundsiebzig, und zeit meines Lebens haben wir einander ausgezeichnet verstanden. Meine Großmutter heiratete mit sechsundsiebzig einen Zwanzigjährigen. Es war ihre dritte Ehe und eine große Liebe. Die beiden lebten ein Jahrzehnt glücklich miteinander, bis sie mit sechsundachtzig starb. Sie blieb bis zu ihrem Lebensende eine faszinierende Frau. Und ich kenne eine Unzahl feiner alter Damen, die meine Jugend bereichert und mir große Kraft gegeben haben.

Mit dem Thema »Alter« habe ich mich jahrelang befaßt. Ich habe nicht nur tagtäglich die Menschen um mich kritisch beobachtet, ich habe auch möglichst alles gelesen, was zu diesem Thema geschrieben wurde. Ich habe in den verschiedensten Jahrhunderten nachgeforscht – mein Dissertationsthema über die englischen Schriftstellerinnen des 18. Jahrhunderts hat mir sehr dabei geholfen –, und ich habe das Damals mit dem Heute verglichen. Was ich gefunden habe, ist spektakulär. Und eines ist sicher: Der reifen Frau gehört die Welt. Wer dieses Buch liest, kann das Wort Altersangst aus seinem Vokabular streichen.

1. Woher die Altersangst kommt, und von Frauen, die sie überwunden haben

Ich kann reinen Gewissens sagen: Ich habe keine Angst vor dem Älterwerden. Ich liebe Veränderung und Abwechslung, ich brauche sie, um zu existieren, und älter zu werden heißt für mich gerade das: die Fühler auszustrekken, den Geist weiterzubilden, in neuen Wohnungen zu leben, neue Länder, Sprachen, Menschen kennenzulernen und wenigstens ein winziges Stück dessen, was wir Leben nennen, zu erfassen.

Ich war nicht gerne jung. Die Volksschulzeit wurde mir nur durch das große Verständnis meiner Mutter erträglich gemacht. Ich fand meine Klassenkameradinnen dumm, frech und bösartig. Im Gymnasium litt ich unter der Mittelmäßigkeit meiner Lehrer und unter den »Komplimenten«, mit denen mich die Männer auf der Straße bedachten – an einer Baustelle vorbeigehen zu müssen, war jedesmal eine Qual. Ich war jung, aber was daran großartig sein sollte, blieb mir verborgen. Ich hatte Liebeskummer, Geldsorgen und schlechte sexuelle Erfahrungen; vergleiche ich mein Leben von damals mit dem von heute – ich bin jetzt siebenunddreißig –, so muß ich sagen, daß es unvergleichlich besser geworden ist.

Die gesamte westliche Welt hat eine unnatürliche, geradezu perverse Einstellung zum Älterwerden. Man hört das

Wort Alter und beginnt sich zu fürchten. Oft weiß man gar nicht, wovor. Frauen wie Männer haben verlernt, in Schönheit und Würde alt zu werden. Eine allgemeine Unsicherheit hat sich breitgemacht. Man ist sich seines Wertes nicht bewußt und hat vergessen, daß der Sinn des Lebens in der Reife liegt.

Die Phantasie des Menschen schwelgt in Extremen, und die größte Altersangst hat der, der nie oder nur flüchtig mit älteren Menschen in Berührung kommt. Wer aber das Glück hat, einen Großvater, vielleicht sogar eine Urgroßmutter in der Familie zu haben – und in Europa ist das Gott sei Dank noch manchmal der Fall –, der verliert die Furcht vor dem Altwerden. Er weiß, daß der geliebte Mensch bis zum Tod derselbe bleibt, Altern nichts Krankhaftes, sondern etwas Natürliches ist, daß man auch bis ins hohe Alter schön bleiben und sein Leben bis zum letzten Tag genießen kann.

Auf die richtige Perspektive kommt es an

Nun, jeder hat das Recht, sich selbst zu peinigen. Jedes Ding hat zwei Seiten, und manche sehen an der menschlichen Existenz nur das Negative. Es gibt nicht wenige, die ihre kostbare Zeit mit Nörgeln verbringen und behaupten, nur die »goldenen Jugendjahre« seien lebenswert. Diese setzt man dann, handelt es sich um einen milden Fall von Pessimismus, zwischen zehn und zweiundzwanzig an, handelt es sich um einen fortgeschrittenen Fall, so verkürzt man sie von zehn auf achtzehn. Traurig, aber selbst erlebt.

Ebensowenig kann man Leuten verbieten, ihr Alter von

der falschen Seite zu sehen. Anstatt sich zu freuen, *erst* vierzig, fünfzig oder sechzig zu sein, kann man sich sein ganzes Leben lang darüber sorgen, *schon* dreißig, vierzig oder fünfzig geworden zu sein. Wie bereits gesagt, jeder hat das Recht, sich zu peinigen. Niemandem aber steht es zu, seinen Mitmenschen den gesunden Lebensmut zu untergraben, ihnen vielleicht sogar einzureden, daß mit dreißig alles Schöne vorbei sei und mit fünfundvierzig nichts anderes mehr übrigbliebe, als sich der Altersresignation und dem Diktat der Jugend zu unterwerfen.

Ich weiß, daß Männer mehr Altersangst haben als Frauen. Manche führen dies auf die Furcht, die Potenz zu verlieren, andere auf die Enttäuschung zurück, die dem blüht, der sein Leben Statussymbolen und dem Streben nach Macht verschrieben hat. Trotzdem aber wende ich mich in diesem Buch hauptsächlich an meine Geschlechtsgenossinnen, da man sie in den vergangenen einhundertfünfzig Jahren brutal ausgenützt hat und es unendlich viel aufzuholen gibt. So sehr ich Männer schätze, so muß doch gesagt werden, daß sie jahrhundertelang ihre Altersangst auf Frauen abgewälzt haben, die aus wirtschaftlichen und erzieherischen Gründen zu verunsichert waren, um sich zur Wehr zu setzen.

Frauen hatten bis vor kurzem keine Stimme in der Öffentlichkeit. Alle Medien – Theater, Kanzel, Zeitungen, Funk, Film und Fernsehen – waren in den Händen von Männern. Frauen hatten keine Möglichkeit, sich gegen die absurdesten Beschuldigungen zu wehren. Dazu gehören die sogenannten Volksweisheiten – ich frische Erinnerungen auf –, daß Männer nur deshalb im Wirtshaus raufen, weil Frauen so gerne zusehen, wenn zwei sich umbringen, daß Männer nur deshalb in den Krieg ziehen, weil Frauen Soldaten unwiderstehlich finden, was man schon an der Begeisterung erkennt, mit der sie jedem Uniformierten zujubeln. An rücksichtslosen Machtkämpfen im Beruf gab man ihnen die Schuld, denn – man hört es auch heute noch am Stammtisch und liest es im Witzblatt – Männer arbeiten nur, um es ihren ehrgeizigen, anspruchsvollen Frauen rechtmachen zu können.

Ähnlich verhält es sich beim Alter. Weil sich Männer davor fürchteten – oft nur, da manche früher als Frauen die Haare verloren –, redeten sie ihren weiblichen Verwandten und Bekannten (nicht zu vergessen der eigenen Frau) ein, sie seien im Grunde noch ärmer dran, würden noch schneller alt und unbrauchbar, mit dem Resultat, daß sich oft schon Dreißigjährige ihres Geburtsdatums schämen.

Dabei hat das weibliche Geschlecht, wenn man es genau betrachtet, wenig Grund zur Altersangst. Die Natur hat nicht ohne Sinn die fruchtbaren Jahre der Frau großzügig angelegt: mit individuellen Abweichungen zwischen zwölf und sechzig (meine Mutter kam erst mit achtundfünfzig Jahren in das Klimakterium). Frauen können also noch in einem Alter Kinder gebären, in dem sich viele Männer bereits mit Potenzproblemen herumschlagen. Zur Liebe fähig sind Frauen ohnedies immer. Sie verlieren auch nicht die Haare, haben weniger Falten als Männer und sind zudem im hohen Alter besser imstande, für sich zu sorgen, als ihre männlichen Gegenstücke.

Woher kommt also diese übertriebene Altersangst der Frau unseres Jahrhunderts, die erst jetzt langsam abzuflauen beginnt, die aber immer noch stark genug ist, um furchtsamen Menschen das ganze Leben zu verleiden? Geschichtlich belegen läßt sie sich nicht. In allen großen Kulturen Europas und Asiens verehrte man die reife Frau und nicht das Mädchen. Ovid, der römische Liebes- und Frauenexperte, schrieb, daß sich eine echte Frau erst mit sechsunddreißig zu entfalten beginne. Auch im Mittelalter blühte in ganz Europa die Frauen- und nicht die Mädchenverehrung. Ähnliches galt für die Renaissance, das 16., 17. und die erste Hälfte des 18. Jahrhunderts.

Verehrt wurden nur reife Frauen

Die Französin Ninon de Lenclos war nicht die einzige Dame der Pariser Gesellschaft, die im 17. Jahrhundert bis ins hohe Alter mit Verehrern, Liebhabern, Ansehen und Ehren eingedeckt blieb. Von ihr – sie starb mit neunzig – berichteten die Dichter, daß sie »alterte, wie eine sich öffnende Rose, betäubenden Duft verströmend«. Anne Geneviève de Bourbon, spätere Fürstin von Longueville, wurde erst mit fünfzig (nach überstandenen Pocken noch dazu) eine der gefeiertsten Schönheiten von Paris. Andere berühmte Zeitgenossinnen, deren Lebenslauf dazu angetan ist, die Altershysterie der modernen Frau zu entschärfen, waren Madame de Lafayette, Madame de Sévigné, La Grande Mademoiselle (Tochter des Gaston, Herzog von Orléans), Mademoiselle de Scudéry und etliche mehr.

Reife Frauen genossen aber nicht nur in Paris hohes Ansehen. In Spanien, in Italien, in Deutschland, der Schweiz und in Österreich war es ähnlich. Als die durch ihre sprühenden Briefe und Reiseerzählungen berühmt gewordene Engländerin Lady Mary Wortley-Montagu am Hof von Wien Station machte (ihr Mann war englischer Botschafter in der Türkei und sie befand sich auf dem Weg dorthin), schrieb sie am 20. September 1716 folgendes an ihre

Freundin Lady Rich in London: »Ich versichere Sie, meine Liebe, daß den Wiener Damen weder graue Haare noch gebeugte Schultern im Wege stehen, neue Eroberungen zu machen. Täglich sehe ich, wie schöne Jünglinge ihren betagten Geliebten in ihre Kutschen helfen. Eine Frau unter fünfunddreißig gilt in dieser Weltstadt noch als unreifes Küken. Erst ab vierzig darf sie hoffen, einen bleibenden Eindruck auf die Menschheit zu machen.«

Führt man sich diese Tradition vor Augen, so scheint es mehr als seltsam, daß man im 19. Jahrhundert unverheiratete Frauen mit fünfundzwanzig zu »alten Jungfern« stempelte und im 20. Jahrhundert junge Wöchnerinnen mit sechsundzwanzig Jahren bereits als »Spätgebärende« bezeichnet. Was also geschah? In kurzen Zügen folgendes:

Das Bürgertum brauchte gefügige Frauen

Die industrielle Revolution begann in England im ersten Drittel des 18. Jahrhunderts und dauerte ungefähr siebzig Jahre. In dieser Zeit etablierte sich das Bürgertum, und zwar mit Hilfe des »neuen« Geldes aus den Fabriken. Vorher bestand die englische Bevölkerung in der Hauptsache aus Aristokraten und Armen. Die neue Gesellschaftsschicht brauchte, um zu überleben, starke Familien. Solche aber konnte sie nur über die Frauen erreichen, nicht über die barocke Dame der Gesellschaft, die einen großen Salon führte und sich von keinem Mann befehlen ließ. Man war vielmehr auf einen neuen Frauentyp angewiesen, der treu und familienbewußt war, ohne Widerrede erstaunliche Mengen an Kindern produzierte und sich dem Ehemann in allem und jedem unterwarf.

Ohne viel Umschweife ging man in der Mitte des 18. Jahrhunderts daran, diesen Typ sozusagen aus dem Boden zu stampfen. Macht man sich die Mühe und liest Theaterstücke, Zeitungsartikel, Sonntagspredigten, Anstandsbücher und Romane aus dieser Zeit, so wird man perplex sein, mit welchem Geschick die Männerwelt ihr Ziel verfolgte. Jungen Mädchen wurde von Predigern, Lehrern, Journalisten, Vätern und Verehrern eingebleut, daß nicht Glück in der Liebe, körperliche und geistige Erfüllung erstrebenswert seien, sondern daß die wahre, die »heilige« Bestimmung der Frau in Selbstaufopferung, Gehorsam, Keuschheit, Kindern, Ehemann und Haushalt liege.

Diese neue Ideologie für die Weiblichkeit wurde – um ganz sicherzugehen – auf einem Fundament errichtet, das unzerstörbar war: der Angst. Angst vor dem Alter wurde künstlich geschürt, die Vergänglichkeit der weiblichen Schönheit immer aufs neue betont, Krankheiten, die ein hübsches junges Mädchen mit einem Schlag jeden Liebreizes beraubten, wurden vor dem geistigen Auge heraufbeschworen, die Welt der Belletristik stattete man mit schlechten Menschen, treulosen Verehrern, Mädchenhändlern und Vergewaltigern aus. Und die einzige Rettung, die es gab, der einzige Weg, der einer »guten« Frau offenstand, führte in die Arme eines Ehegatten. Dieser wurde in Romanen, Predigten und Anstandsbüchern mit allen Tugenden ausgestattet. Seine Aufgabe war es, das hilflose Weib vor der Altjungfernschaft, Einsamkeit, Nutzlosigkeit und dem Spott der Gesellschaft zu retten.

Sexualität war plötzlich unerwünscht

Diese Taktik konnte nicht fehlschlagen. Bereits zu Beginn des 19. Jahrhunderts hatte sich das Frauenbild völlig geändert. Aus der geistreichen, umschwärmten, zeit ihres Lebens verehrten Dame der Gesellschaft war eine blasse, tugendhafte, ständig schwangere, kränkelnde Frau geworden, die man zu jung verheiratete und damit gar nicht erst zur Blüte kommen ließ. Ehe es begann, war für diese Frauen bereits alles vorbei. Sie wurden ihrer Sexualität beraubt – ihrer einzigen Stärke in einer Gesellschaft, in der Bildung und Karriere für Frauen verboten waren. Sie hatten wenig Lebenskraft und Lebenswillen. Sie alterten früh.

Das Vernichten der Sexualität spielte eine große Rolle im Bekehrungsprozeß der Frau. Man hatte tödliche Angst, daß Frauen »auf den Geschmack kommen könnten« und verbannte rigoros alle erotischen Anspielungen aus der für weibliche Leser bestimmten Literatur. Hatten noch zu Beginn des 18. Jahrhunderts Männer und Frauen gemeinsam über Erotisches in Büchern und Theaterstücken gelacht, so hatte sich am Ende des Jahrhunderts die Literatur in »saubere« Familienbücher für Frauen und Kinder und in Pornographie für Männer gespalten. Zu Beginn des 19. Jahrhunderts waren in der Londoner Holywell Street, der Heiligen Quellstraße, aus dem Nichts neunundfünfzig pornographische Buchhandlungen entstanden! Auf der anderen Seite ging der Säuberungsprozeß sogar so weit, daß Shakespeare-Ausgaben auf den Markt kamen, aus denen »alle anzüglichen Wörter, die man in einer Familie nicht ohne Schamgefühl lesen kann«, entfernt worden waren.

Verkümmerte Sexualität, eine durch ständiges Gebären geschwächte Gesundheit, panische Angst vor dem Alter – kein Wunder, daß die besten Jahre im Leben einer Frau die kurzen Jahre vor ihrer Verheiratung wurden, daß die Frauenverehrung zur kurzlebigen Mädchenverehrung verkümmerte, die man, war das Kind erst einmal unter der Haube – und je jünger, desto besser –, getrost und für immer ad acta legen konnte, was auch prompt geschah. Und das Ergebnis? Altersterror in Reinkultur.

Dies also tat sich in England zu Beginn der industriellen Revolution. Von England kam die Altersangst nach Frankreich. Dort wurde sie durch die Revolution von 1789 aufs neue geschürt. »Vor der Revolution, da wußte man zu leben und zu sterben«, sagte Marie-Aurora Dupin zu ihrer Enkelin, der französischen Schriftstellerin George Sand. »Zudem, wurde man zu jener Zeit jemals alt? Es ist die Revolution, die das Alter in die Welt gebracht hat. Ihr Großpapa, der um vieles älter war als ich, war dennoch schön, gepflegt, anmutig, wohlduftend, liebenswürdig, zärtlich und von stets gleichbleibender guter Laune bis zur Stunde seines Todes.« Eine gute Analyse. Und in jeder Hinsicht aufschlußreich.

Von England und Frankreich kam die Angst vor dem Alter in die ehemaligen Kolonien Kanada und Nordamerika. Dort fiel sie auf fruchtbarsten Boden. Von den USA gelangte sie schließlich als Altersterror im Gefolge des Zweiten Weltkriegs nach Europa zurück, und erst jetzt, fast vierzig Jahre später, beginnen wir uns von ihr zu befreien.

Die Angst vor dem Tod

Nordamerika hatte zu Ende des 18. Jahrhunderts eben erst seine Unabhängigkeit gewonnen. Das Leben »at the frontiers« war hart, Frauen arbeiteten wie Männer, und beide waren schon jung verbraucht: ein idealer Nährboden für Altersangst. Auch als die Zeiten besser wurden, änderte sich nichts an der Tatsache, daß Amerika ein junges Land war, was es im Vergleich zu Europa heute noch ist. Beweis Nummer eins: Es kommt mit dem Phänomen des Todes nicht zu Rande. Ältere Kulturländer hatten Zeit genug, sich mit diesem Problem auseinanderzusetzen und Mittel und Wege zu finden, es erträglich zu machen. Der Tod wird in einer Gesellschaft, die viele Jahrhunderte Zeit hatte, zu reifen – man denke an Japan oder Indien –, als Teil des Lebens akzeptiert. In Amerika dagegen hat ein Großteil der Bevölkerung panische Angst vor dem Sterben. Den Reichtum, den Wohlstand, den Lebensstandard hat man erst vor wenigen Generationen erworben – jetzt will man ihn auch so lange wie möglich genießen. Wie gesagt: ein idealer Nährboden für Altersangst.

Noch mehr als die Männer aber litten die amerikanischen Frauen. Der Großteil des Geldes gehörte und gehört auch heute noch den Männern. Diese nahmen sich das Recht heraus, die erste, meist gleichaltrige Ehefrau gegen eine zweite, jüngere, und später gegen eine dritte, noch jüngere, auszutauschen, in der Hoffnung, dadurch die eigenen grauen Haare zu vergessen. Wen wundert es also, daß Amerikanerinnen noch bis vor zehn Jahren auf jedes kleinste Zeichen sich verflüchtigender Jugend mit größter Angst reagierten? Daß sie – und das mit gutem Grund – in jedem interessierten Blick, den ihr Mann einer anderen

Frau zuwarf, die Scheidung und damit verbunden die finanzielle Katastrophe, den Verlust des Hauses und des sozialen Prestiges vermuteten? Daß sie deshalb Absurditäten begingen, die auch heute noch nicht ausgerottet sind, wie etwa sich mit fünfzig Schleifen ins Haar zu binden und mit Kleinmädchenstimme zu reden.

»Gerade als wir begannen, uns über unsere Reife zu freuen«, schrieb die Schriftstellerin Anaïs Nin, nachdem sie im Jahre 1940 von Paris nach Amerika geflüchtet war, »mußten wir Europa verlassen und kamen in ein Land, das nur die Jugend und die Unreife liebt.« Im Jahre 1945 wurde jedoch auch Europa wegen der starken amerikanischen Präsenz, der Besatzungstruppen in Deutschland und Österreich, von dieser Mentalität überrollt.

Anfangs rümpfte man die Nase; vor allem die Frauen, die während des Krieges im Heimatland die Männer ersetzt und die bewiesen hatten, was sie zu leisten imstande waren. Es schien ihnen absurd, nur auf Grund von Äußerlichkeiten wie ein paar Falten im Gesicht zum alten Eisen geworfen zu werden. Langsam aber ließ man sich anstecken, wenn auch nicht im vollen Ausmaß. Der europäische Kontinent huldigte dem Jugendkult – im Unterschied zu England – nur bedingt. Trotzdem aber erlitt das Selbstbewußtsein der Europäerin einen empfindlichen Schlag.

Filme richten Schaden an

Unterstützt von der amerikanischen Filmindustrie schienen plötzlich nur noch heiratswillige Teenager lebensberechtigt und interessant zu sein. Von Frauen, die Persönlichkeit hatten und Großes leisteten, hörte man nichts. Auf der Leinwand wurden das glatte Gesicht angebetet, die dumm-unschuldigen Augen, die Bereitschaft, auf Studium und Karriere zu verzichten und ganz in Eheleben, Kindern und Haushalt aufzugehen. Die amerikanische Filmindustrie in den späten vierziger, den fünfziger und sechziger Jahren war einwandfrei darauf aus, Frauen so jung wie möglich ins Wochenbett zu treiben, um mitzuhelfen, die Nation, die durch den Zweiten Weltkrieg Massen an Menschenleben verloren hatte, wieder aufzustocken.

Ältere Frauen hatten keinen leichten Stand. Sie hatten keine Vorbilder. Die Angst vor dem Alter begann zu blühen, obwohl man wußte, daß man als reife Frau unvergleichlich mehr leistete als in jungen Jahren. Das Unglück bestand jedoch darin, daß diese Arbeit nicht anerkannt wurde. Die heimgekehrten Männer bekamen ihre Posten zurück, die Arbeit der Frau beschränkte sich auf den Haushalt, und über die Abwertung der Hausarbeit braucht man kein Wort mehr zu verlieren.

Soweit der Überblick über das Entstehen der Altersangst, den langen Weg von der elegant-grauhaarigen Gesellschaftsdame des Barock mit ihrem jungen Liebhaber bis zur vierzigjährigen Hausfrau von heute mit Torschlußpanik. Und nun ein paar Worte über die Angst vor dem Älterwerden an sich: Keine Frau braucht sich zu fürchten. Das Leben ist weder mit dreißig noch dann, wenn die Kinder groß geworden sind, zu Ende. Jugend allein ist kein Verdienst. Jeder, dem die Gnade widerfuhr, geboren zu werden, ist notgedrungenermaßen jung. Ein hübscher Teenager zu sein, ist aber nicht der Sinn des Lebens. Der besteht vielmehr darin, erwachsen zu werden und dann etwas zu leisten.

Gut Ding braucht Weile

Was in einem Menschen steckt, kommt auch bei Frauen erst nach vollendeten Lehr- und Wanderjahren zutage. Diese dauern bei jedem verschieden lang. Manche haben bereits mit zwanzig ihren höchsten Stand erreicht und entwickeln sich nicht mehr weiter. Andere wissen erst mit fünfzig, was sie wollen und können. Und auch mit fünfzig ist es für nichts zu spät. Der oft gehörte Satz: »Ich bin zu alt dafür« ist keine objektive Feststellung, sondern meist eine Ausrede zugunsten der Bequemlichkeit. Niemand ist mit fünfzig zu alt, um ein Studium zu beginnen, oder mit sechzig, um sein Leben zu ändern. Worauf es ankommt, ist nicht irgendeine abstrakte Alterszahl, sondern der Einsatz. Ist er stark genug, kann man fast alles erreichen.

Und dazu ein paar Beispiele. Von tüchtigen Frauen wurde generationenlang nichts und wird auch heute noch viel zu wenig berichtet. Dabei genügt oft schon ein einziges Vorbild, um andere aus der Lethargie zu reißen. Hunderttausende Frauen haben auch im fortgeschrittenen Alter Hervorragendes geleistet. Die folgenden Beispiele sind nicht angeführt, um Neid, sondern um die gesunden Lebensgeister zu schüren. Es genügt oft nur das Wissen, *daß* etwas möglich ist, und schon ist man selbst zu den erstaunlichsten Dingen imstande.

Einhundertein Jahre und weltberühmt

In den fünfziger Jahren, als der Jugendkult seine ärgsten Auswüchse trieb, machte die Amerikanerin Mary Ann Moses, die als »Grandma Moses« in die Kunstgeschichte eingehen sollte, Schlagzeilen. Sie war eine brave Bauersfrau, die sich mit fünfundsiebzig Jahren entschlossen hatte, Malerin zu werden, was sie auch prompt durchsetzte. Sie hielt sich anfangs an die traditionellen amerikanischen Vorbilder, die man unter anderem in Washington in der National Gallery bewundern kann, entwickelte bald ihren eigenen Stil und löste den modernen Boom der Naiven Malerei aus. Sie war sich keineswegs bewußt, daß sie einer Kunstgattung zum Durchbruch verhalf, die bis dahin verpönt war. Sie malte einfach ihre Umgebung so, wie sie sie sah, und wunderte sich, daß ihre Werke reißenden Absatz fanden. Innerhalb kürzester Zeit wurde sie von zahllosen Mitgliedern der malenden Zunft imitiert, deren Werke nun seit Jahren amerikanische und europäische Galerien überfluten und diversen Kunsthändlern die Taschen füllen – aber kaum eines von ihnen erreicht die Qualität einer echten Grandma Moses. Obwohl ihre Bilder noch zu ihren Lebzeiten erstaunliche Preise erzielten, war es Mary Ann Moses nicht um Ruhm oder Ansehen zu tun. Sie wollte nur eines: ihre kreative Energie nutzen. Dies ist ihr auch gelungen. Sie starb 1961, berühmt und zufrieden im Alter von einhundertein Jahren. Resümee: Auch mit achtzig und mehr kann man die Welt noch entscheidend beeinflussen.

Und da wir schon bei Malerinnen sind: Man kann die Jahrhunderte durchsuchen und wird immer wieder Frauen finden, die bis ins hohe Alter kreativ blieben. Daß Frauen erst in jüngster Zeit lange leben, ist nicht wahr. Die Statistiken über die Lebenserwartung früherer Jahrhunderte – und das gilt für Männer wie für Frauen – darf man nicht zu genau nehmen. Durchschnittswerte sind nur deshalb so niedrig, weil man die große Säuglingssterblichkeit miteinbezogen hat. Johann Sebastian Bach etwa hatte zwanzig Kinder, aber nur zehn wurden erwachsen. Wer jedoch die gefährlichen Kleinkinderjahre überlebte, der hatte sehr gute Chancen, alt, wirklich alt zu werden.

Die Luft war früher besser, das Essen gesünder, Bäche und Flüsse waren klar und unverseucht. Sicher gab es Krankheiten, die man nicht bezwingen konnte. Ihnen aber stehen unsere Verkehrstoten gegenüber. Und wußte man damals nicht, wie man Tuberkulose behandelt, so sind wir heute Herzinfarkt und Krebs hilflos ausgeliefert. Studiert man die Biographien großer Männer und Frauen aus der Vergangenheit, so wird man staunen, wie viele von ihnen, vor allem wie viele Frauen, achtzig, neunzig Jahre und noch älter wurden, darunter Frauen, die bis zum letzten Atemzug nicht müde wurden, ihr künstlerisches Werk zu vervollständigen.

Auch früher wurde man alt

Gisela von Bayern, die Schwester Kaiser Heinrichs II., lebte im 10. und 11. Jahrhundert. Sie wurde im Jahre 980 geboren und heiratete mit fünfzehn Jahren aus Gründen der Staatsräson Stephan I., den Heiligen, von Ungarn. Berühmt wurde sie durch ihre ungewöhnlich prachtvollen Stickereien, darunter ein Meßgewand, das später zum Krönungsmantel der Könige von Ungarn umgearbeitet wurde. Als ihr Mann starb, ging Gisela ins Kloster, den einzig sicheren Ort für eine alleinstehende Frau in der damaligen Zeit. Dort widmete sie sich den schönen Künsten. Sie wurde achtzig Jahre alt.

Rund hundert Jahre später wurde Hildegard von Bingen

geboren. Sie war eine Benediktinerin, gründete das Kloster Rupertsberg und kann als Universalgenie gelten. Sie besaß nicht nur seherische Fähigkeiten, sondern lehrte und publizierte über Dichtkunst, Musik, Medizin und Naturwissenschaften. Sie sprach mehrere Sprachen und führte mit Kaisern, Königen, Päpsten und den wichtigsten Kirchenfürsten Europas eine lebhafte Korrespondenz. Ihr Hauptwerk, ein umfangreiches Buch, betitelt »Scivias«, das man in Wiesbaden in der Hessischen Landesbibliothek bewundern kann, hat sie selbst so großartig mit fünfunddreißig auf Gold und Silber gemalten Bildern illustriert, daß Fachleute von einer für die damalige Zeit »revolutionären« Maltechnik sprechen. Hildegard von Bingen, später als Heilige verehrt, wurde einundachtzig Jahre alt.

Im 15. Jahrhundert lebte die Italienerin Tommasina von Fiesco. Sie stammte aus Genua, ging nach dem Tod ihres Mannes ins Kloster und machte dort Karriere. Bald wurde sie als Schriftstellerin und Kunststickerin gefeiert. Später erfand sie die Temperamalerei. Tommasina wurde sechsundachtzig Jahre alt und blieb bis zum Schluß aktiv und kreativ.

Die göttliche Sofonisba

Eine faszinierende Persönlichkeit, eine berühmte Malerin, war die Italienerin Sofonisba Anguissola, die im 16. und 17. Jahrhundert lebte und von van Dyck als die bedeutendste Künstlerin ihrer Zeit angesehen wurde. Sie stand mit beiden Beinen in der Welt, ließ sich von Fürsten und Königen verwöhnen, akzeptierte eine Einladung von Philipp II. an seinen Hof nach Madrid und blieb dort zwanzig

Jahre lang als Porträtmalerin der königlichen Familie. Mit dem Heiraten ließ sie sich Zeit. Ihre erste Ehe schloß sie mit fünfundvierzig Jahren: Sie heiratete einen Sizilianer und übersiedelte nach Palermo. Als ihr Mann starb, heiratete sie den Kapitän des Schiffes, das sie von Spanien nach Sizilien gebracht hatte. Ihre Bilder waren so großartig, daß van Dyck sie in Palermo besuchte und Porträtskizzen von ihr anfertigte. Die »göttliche« Sofonisba wurde neunzig Jahre alt.

Und nun nach Frankreich. Die Pariserin Louise Moillon, eine der bedeutendsten Vertreterinnen des französischen Stillebens im 17. Jahrhundert, wurde sechsundachtzig Jahre alt. Sie heiratete mit dreißig. Ihre berühmte niederländische Zunft- und Zeitgenossin Judith Leyster heiratete erst mit siebenundvierzig. Die neben Angelika Kauffmann berühmteste Malerin des 18. Jahrhunderts, Elisabeth Vigée-Lebrun, bildschön, wie man aus ihrem Selbstporträt, das in der Londoner National Gallery hängt, ersehen kann, und eine intime Freundin Marie Antoinettes, wurde siebenundachtzig Jahre alt. Mit zweiundachtzig veröffentlichte sie ihre Memoiren. Elisabeth wurde von ihren Zeitgenossen geradezu vergöttert. Während der Französischen Revolution hatte sie Frankreich verlassen und war an den Herrscherhöfen von Rußland, Italien und England mit offenen Armen aufgenommen und mit Aufträgen überhäuft worden. Sie hinterließ achthundert Bilder, darunter befinden sich Spitzenleistungen der Porträtkunst.

Im 19. Jahrhundert wurden die Amerikanerin Mary Cassatt und die Österreicherin Tina Blau geboren. Beide waren berühmt und gefeiert: die Cassatt als Impressionistin, die Blau wegen ihrer hervorragenden Landschaftsbilder;

die Cassatt wurde zweiundachtzig, Tina Blau zweiundneunzig Jahre alt. Die deutsche Malerin Hannah Höch wurde neunundachtzig, die Schwedin Vera Nilsson einundneunzig Jahre alt. Romaine Brooks, 1874 in Rom geboren, wurde sechsundneunzig. Die amerikanische Photographin Imogen Cunningham starb mit dreiundneunzig Jahren. Kurz vor ihrem Tode vollendete sie eine Porträtserie von Menschen über neunzig. Ein Teil davon wurde 1977 in Paris im amerikanischen Kulturzentrum ausgestellt. Die Cunningham photographierte als erste Frau nackte Männer, und zwar mit derselben Hingabe, mit der Männer weibliche Akte abbilden. Sie hatte bis zuletzt nicht aufgehört zu experimentieren. Wer hat da noch Angst vor dem Alter? Beginnt das Bild der fragilen Frau nicht zu verblassen? Hier sind Vorbilder, an denen man sich messen kann. Hier sind Unternehmungsgeist, Lebenslust und Kreativität.

Von vielen großen Frauen sind nur die Namen bekannt. Von manchen kennt man auch die Werke, selten aber ist man darüber informiert, wann, in welchem Lebensabschnitt, diese geschaffen wurden. Die Schriftstellerin Selma Lagerlöf war über vierzig, als sie ihre besten Werke schrieb. Sie war einundfünfzig, als sie den Nobelpreis erhielt. Marie von Ebner-Eschenbach verfaßte ihre »Dorfund Schloßgeschichten« zwischen ihrem dreiundfünfzigsten und ihrem sechsundfünfzigsten Lebensjahr. »Unsühnbar« wurde veröffentlicht, als sie sechzig war. Die Autorin Gertrud von Le Fort war siebzig, als ihr »Schweißtuch der Veronika« erschien. Sie war neunundachtzig, als sie ihre Erinnerungen »Hälfte des Lebens« schrieb. Die Wiener Schauspielerin Rosa Albach-Retty schrieb ihre Autobiographie mit hundertvier Jahren. Ihr glückte ein Bestseller. Aber damit nicht genug. Die englische Schriftstellerin Frances Trollope, die im 18. Jahrhundert lebte, führte bis zu ihrem siebenundvierzigsten Lebensjahr die Existenz einer braven Hausfrau und Mutter, obwohl sie wußte, daß sie Talent zum Schreiben hatte. Dann aber, zu einem Zeitpunkt, an dem man nichts mehr von ihr erwartete, raffte sie sich auf und beschloß, nach Amerika zu reisen; kein leichtes Unterfangen in der damaligen Zeit, denn die mehrwöchige Fahrt mit einem Segelschiff war teuer, unbequem und gefährlich. In der Neuen Welt angekommen, gründete sie Leihbüchereien und begann zu schreiben. Mit fünfzig kehrte sie nach London zurück, wo ihr Buch über das Leben und die Sitten der Amerikaner schlagartig ein Bestseller wurde. Als Mittelpunkt der vornehmen Londoner Gesellschaft verfaßte sie bis zu ihrem Lebensende einundvierzig Bücher.

Vorbilder gibt es zu allen Zeiten

Aber zurück zur jüngsten Zeit: Die Amerikanerin Catherine Graham war sechsundvierzig Jahre alt, als ihr Mann, Präsident der zweitbesten Tageszeitung an der amerikanischen Ostküste, der »Washington Post«, plötzlich starb. Trotz Skepsis, Widerstand und Zweifel an ihren Fähigkeiten übernahm sie die Führung und arbeitete dort weiter, wo ihr Mann aufgehört hatte. Fünfzehn Jahre später, mit einundsechzig, regierte sie nicht nur über die »Washington Post«, sondern auch noch über das weltberühmte wöchentliche Nachrichtenmagazin »Newsweek«, das kulturell ausgerichtete »Art News Magazine« sowie über einige Rundfunk- und Fernsehstationen. Schließlich ein

Beispiel aus der Filmindustrie: Die weltberühmte Königin des Stummfilms und Partnerin Charlie Chaplins, die bildschöne Mary Pickford, gründete mit zweiundfünfzig Jahren ihre eigene Filmgesellschaft Pickford Productions Inc. Dies war aber bereits ihr zweites Unternehmen. Die Produktionsgesellschaft, die sie zusammen mit Chaplin, Douglas Fairbanks und D. W. Griffith zuvor ins Leben gerufen hatte, war längst ein Welterfolg geworden. Jeder kennt sie. Sie heißt: United Artists.

Brachten uns die Amerikaner die Altersangst, so sind es jetzt die Amerikanerinnen, die uns wieder von ihr zu befreien versuchen. Zum Thema Wechseljahre stellte Betty Friedan, eine der bekanntesten amerikanischen Frauenrechtlerinnen und Gründerin der konservativen NOW-Frauenbewegung, in ihrem Buch »Das hat mein Leben verändert« (Reinbek 1977) folgendes fest:

»Der Altersprozeß verläuft für kreative Frauen, die ein ausgefülltes Leben leben, anders, als man allgemein annimmt. Verschiedene Forschungsarbeiten haben dies bewiesen. Etwa das Lebenswerk von Dr. Charlotte Bühler (University of Southern California), das vor fünfzig Jahren in Wien begonnen wurde, oder die umfassenden Studien der Universität von Chicago. Diese Arbeiten haben gezeigt, daß kreative, beruflich ausgefüllte Frauen die Wechseljahre als Übergang in ein neues, freieres und kreativeres Stadium ihres Lebens betrachten. Diese Frauen erreichen den Höhepunkt ihres Schaffens erst in der zweiten Hälfte ihres Lebens. Und für geistig arbeitende, für Wissenschaftler, Künstler, Schriftsteller, Professoren und Philosophen, um nur einige zu nennen, gilt die Regel, daß der Höhepunkt mit fünfzig noch lange nicht in Sicht ist. Frauen aus diesen Berufsgruppen zeigen eine Leistungskurve, die bis weit über sechzig nach oben steigt. Auch körperlich werden sie nur langsam älter. Ich konnte dies immer wieder auf meinen Reisen, die ich unternahm, um diese Frauen kennenzulernen, feststellen. Sie alle sahen zehn, zwanzig Jahre jünger aus, als sie waren. Sie waren so voller Leben.« (Zitiert nach der Originalausgabe »It changed my life«, New York 1976, S. 72f.)

Betty Friedan benützt die Redewendung: Sie sahen jünger aus, als sie waren. Man muß aber das Blatt umdrehen und sagen, sie sahen so jung aus, wie sie tatsächlich waren, denn vierzig, fünfzig und sechzig ist heutzutage nicht mehr alt. Diese Frauen, von denen die Friedan spricht, sind ja der beste Beweis dafür. Der lebende Mensch ist ausschlaggebend, nicht die abstrakte Zahl. Es ist hoch an der Zeit, daß man lernt, hier umzudenken.

Ein Spiel mit dem Hotelportier

Die Assoziationen, die man mit den Zahlen vierzig, fünfzig, sechzig, siebzig verbindet, stammen noch aus dem 19. Jahrhundert. Würden alle Menschen die Anzahl ihrer Lebensjahre sichtbar auf der Stirn tragen, so würden uns diese Zahlen keinen Schrecken mehr einjagen. Der Grundsatz gilt: Die Menschen sehen meist jünger aus, als man glaubt. Ich habe mich einmal im Sommer selbst davon überzeugen können. Ich verbrachte drei Monate in Italien, wohnte in einem Hotel und spielte mit dem Portier folgendes Spiel. Ich versuchte, das Alter der neuangekommenen Gäste zu erraten, und er verglich es dann mit dem Paß. Ich riet fast immer daneben. Am meisten irrte ich mich bei einer großen, blonden, schlanken Dame, die Mitte Juli mit einer Freundin erschien. Sie war Schriftstellerin und kam aus München. Sie trug mit Vorliebe lange Kleider, konnte sich aber auch im Badeanzug sehen lassen und erntete bewundernde Blicke, wenn sie sich ausnahmsweise einmal nicht am Strand, sondern am Swimming-pool des Hotels sonnte. Der Hoteldirektor verliebte sich in sie, und schon nach dem vierten Tag hatte sie täglich einen frischen Rosenstrauß aus dem Garten auf ihrem Tisch. Ich schätzte sie auf dreiundvierzig. In Wirklichkeit war sie fünfundsechzig.

Leider kann dieses Spiel nicht jeder spielen, obwohl es das Ende der Altersangst wäre. Aber etwas kann jeder tun: die abstrakte Zahl, wenn sie im Gespräch fällt, mit einem bekannten Gesicht ergänzen. So ist Jacqueline Kennedy bereits über fünfzig, die französische Schauspielerin Michèle Morgan über sechzig, eine der beliebtesten Pariser Tänzerinnen, Zizi Jeanmaire, mit ihrem Lausbubengesicht fünfundfünfzig, die Sängerin Birgit Nilsson über sechzig und die Schriftstellerin Simone de Beauvoir über siebzig. Die Frauenrechtlerin Gloria Steinem, die ich vor einigen Jahren, als sie vierzig war, in der Redaktion der von ihr gegründeten Frauenzeitschrift »MS-Magazine« besucht habe und von deren jugendlichem Aussehen ich verblüfft war, ist bereits fünfundvierzig.

Gloria Steinem versucht auch, allen Frauen zu helfen, indem sie jedes Jahr ihren Geburtstag in aller Öffentlichkeit feiert und ihr Alter laut hinausposaunt. Als sie sich zum erstenmal dazu entschloß, erklärte sie einem »Newsweek«-Reporter auch, weshalb: um zu beweisen, daß Frauen länger jung bleiben als Männer. »Außerdem«, setzte sie hinzu, »sehen sehr viele Frauen bis ins hohe Alter jung aus, wagen aber nicht, ihr Geburtsdatum zu nennen, weil sie sich verunsichert fühlen. Ich will aber der Wahrheit zum Durchbruch verhelfen und dazu beitragen, daß die Lügen um den Jugendmythos endlich aufhören.«

Körperliche Höchstleistungen

Weitgehend unbekannt ist auch, daß ältere Frauen körperlich Phantastisches zu leisten imstande sind. Martha Graham, die Begründerin des modernen Tanzes, die in den dreißiger Jahren in New York das Dance Repertory Theatre auf die Beine gestellt hat, ist bis zu ihrem achtzigsten Lebensjahr noch auf der Bühne gestanden und hat sich graziöser bewegt als manche Zwanzigjährige.

Die deutsche Filmregisseurin Leni Riefenstahl lernte im Alter von siebzig Jahren das Tiefseetauchen. Ihre Unterwasseraufnahmen, die große Begeisterung hervorgerufen haben, sind inzwischen zu einem Begriff geworden.

Ferner wurden fast alle Privatflugzeuge, die in der letzten Zeit von Amerika nach Deutschland, Österreich und Jugoslawien verkauft worden sind, von einer sechsundsiebzigjährigen Amerikanerin eigenhändig über den Atlantik geflogen. Louisa Sacchi, die sich erst kürzlich in den wohlverdienten Ruhestand zurückgezogen hat, brauchte für einen Flug von Kansas nach München mit einer einmotorigen Maschine fünfunddreißig Stunden, mit einer zweimotorigen brauchte sie – bei günstigen Windverhältnissen – fünfundzwanzig. Einmal, mitten im Winter, sie befand sich gerade dreitausend Meter über dem Atlantik, fiel die Heizung aus. Louisa Sacchi hielt durch – bei einer Außentemperatur von minus fünfundzwanzig Grad!

Manchmal leistete sie wirklich Übermenschliches. So flog

sie die Strecke Wichita–Kansas–München–London–Wichita oft zweimal in der Woche. Im Jahre 1976/77 lieferte sie allein fünfunddreißig Trainingsflugzeuge Beechcraft Bonanza F 33 A an die spanische Luftwaffe ab. Der deutschen Firma Denzel lieferte sie im Durchschnitt dreißig Maschinen im Jahr, zwischendurch überstellte sie noch Flugzeuge nach Australien und in die Südsee.

Und weil wir schon bei Flugzeugen sind: Louisa Sacchi ist nicht die einzige ältere Frau, die mit Flugzeugen umzugehen versteht. Im Jahre 1978 begann die damals zweiundachtzigjährige Engländerin Mrs. Bruce wieder zu fliegen, um diesen, ihren Lieblingssport nicht »ganz zu verlernen«. Mrs. Bruce ist sogar ehemalige Fluglinienbesitzerin. Sie erfand den Beruf der Stewardeß und führte ihn auf ihren Fluglinien in England ein. Im Jahre 1930 war sie allein in einem zerbrechlichen Sportflugzeug rund um die Welt geflogen. Wegen Maschinenschadens mußte sie siebzehnmal notlanden. Trotzdem schaffte sie es; ein Abenteuer, das in der damaligen Zeit auch für einen Mann ungeheuer gewesen wäre.

Die schnellste Frau der Welt

Aber es gibt noch mehr Damen mit Flugzeugen. Die Französin Jacqueline Auriol, Jahrgang 1917, war Hausfrau und Mutter, als sie sich plötzlich entschloß, Testpilotin zu werden. Ein Absturz im Jahre 1949, bei dem sie nur haarscharf dem Tod entging, konnte sie nicht aus der Fassung bringen. Sie flog jeden Typ von unerprobten Düsenmaschinen, darunter auch die berüchtigten französischen Kampfflugzeuge Mirage III. Sie brach viele Geschwindigkeitsrekorde und wurde schließlich zur »schnellsten Frau der Welt« erklärt.

Ihre größte Rivalin war die Amerikanerin Jacqueline Cochrain, die 1908 in Florida geboren wurde und als erste Frau 1954 die Schallmauer durchbrach. Sie stellte mit dreiundfünfzig in einer T-38 der Northropwerke den Weltgeschwindigkeitsrekord auf und flog mit sechsundfünfzig mit einem Starfighter der deutschen Luftwaffe doppelte Schallgeschwindigkeit. Nach dem Krieg hatte sie in England eine Pilotenschule gegründet.

Der Lebenslauf von Jacqueline Cochrain ist interessant. Im Unterschied zu ihrer französischen Rivalin, mit der sie den Vornamen gemein hat, stammt sie aus ärmsten Verhältnissen. Sie war Waise, und ihre Adoptiveltern waren ebenfalls bettelarm, so arm, daß sie nicht einmal das Schulgeld bezahlen konnten. Mit acht Jahren mußte Jacqueline Geld verdienen. Sie ging von der Schule ab und arbeitete in einer Wollspinnerei, um ihren Lebensunterhalt zu verdienen. Später war sie Dienstmädchen, Kosmetikerin, Friseuse. Als sie vor ein paar Jahren ihre Karriere als Pilotin beendete, setzte sie sich noch lange nicht zur Ruhe. Sie kaufte – bereits über siebzig – eine Obstplantage und adoptierte fünf Waisenkinder, denen sie eine schönere Kindheit bietet, als sie sie durchgemacht hatte.

Mae West, das erste Sexsymbol des Films

Worauf es also im Leben ankommt, sind nicht Schönheit, Glück oder Zufall, sondern die innere Kraft, der Einsatz, der Wille und – die Persönlichkeit. Sich zu seiner Persönlichkeit zu bekennen, sie auszubauen, an ihr zu feilen, ist keine verlorene Mühe. Das »erste Sexsymbol« des amerikanischen Films, die Schauspielerin Mae West, die im Grunde viel mehr als eine Sexgöttin war, ausgezeichnet spielte und eine der wichtigsten Figuren der Filmgeschichte ist, schrieb in ihrer Autobiographie: »Man kann singen wie die Flagstad, tanzen wie die Pawlowa oder spielen wie Sarah Bernhardt, wenn man keine Persönlichkeit hat, wird man nie ein Star.«

Die Autobiographie heißt »Goodness had nothing to do with it« und ist das beste Mittel, um jede Altersangst im Keim zu ersticken. Mae West begann ihre Filmkarriere relativ spät. Mit vierzig sah man sie zum erstenmal auf der Leinwand. Und trotzdem wurde sie ein unvergessener Star. Mit sechsundsechzig schrieb sie ihre Lebensgeschichte, vorher hatte sie bereits Theaterstücke und Drehbücher verfaßt, die alle geistreich und gut geschrieben sind. Zum Thema Persönlichkeit und zum Geheimnis ihres lebenslangen Erfolges bei Männern meinte sie: »Die Männer, die mich verehrten, waren meist bedeutende, angesehene Bürger, die mich gerade deshalb begehrten, weil ich nicht so war wie die anderen. Sie entdeckten bald, daß ich mich nicht um die altmodischen Gesetze kümmerte, die die Freiheit einer Frau zu beschneiden versuchten. Ich spielte nie das schutzbedürftige Wesen und lachte nur über den Mythos, daß Frauen ohne die Weisheit und den Schutz eines Mannes verloren seien. Dies verwirrte sie zwar, machte sie oft zornig, ließ sie aber, seltsamerweise, nicht einmal im Traum daran denken, mich deshalb zu verlassen. Im Gegenteil: *Ich* hatte immer die größte Mühe, sie loszuwerden.«

Nüchtern betrachtet, ist Altersangst reiner Selbstbetrug. Altersangst ist nämlich nichts anderes als getarnte Lebensangst. Diese aber ist nicht körperlich, sondern geistig bedingt. Das Gefühl der Verzweiflung, das einen manchmal an schlechten Tagen überfällt, ist dasselbe, ob man nun in der Jugend auf der Stirn Hautunreinheiten oder im fortgeschrittenen Alter an derselben Stelle Fältchen entdeckt.

Nochmals: Worauf es im Leben wirklich ankommt, sind nicht Äußerlichkeiten, sondern Ausstrahlung, Persönlichkeit und Leistung. Besitzt man auch nur eines dieser Kriterien, so wird man im Alter genauso erfolgeich sein wie in der Jugend, wird genauso geliebt und verehrt werden.

Überraschung auf dem Flughafen

Und zum Abschluß dieses Kapitels ein weiteres positives Beispiel: Im Herbst 1978 machte die Witwe des Komponisten Igor Strawinski in England Schlagzeilen. Vera Strawinski ist Malerin und flog, um eine Ausstellung ihrer Gemälde in der Crane-Kalman-Galerie zu eröffnen, von New York nach London. Ein Aufgebot von Photographen und Journalisten erwartete die Künstlerin am Heathrow Airport. Als die Malerin schlank und beschwingt im langen Nerzmantel aus dem Flugzeug stieg, traute das wartende Pressekorps kaum seinen Augen. Man kannte nämlich das Alter der Künstlerin und hatte eine zerbrechliche alte Dame erwartet, keine lebenssprühende Frau von Welt. Vera Strawinski war damals einundneunzig. Nach dem Geheimnis ihres Lebenselixiers befragt, antwortete sie schlicht: »Es ist ja alles ganz einfach: arbeiten, reisen, mir von niemandem Angst einjagen lassen und mich an den schönen Dingen des Lebens freuen.«

2. Schönheit hängt nicht vom Alter ab

Der größte Fehler unserer Zeit ist, nichts mehr erwarten zu können und die Menschen zu früh zur Blüte zu bringen. Mit dreißig, heißt es in Amerika, muß ein Mann es beruflich geschafft haben, und ein Mädchen, das mit dreizehn noch keinen Verehrer hat, fühlt sich als Mauerblümchen. Alles das, worauf man sich in der Jugend vorbereiten sollte, auf Liebe, Partnerschaft, Erfolg, Sexualität und Verehrung, will man sofort genießen, auch wenn man körperlich und geistig dazu noch gar nicht in der Lage ist. Das Resultat sind frühverbrauchte Männer, sind Frauen, die mit zwanzig nichts Kindliches mehr an sich haben und mit dreißig schon verblüht sind.

Es ist aber eine alte Weisheit: Gut Ding braucht Weile, vor allem, wenn es sich um den Menschen handelt. Wer mit dreißig schon am Höhepunkt angelangt ist, ist zu bemitleiden. Was soll ihn freuen, wenn er fünfzig oder sechzig wird? Und wie sieht eine Existenz aus, in der die Kraft, die ein ganzes Leben hätte reichen sollen, bereits ganz zu Beginn des Erwachsenseins verbraucht wurde? Nur wer langsam reift, hat die Chance, bis zum Ende durchzuhalten. Die derzeit gängigen Theorien sind sehr anfechtbar. In Wirklichkeit gehört dem Spätentwickler die Welt.

Erst mit dreißig schön, doch dann für immer

Eine Frau, die mit sechzehn Jahren noch nicht schön ist, braucht nicht zu verzweifeln: Mit fünfunddreißig kann sie es sein; ist sie es mit fünfunddreißig, so ist sie es auch noch mit sechzig und wird bis zu ihrem Lebensende attraktiv bleiben. Man kann dies immer wieder beobachten. Es gibt Frauen, die sich einfach nicht verändern, auch wenn man sie in Intervallen von fünf oder zehn Jahren trifft, Frauen, die ihre Anziehungskraft behalten. Ich kenne davon mehrere. Eine von ihnen, eine fünfzigjährige Architektin, zeigte mir kürzlich ein Photo aus ihrer Jugendzeit. Ich konnte es kaum glauben: Mit fünfundzwanzig war sie unscheinbar, dick, hatte eine unreine Haut und schlechte Haltung. »Erst ab dreißig habe ich mich gefangen«, erklärte sie dazu, »aber dafür für immer.«

Die schwierigsten Jahre im Leben einer Frau sind zwischen zwanzig und dreißig. In dieser Zeit hat man die ersten wichtigen Begegnungen mit Männern, verliert die große Illusion von Liebe und Treue, meist heiratet man, das Leben ist plötzlich begrenzt und die Erfüllung läßt auf sich warten. Die Zeit der kleinen Wohnung, der kleinen Kinder und des kleinen Budgets, in der der Anbeter zum Ehemann wird, manifestiert sich oft in Übergewicht und den ersten Falten, die Mitte zwanzig noch nicht da sein dürften und die bei erfolgreichen, unverheirateten Frauen auch meist erst zwischen dreißig und vierzig auftreten. Der Schock ist groß. Die kleinen Linien bleiben plötzlich sichtbar um Augen und Mund, auch wenn man längst zu lachen aufgehört hat. Dabei ist man noch so jung! Wie soll das weitergehen? Kein Wunder, daß man sich vor jedem neuen Lebensjahr zu fürchten beginnt.

Von alldem kann man verschont bleiben, wenn man sein Leben anders einteilt, wenn man die Jahre zwischen zwanzig und dreißig dazu benützt, um zu studieren, sich weiterzubilden, zu reisen, zu arbeiten, eine Karriere aufzubauen und wenn man seine Kinder dann bekommt, sobald man mit beiden Beinen in der Welt steht: zwischen dreißig und vierzig. Im Kapitel »Reife Frauen sind bessere Mütter« behandle ich dieses Thema im Detail. Hatte man aber weniger Glück, heiratete man, weil man nicht wußte, was man sonst tun sollte, und weil alle heirateten, oder weil man von unwissenden Eltern zu jung in die Ehe gedrängt wurde, so ist trotzdem nicht alles verloren. Das Aussehen ist nicht das wichtigste im Leben, und Falten kann man mit Persönlichkeit überspielen, wenn man keine zu großen seelischen Schäden abbekommen hat.

Aber auch Falten kann man lieben. Jeder Mann, mit dem ich bisher beisammen war, hatte mehr Falten als ich, und sie störten mich nicht im geringsten. Wenn ich jemanden liebe, so liebe ich auch die Linien um seine Augen, da sie etwas aussagen, mit seiner Persönlichkeit zusammenhängen. Und jedesmal, wenn ich sehe, wie meine Pariser Freundin Tilda von ihrem Lebensgefährten, der um fast siebzehn Jahre jünger ist, geküßt wird – mit fünfundfünfzig hat sie natürlich ein paar Falten –, dann weiß ich, daß ein glattes Gesicht nicht das Wesentliche im Leben ist.

Männer wissen, worauf es ankommt

Männer, die wissen, worauf es ankommt, bemerken Falten im Gesicht einer attraktiven Person oft überhaupt nicht, und wenn, dann nur als flüchtigen äußerlichen Eindruck, den sie, nach dem ersten Gespräch, dem ersten Lachen, dem Glänzen der Augen, dem Humor, kurz: nach dem Zutagetreten der persönlichen Ausstrahlung total vergessen. Frauen aber machen einander oft unbegründet Angst. Verunsichert durch die Werbung, sitzen sie unausgefüllt zu Hause und glauben, da sie keine wirklichen Aufgaben und Interessen, keine Erfolgserlebnisse haben, daß Falten der Anfang vom Ende und der Grund für ihr unbefriedigendes Leben seien.

Nun, sie sind es nicht. »Mit dreißig«, sagte mir eine Bekannte, »glaubte ich, das Leben sei vorbei. Mein Mann hatte mich verlassen, ich stand da mit zwei kleinen Kindern und war verzweifelt. Heute weiß ich, daß die Scheidung das Beste war, was mir passieren konnte. Unsere Ehe war entsetzlich schlecht geworden. Wäre ich nicht gezwungen gewesen, selbständig zu handeln, hätte ich es nie zu etwas gebracht.« Heute ist sie vierundvierzig, eine jugendliche, elegante Erscheinung und Chefbuchhalterin einer angesehenen Firma. Sie hat ein schönes Haus an einem See im Salzburger Land gekauft, die Kinder sind fast erwachsen, und nach etlichen kürzeren Beziehungen mit Männern hat sie jetzt ein sehr gutes Verhältnis mit einem Architekten. Sie sieht jünger aus als am Tag ihrer Scheidung.

Schönheit, will ich damit nur sagen, ist engstens mit dem Leben, das man führt, verbunden. Wer mit sich zufrieden ist, wird nicht alt und häßlich. Wenn man seinen Körper unterstützt, indem man halbwegs vernünftig lebt, nicht zuviel raucht und nur mäßig trinkt, so hat man nichts zu befürchten. Und zum Körper, auch wenn Schönheit zum größten Teil aus Persönlichkeit und Ausstrahlung besteht, ein paar Informationen.

Es ist eine alte Tatsache, daß die Körperhaut, nicht zuletzt, weil sie durch Kleidung geschützt wird, länger jung bleibt als die des Gesichtes. Der Chirurg, der meine ungarische Großmutter – sie war damals fünfundsechzig Jahre alt – operierte, erzählte Familienfreunden, daß er von ihrem wunderschönen Körper überrascht war, der so tadellos war, daß er kaum das Skalpell ansetzen wollte. Meine Mutter hat mit ihren neunundsiebzig Jahren immer noch eine glatte, elastische Haut, und ich erinnere mich noch gut, wie erstaunt ich über die seidige Haut meiner österreichischen Großmutter war, als sie mich kurz vor ihrem Tod, sie war vierundachtzig Jahre alt, bat, ihr den Rücken mit einer Rheumasalbe einzureiben.

Ich weiß, dies ist teilweise Veranlagungssache und hängt vielleicht damit zusammen, daß die Frauen in meiner Familie das richtige Maß zwischen dick und dünn gefunden und gehalten haben. Zu große Schlankheit war der Schönheit noch nie zuträglich. Trotzdem aber traf mich die Tatsache, daß alte Menschen wirklich appetitliche Körper haben können, völlig unvorbereitet und ließ mich plötzlich meine geliebte Großtante Maria mit anderen Augen sehen, die mit ihrem Mann bis zu dessen Tod eine ausgezeichnete körperliche Beziehung hatte und auch mit großer Offenheit darüber zu sprechen pflegte.

Jung und voller Komplexe

Junge Menschen sind selten mit ihrem Körper zufrieden. Man erinnere sich nur an die Agonien, die man als »Backfisch« vor dem Spiegel, bei der Schneiderin, vor dem ersten Ball ausstand, weil man sich zu dick, zu flachbrüstig, zu dürr, zu groß oder zu klein fand. Jetzt bin ich erst achtzehn, dachte man, und rundherum stimmt nichts – wie soll das erst werden, wenn ich älter bin?

Nun, es wurde besser: Eine Frau findet zu ihrem Körper, wenn sie erwachsen wird, wenn sie feststellt, daß auch die anderen, die sie für perfekte Schönheiten hielt, ähnliche Komplexe haben. Sie wird ihren Körper bejahen, wenn sie mit einem Mann zusammen ist, der sie schön findet. Man kann aber den schönsten Körper haben und trotzdem unglücklich sein, wenn man sich auf einen Partner versteift, dessen Idealvorstellungen man nicht entspricht.

Eine sehr liebe Freundin, die ich seit meiner Jugend kenne, hat das, was man eine ausgezeichnete Figur nennt: schlanke Taille, schöner Busen, gute Beine. Was geschah? Sie verliebte sich in einen Bildhauer, der sie, da er im Grunde Männer bevorzugte, nie erhörte. Mir hat er einmal anvertraut: »Vor einem großen Busen habe ich geradezu Angst.« Meine Freundin, die diesen Mann von ihrem sechzehnten bis zu ihrem dreiunddreißigsten Lebensjahr mit großer Zähigkeit liebte, fühlte sich die ganze Zeit über häßlich. Sie zog die Schultern ein, um ihre Brust zu verstecken, litt unsäglich und schrieb ihr »Versagen« ab fünfundzwanzig ihrem Alter zu. Erst als sie ins Ausland ging – sie ist Malerin – und dort einen amerikanischen Soziologen kennenlernte, der sie so liebte, wie sie war, begann sie aufzublühen. Ich sah sie vor ein paar Wochen. Sie wirkte wie ein anderer Mensch, strahlend, um Jahre jünger.

Dazu ist folgendes zu sagen: Renoir war ein großartiger Maler. Aber in einem Haus, in dem man keine Impressionisten schätzt, wird er wenig Anerkennung finden. Sein Publikum – und das gilt für Künstler, Wissenschaftler, Frauen und Männer – muß man sich im Leben suchen.

46

Man kann es finden. Aber die Mühe muß man sich machen.

Die Sexwelle hatte Nachteile

Es besteht kein Zweifel, daß die Medien in den letzten dreißig Jahren viel dazu beigetragen haben, den Frauen Angst vor dem Altern ihres Körpers einzudrillen. Besonders »erfolgreich« waren in dieser Hinsicht gewisse deutsche Illustrierte, die die Sexwelle nicht verkrafteten und ihr Niveau rapide verloren. Erholt haben sie sich bis heute noch nicht. Da man nun jahrelang – ob im Café oder als Lesezirkelleser – mit erotischen Photographien konfrontiert wurde, blieb den Frauen keine andere Wahl, als sich mit den von geschmacklosen Journalisten angepriesenen »Vorbildern« zu messen.

Als Mensch, als Frau, mit einer Photographie zu konkurrieren, ist immer fatal. Das, was man auf dem Bild sieht, gibt es in Wirklichkeit gar nicht. Viele wissen, wieviel Mühe, Kosmetik, Lichteffekte, wie viele Proben, Posen, Tricks und Versuche nötig sind, um einen Körper so »perfekt« erscheinen zu lassen, wie er in Wirklichkeit gar nicht sein kann. Einen Busen zu photographieren, gehört zu den schwierigsten Dingen der Welt. Diese Photos, die soviel Unsicherheit erzeugen, sind reine Phantasie, unwirkliche Wunschvorstellungen wie Pornographie.

Zum Trost aller sei gesagt: Die Photomodelle sind privat nicht wiederzuerkennen. Eine meiner diversen Nachbarinnen in London – ich bin dort sechsmal umgezogen – arbeitete als Mannequin. Ich hatte ihr Bild in verschiedenen Publikationen bewundert, wußte aber lange nicht, daß es sich bei der Abgebildeten um sie, um Maggie von nebenan, handelte. Auf Photos trug sie wallende falsche Locken, künstliche Wimpern, ungezählte Schichten von Make-up, Rouge, Konturen- und Lippenstiften, und sie wirkte wie der personifizierte Vamp. Und in Wirklichkeit? Nun, sie war blaß, kindlich, hatte dünne, karottenrote Haare, keine Spur eines Busens, und wenn sie am Samstagvormittag mit ihrer Basttasche einkaufen ging, drehte sich kein Mensch nach ihr um.

Auch charakterlich hatte sie nichts mit ihrem Vamp-Image gemeinsam. Sie war häuslich, ihrem Verlobten treu und freute sich auf Kinder, die sie in der Zwischenzeit auch bekommen hat. Maggie gab einmal ein großes Fest. Ihre Firma, bei der sie als Hausmannequin arbeitete, hatte sich an einem Miss-World-Wettbewerb beteiligt. Maggie lud einige der Kandidatinnen und ein paar »Top-Models« zu sich nach Hause ein. Tagelang überlegte ich, was ich anziehen sollte, um nicht zu sehr abzufallen. Ich sah die Mädchen auf den Photos vor mir und dachte: Was für ein furchtbarer Abend wird das werden.

Der große Tag kam, ich schritt durch die Tür – in einen Raum voll gewöhnlicher Menschen. Ich war erschüttert. Irgendwie hatte ich mir diese Frauen immer überlebensgroß vorgestellt, auf einem Podest, von Licht umgeben; wie auf den Glanzpapierphotos eben. Die meisten werden ja auch von unten herauf photographiert – man mache sich die Mühe und betrachte einmal Modeaufnahmen genauer. Der Photograph hockt meist am Boden, manchmal liegt er sogar bei seiner Arbeit. Was mich so sehr verblüffte und erleichterte, war, daß man diesen Wesen von Angesicht zu Angesicht begegnen konnte, auf gleicher Ebene sozusagen, und daß man dabei durchaus konkurrenzfähig war.

Die meisten hatten auch nicht viel zu sagen, und der größte Andrang herrschte um eine amerikanische Sängerin, die durchaus nicht schön war, aber interessante Sachen erzählte.

Im Rampenlicht schöner als in Wirklichkeit

Ähnliches gilt für Filmstars, Schauspieler, Ballettänzer. Die Menschen, die auf der Bühne im Rampenlicht überirdisch schön wirken, erkennt man oft, wenn man sie in der Künstlergarderobe besucht oder – falls es sich um eine Premiere handelt – nach der Vorstellung auf einem Empfang trifft, kaum wieder. Die elfenhaften Tänzer und Tänzerinnen des Béjart-Ensembles von der Brüsseler Oper, die von der Bühne aus so manchem Minderwertigkeitskomplexe einjagten, entpuppten sich, als sie nach der Premiere in der Wiener Staatsoper bei der belgischen Botschafterin auftauchten, als klein und unscheinbar; einige hatten außerdem schlechte Haut. Nicht gerade ermutigend für das Selbstbewußtsein sind oft auch Kinobesuche. Die sorgfältig geschminkten, vom Visagisten bis ins kleinste Detail verkünstelten Geichter, die genau auf den Körper geschneiderte Garderobe, welche jeden Figurfehler verdeckt, und die perfekte Beleuchtung, welche alle nachteiligen Schatten aus dem Gesicht der Stars verbannt und Falten unsichtbar macht, täuschen natürliche Schönheit nur vor. Und diese schüchtert manche Zuseher derart ein, daß sie, wenn die Lichter wieder angehen, ihren Kopf zur Seite drehen, damit ihnen ihr Partner nicht ins Gesicht sehen kann.

Ein absurderes Verhalten gibt es nicht. Schein ist Schein,

vor allem im Kino. Im Winter 1979 wirkte die englische Schauspielerin Jane Birkin in Wien bei einem Film über den Maler Egon Schiele mit. Die Gerichtsszenen wurden in dem kleinen Ort Neulengbach in der Nähe von Wien gedreht. Es war eiskalt, das Treppenhaus des alten Gerichtsgebäudes war ungeheizt, und Jane Birkin, die die Geliebte des Malers spielte, mußte in fast durchsichtiger, kurzärmeliger Bluse, mit Halbschuhen und dünnem Rock die Gänge entlangeilen und den Amtsrichter suchen.

Nachdem die Szene endlich erfolgreich abgeschlossen war, ging ich mit ihr ins Gasthaus – dort war es wärmer –, und wir begannen mit dem vorher verabredeten Interview. Jane Birkin saß mir gegenüber, blaß, erkältet, Müdigkeit in den wasserblauen Augen, Schatten um Mund und Nase, alles andere als ein strahlender Star. Auf den Aufnahmen aber, die unser Pressephotograph machte, sah sie großartig aus. Die Kamera hatte nur das festgehalten, was an ihr schön ist: die hohen Backenknochen, die vollen Lippen, die dichten Augenbrauen, die gerade Nase. Ich konnte es kaum glauben. Die Bilder hatten mit der Frau, die mir gegenübergesessen hatte, kaum etwas gemeinsam.

Jane Birkin hatte eine Erklärung dafür. »Kino«, sagte sie, »ist Zauberei.« Und damit erklärte sie sich auch ihren Erfolg. Als sie siebzehn war, fuhr sie nach Rom und besuchte ihren Onkel, den Filmregisseur Carol Reed. Dieser war mit dem Streifen »Der dritte Mann«, der unumstritten einer der besten Filme ist, weltberühmt geworden. Ihn fragte sie, ob sie das Zeug zum Filmstar habe. Reed sah sie an und sagte: »Das hängt einzig und allein von der Kamera ab. Die Kamera muß sich in dich verlieben.«

Wie, wann und weshalb sich die Kamera in ein Gesicht verliebt, ist unbekannt. Aber Jane hatte Glück. Sie gehört zu den Auserwählten. »Zauberei« nennt sie die Tatsache, daß ihre Züge auf Zelluloid schöner sind als in Wirklichkeit. Photogen heißt es in der Umgangssprache. Und photogene Menschen sind keine Bedrohung.

Strahlende Schönheiten sind auf dieser Welt dünn gesät. Regisseure suchen jahrelang nach Schauspielerinnen, die sich gut photographieren lassen und auch Talent haben. Talent, um eine Scheinwelt aufzubauen und eine Schönheit, die sie nicht besitzen, überzustreifen, wann immer dies von ihnen verlangt wird. Sie sind nicht leicht zu finden, und das, was sie bieten, sollte man als Kunst bewundern. Nicht als Konkurrenzverhalten.

Seit dem Abend bei Maggie weiß ich, was es mit den sogenannten »angebeteten Schönheiten« auf sich hat. Es fällt mir nicht mehr im Traum ein, mich mit Frauen in Modejournalen, im Fernsehen oder im Kino zu vergleichen. Ich weiß jetzt: An realen Leuten kann man sich messen, eine Konkurrenz mit der Scheinwelt aber kann man nur verlieren.

Der Busen und das Korsett

Soviel zur allgemeinen Unsicherheit, und nun zum speziellen Sorgenkind aller Frauen: dem Busen. Dazu ist folgendes zu sagen: Wer mit fünfunddreißig eine schöne Brust hat, der hat sie auch noch mit fünfundsechzig, vorausgesetzt, man lebt gesund und ohne zu massive Gewichtsschwankungen. Eine schöne Brust ist nämlich in erster Linie eine Sache der Veranlagung und nicht des Alters. Wer Ende zwanzig schon einen schlaffen Busen hat, der hat in den meisten Fällen nie einen schöneren gehabt.

Ärzte wissen das und die Betroffenen auch, aber letztere hüten sich, es zuzugeben. Das ist auch verständlich. Wenigstens in der Phantasie möchten sie besitzen, was ihnen die Natur verweigert hat. Deshalb sagen sie auch: »Aber wenn du mich mit siebzehn gesehen hättest, da hättest du gestaunt.« Resultat, wenn ein Mann der Zuhörer ist: Aha, ab zwanzig geht es mit der weiblichen Figur abwärts. Resultat, wenn eine Frau dabei ist: lähmende Angst vor dem Älterwerden.

Der Mythos, daß nur sehr junge Frauen eine schöne Brust haben, ist Gott sei Dank im Schwinden. Er hatte aber eine historische Berechtigung, die rund dreihundert Jahre lang gültig war. Sie hieß: das Korsett. Im 17., 18. und im 19. Jahrhundert verlangte die Männerwelt »weibliche« Frauen mit »weiblichen« Körpern, also eine Betonung von Busen und Hüften, die man dadurch erzielte, daß man die Taille gnadenlos auf die Hälfte ihres natürlichen Umfanges schnürte. Sehr junge Mädchen wurden von dieser Tortur verschont, kamen sie aber ins gesellschafts- und heiratsfähige Alter, so bedeutete dies auch für sie die Unterwerfung unter das Korsett mit allen damit verbundenen Unannehmlichkeiten. Diese waren damals in aller Munde: Kurzatmigkeit, Leber- und Magenbeschwerden, Neigung zu Ohnmachtsanfällen. Dazu kam noch die Zerstörung der Figur, denn die Taille wurde zur unästhetischen Schnürfurche und der Busen zur Hängebrust.

Noch im Jahre 1905 schrieb die deutsche Ärztin Anna Fischer-Dückelmann, die aus einer alten Ärztefamilie kam und an der Universität in Zürich promovierte: »Schlaffheit der Brüste ist eine Erscheinung, die heute bei jungen und alten, mageren und dicken Frauen angetroffen wird. Korsettwirkungen wie die mangelhafte Entwicklung der

Brustdrüse und die schlechte Entwicklung der Muskulatur sind die beklagenswerte Ursache.« Anna Dückelmann war deshalb eine fanatische Anhängerin der sogenannten Reformbewegung, die für die Abschaffung des Korsettes eintrat und menschenwürdige Kleidung für Frauen forderte.

Kaum aber war das Korsett verschwunden, war die weibliche Brust in ihrer ganzen Schönheit wiederhergestellt, denn der überwiegende Teil der Frauen hat – jede auf ihren Körperbau abgestimmt – ansprechende Brüste. Erst heute aber, über siebzig Jahre später, beginnt dieses Wissen von der Allgemeinheit akzeptiert zu werden. Man sieht dies an gewissen Moderichtungen, die sich rasant durchsetzen, an dem Verkaufserfolg von Kleidern und Blusen, die man ohne Büstenhalter trägt, ganz gleich, wie alt man ist. Und dies bedeutet nichts anderes, als daß man sich seines Körpers nicht mehr schämt, daß man endlich selbstsicher genug geworden ist, um zu manifestieren: So wie Gott mich geschaffen hat, so bin ich schön.

Diese Abkehr vom Diktat der klassischen Modeschöpfer, vom unnatürlichen Bild des künstlich hochgepumpten Busens ist durchaus erfreulich. Man kauft heute gern von Designerinnen, die ihre Kleider in kleinen Boutiquen präsentieren, die für die Frau entwerfen und nicht für ein Phantasiegebilde. Diese Mode ist fröhlich, erschwinglich, bunt, bestickt und gefältelt, von Nationalkostümen aus Indien, Afghanistan, China, Ungarn beeinflußt – und, das beste an ihr: Sie ist völlig alterslos.

Auch die Mode ist heute unabhängig vom Alter

Ich lebte lange Zeit in Paris und konnte diesen Wandel aus nächster Nähe mitverfolgen. Der Durchbruch wurde mir klar, als ich eines Abends bei einer exklusiven Dinnerparty in der Residenz des amerikanischen Botschafters jene Kleidchen, die man in den Boutiquen am Boulevard Saint Michel für relativ wenige Francs erstehen konnte, an den wohlhabendsten Damen wiederentdeckte. Und sie standen ihnen ausgezeichnet, obwohl es sich bei den Anwesenden durchaus nicht um die Jüngsten handelte.

An ein Modell erinnere ich mich noch genau. Es war ein kleines Wollkleid, olivgrün, mit langen Ärmeln und besticktem Oberteil. Ich hatte es in einem kleinen Geschäft nahe der Metro-Station Saint Michel für zweihundertfünfzig Francs in der Auslage gesehen. Getragen wurde es an jenem Abend von der Gattin des Direktors des Atlantic-Institutes. Die Dame war über fünfzig und sah darin ganz entzückend aus. Ich freute mich für sie und noch mehr für alle anderen reifen Frauen, denn es bewies, man hatte endlich erkannt, daß fröhliche, farbige, etwas verrückte Kleider nicht mehr das Vorrecht der Jugend sind, daß alles erlaubt ist, und zwar bis ins hohe Alter, alles, was einem zu Gesicht steht, alles, worin man sich wohlfühlt. Die Zeiten, in denen sich eine Dame über vierzig nur in Sack und Asche, sprich ein graues Schneiderkostüm, hüllen durfte, sind endgültig vorbei.

Noch ein paar kurze Bemerkungen zum Thema »Busen«. Selbstdisziplin, genügend Schlaf, nicht zuviel Nahrung, Zigaretten und Alkohol – ansonsten gibt es kaum Regeln, um fit zu bleiben. Kaltes Duschen nach dem Bad ist gut, zuviel pralle Sonne schlecht. Wenn man natürlich lebt und nichts übertreibt, hat man wenig zu befürchten. Auch Schwangerschaften können der Brust nichts anhaben. Solange man das Kind nicht, wie es bei manchen schwarzafrikanischen Stämmen Sitte ist, drei Jahre lang an der Brust hängen läßt, entstehen keine Schäden. Bis zum zehnten Monat zu stillen, verkraftet eine gesunde Frau ohne weiteres. Das ist ihr sogar viel zuträglicher, als die Milchproduktion künstlich zu unterbinden und Entzündungen der Brustdrüsen zu riskieren. Vielleicht sollte man aber im Winter, wenn man schwere Mäntel tragen möchte, einen Büstenhalter nehmen.

Dummheiten, denen man hilflos ausgeliefert war

Ich weiß, es ist leichter gesagt als getan, aber man muß versuchen, sich von der Dummheit seiner Umwelt nicht mehr entmutigen zu lassen. Wenn ich jetzt zurückdenke, so überkommt mich Verzweiflung über die haarsträubend dummen Geschichten, die Erwachsene manchmal jungen Menschen erzählen; Dummheiten, denen man wehrlos ausgeliefert ist, weil man noch keine Erfahrungen hat und deshalb Vergleichsmöglichkeiten fehlen.

So sagte mir eine Nachbarin, als ich sechzehn Jahre alt war: »Jetzt bist du noch schön schlank, aber wenn du dreißig bist, dann mußt du dich entweder für die Figur oder das Gesicht entscheiden.« Ich war am Boden zerstört, glaubte ihr aufs Wort und sah mich abwechselnd als fette Matrone mit glattem Gesicht oder schlank und dafür mit einer Haut wie ein verschrumpelter Apfel. Dazu muß man wissen, daß in Österreich in den späten fünfziger und frühen sechziger Jahren der Hauptunterschied zwischen einem Mädchen und einer verheirateten Frau in guten zwanzig Kilogramm Übergewicht der letzteren bestand. Dick zu sein, bedeutete damals, nicht mehr jung und frei zu sein. Alle meine Bekannten hatten echten Schrecken vor Übergewicht. Schlankheit war begehrenswerter als Schönheit. Die Aussicht, mit dreißig die Figur ruinieren zu müssen, um keine Falten zu kriegen, war wie ein Todesurteil.

Natürlich muß man sich weder mit dreißig noch mit vierzig, fünfzig oder sechzig für irgend etwas entscheiden. Nichts ändert sich schlagartig von einem Tag zum andern. Und doch wird einem immer wieder Angst gemacht. »Na warte nur, wenn du erst vierzig bist«, heißt es, und schon produziert die Phantasie Horrorbilder. Kosmetik- und Werbeindustrie nutzen diese Angst und verpacken sie in gute Ratschläge für die »Frau über dreißig« oder den »Karrieretyp über fünfzig« mit dem Resultat, daß man davon überzeugt wird, man verliere von einem Tag zum andern seine Anziehungskraft und zwischen neunundzwanzig und dreißig oder zwischen neunundvierzig und fünfzig müsse eine unüberbrückbare Kluft bestehen, in die man notgedrungen hineinstürzt. Vor allem bekommt man den Eindruck, daß sich der Körper schlagartig zu entwickeln aufhört, daß es keine Hoffnung auf Besserung mehr gibt. Aber es gibt sie. Solange man atmet. Auch mit sechzig kann man durch Gymnastik seine Figur, seine Haltung, seinen Busen verschönern. Es ist *nie* zu spät. Der Körper ist nichts Statisches, bei Siebzigjährigen ebensowenig wie bei Fünfundzwanzigjährigen. Er lebt, und solange er lebt, läßt er sich verschönern, auch ohne kosmetische Operationen. Darüber später mehr. Zuerst aber noch ein paar Worte über individuelle Schönheit.

Schönheit kann man nicht vorschreiben

Wenn man sich nicht selbst für schön und begehrenswert hält, so wird man einem das auch ansehen, man wird von Männern nicht geschätzt werden und im Bett voller Komplexe sein, die automatisch auf den Partner abfärben. Um dies zu verhindern, muß man lernen, seine eigene, ganz persönliche Art von Schönheit zu akzeptieren. Und man kann es. Keine Angst, die natürliche Anziehungskraft zwischen den Geschlechtern ist stärker als eine momentane Vorliebe für kleine und mollige oder große sportliche Frauen, eine Vorliebe, die noch dazu künstlich gezüchtet ist. Niemand braucht sich heutzutage mehr in die Kategorien »weiblich«-schön und »unweiblich«-häßlich einteilen zu lassen, wie das jahrhundertelang der Fall war. Einem Prototyp Frau nachzueifern, der gerade modern ist, ist Zeitverschwendung und Dummheit. Die Energie verwendet man besser, indem man lernt, das Beste aus seinem Typ zu machen. Und außerdem: Was Männer manchmal schön finden, hat mich schon oft erstaunt.

Dazu ein Beispiel: Ich kenne einen Kunsthändler kanadisch-österreichischer Abstammung, der sich, als er zwanzig war, in eine schwarze Studentin verliebte, die bedeutend älter war, vier Kinder hatte, von ihrem Mann verlassen worden war und von der Sozialfürsorge unterstützt wurde. Er hatte mir tagelang von dieser Frau vorgeschwärmt, von herrlichen gemeinsamen Vormittagen im Bett, von ihrer leidenschaftlichen Art und wie gut er sich in ihrer Gesellschaft gefühlt habe. Als ich ihn fragte, wie sie denn ausgesehen habe, gab er mir folgende Antwort, die mich so verblüffte, daß ich mir den genauen Wortlaut bis heute gemerkt habe: »Sie hatte einen Kugelbauch«, sagte er, »und ihre Brüste hingen ziemlich tief herunter. Aber ihr war das völlig gleichgültig, und ich fand sie wunderschön. Und das war sie auch. Sie hatte nämlich den schönsten Rücken, den ich je bei einer Frau gesehen habe.«

Von Französinnen kann man lernen

Also, wovor Angst haben? Hier bekam ich eine Frau beschrieben, die man eigentlich nur unter »häßlich« einstufen konnte. Und was tat er? Er schwärmte von ihrem attraktiven Rücken. Es war großartig. Ich habe daraus auch eine Lehre gezogen, eine, die dank der sechs Jahre, die ich in Paris gelebt habe, vertieft wurde. Französinnen sind nämlich keineswegs schöner als Deutsche, Österreicherinnen, Italienerinnen oder Amerikanerinnen. Sie haben aber einen Vorteil: Sie können ihre körperlichen Pluspunkte so ins rechte Licht rücken, daß man das, was an ihnen weniger schön ist, gar nicht bemerkt. Auch wenn sie häßlich sind wie die Nacht und nur einen schönen Hals besitzen, so bringen sie es fertig, daß man diesen Hals bewundert.

Dazu ein Beispiel: Der bekannte französische Filmregisseur Claude Chabrol kam nach Österreich, um die vierte Folge einer TV-Serie über den klassischen Bösewicht »Fantomas« zu drehen. Im Gefolge hatte er Helmut Berger, Gayle Hunnicut und sein langjähriges Kamerateam sowie Aurore Josquiss, das Skriptgirl.

Letztere ist zwar durchaus ansehnlich, aber keine atemberaubende Schönheit. Fremden gegenüber ist sie mißtrauisch, und sie verteidigt Chabrol mit derselben Vehemenz gegenüber Journalisten wie ein Hund seine Knochen gegenüber dem Nachbarköter. Chabrol hatte mir ein Interview versprochen, und als ich am Drehort erschien, empfing mich Aurore mit gerunzelter Stirn. Gefilmt wurde in einem alten, verstaubten Palais an der Wiener Ringstraße inmitten des üblichen Chaos von Lichtmaschine, Scheinwerfern, Bergen aus schwarzen Kabeln, Schienen für die Kamera und Requisiten.

Aurore Josquiss saß am Boden, trug eine graue Cordhose und einen beigen Pullover; sie kritzelte auf ihren Block. Die halblangen Haare hatte sie mit zwei Kämmen auf gut Glück hochgesteckt, und ihre finstere Miene trug nicht dazu bei, den Liebreiz ihrer Person zu erhöhen.

Aber sie wäre keine Französin gewesen, wenn sie nicht trotzdem für sich selbst und ihre größten körperlichen Pluspunkte Reklame gemacht hätte. Und jetzt aufgepaßt: Sie saß zwar auf dem Boden, aber so, daß man auf den ersten Blick ihre wohlgeformten kleinen Füße bemerken mußte. Diese steckten in sündteuren Stiefeln aus hochglanzpoliertem feinstem Leder, wie man sie in den eleganten Pariser Schuhsalons bewundern kann. Und was sie auch tat, ob sie ging, auf einem Sofa saß und die Beine übereinanderschlug oder auf dem Boden kauerte, die zierlichen kleinen Füßchen waren nicht zu übersehen. Und nicht nur mir sind sie aufgefallen. Als nach dem Interview die Rede auf Aurore Josquiss kam, sagte unser Photograph, der nicht ganz zugehört hatte: »Von wem sprichst du denn? Meinst du die Blonde mit den schönen Füßen?«

Frauen sind viel zu leichtgläubig

Das nenne ich Können! Und so weit muß jede Frau kommen. Heraus mit den Pluspunkten und ein großes Ja zur eigenen, individuellen Schönheit! Der Rest zählt nicht. Die Welt muß bekehrt werden. Für überlieferte Dummheit ist kein Platz mehr. Es ist überhaupt alles anders, als man denkt: Kleider machen schon lange keine Leute mehr, große Frauen finden ebenso leicht einen Mann wie kleine, und dünne Haare sind nicht schlechter als kräftige. Im Gegenteil. Dünnes Haar ist seidig, hat mehr Glanz und greift sich ausgesprochen angenehm an. Gerade dünnes Haar aber ist ein ausgezeichnetes Beispiel für die Leichtigkeit, mit der man Frauen Minderwertigkeitskomplexe einjagen kann. An die Kampagne, die jahrelang gegen dünnes Haar geführt wurde, erinnert sich noch jeder. Dünnes Haar kam nach Meinung der Experten gleich nach der Geißel Gottes. Das Urteil lautete: abschneiden und Dauerwellen. Fast sämtliche Friseure waren sich einig. Und warum? Weil man mit kräftigem Haar leichter komplizierte Frisuren machen kann als mit feinem. Weil starkes Haar einem Friseur die Arbeit erleichtert. Der Hintergrund der ganzen Hetze ist also interessanterweise Bequemlichkeit. Es gibt keinen Grund, sich wegen feiner, seidiger Haare zu schämen, und keinen, es nicht lang zu tragen, bis man tot umfällt. Eines freilich muß man unterlassen: Die Meinung mancher sogenannter Fachleute mit einem Gebot Gottes zu verwechseln, dem man sich widerspruchslos zu fügen hat.

Es ist immer wieder verblüffend, mit welcher Gutgläubigkeit Frauen ihren Ärzten, Friseuren, Kosmetikerinnen, Schneiderinnen, aber auch völlig fremden Menschen wie etwa Verkäuferinnen in Modegeschäften und Parfümerien gegenübertreten, mit welcher Bereitschaft sie sich körperliche Unvollkommenheiten einreden lassen, die mit teuren Mitteln ausgeglichen werden müssen. Kosmetikgeschäfte sind Brutstätten für Komplexe, und die neue Verkaufstechnik sorgt auch dafür, daß dies so bleibt.

Will man ein Shampoo kaufen, so fragt die Verkäuferin nicht mehr: »Welche Marke wollen Sie?« Nein, sie setzt einen besorgten Blick auf, richtet diesen auf den Kopf der Kundin und will wissen: »Welches Haarproblem haben Sie?« Antwortet man, man sei sich keines Problems bewußt, möchte aber trotzdem mit sauberem Kopf herumlaufen, so wird sie böse. Für sie hat jedes Haar Probleme. Und ihr wissendes Lächeln und der skeptische Blick überzeugen die Kundin in Sekundenschnelle, daß auch ihr Haar nicht in Ordnung ist, daß es trocken wie Stroh oder fett und schuppig, farb- und glanzlos und von A bis Z verbesserungsbedürftig sei.

Was man aber wirklich antworten sollte, ist folgendes: »Fräulein, wollen Sie mich beleidigen? Ich möchte ein ganz normales Shampoo und wenn Sie mich durch ihre Anspielungen noch einmal kränken, dann werde ich Ihr Geschäft nie mehr betreten.« Man sage es laut und bestimmt und wenn möglich in Anwesenheit des Geschäftsführers. Wenn er merkt, daß die psychologische Verkaufstaktik nicht wirkt, so werden die Angestellten bald wieder freundlich fragen: »Was möchten Sie denn gerne?« und das Wort Problem nur dann in den Mund nehmen, wenn sie von der Kundin dazu aufgefordert werden.

Frauen müssen lernen, zu sich selbst zu stehen. Sagt man einer Frau mit der Bestimmtheit eines Fachmannes, sie sei zu alt, ihre Hände seien im Grunde häßlich und ihr Typ nicht gefragt, so ist die erste Reaktion immer noch die, daß sie es glaubt. Dies aber muß sich ändern. Man muß lernen, sich über sich selbst zu freuen. Man ist so, wie man ist. Und die anderen haben sich damit abzufinden.

Der Weg zum Erfolg ist klar. Nicht das, was man nicht hat, darf man beklagen (und womöglich noch in Gesellschaft auf den Mangel hinweisen), vielmehr muß man sich auf das, was man besitzt, konzentrieren und lernen, es auszuspielen, ob es sich nun um den Rücken, die Hände, die Haare oder den Hals handelt. Wer aber glaubt, körperlich völlig reizlos zu sein, der bedenke nur, welchen Eindruck eine schöne Stimme, elegante Bewegungen, eine gepflegte Sprache und originelle Ausdrucksweise beim anderen Geschlecht hervorrufen. Auf jeden Fall keinen schlechteren als eine tadellose Nase. Zu verzweifeln braucht niemand. Eine Frau ohne irgendein Schönheitsmerkmal gibt es nicht.

Fünfzig Jahre und keine Falten

Und nun zum Gesicht und der großen Angst aller Frauen, Falten zu bekommen. Gesagt sei folgendes: Nicht jede bekommt sie. Wenn es sich auch um Ausnahmen handelt, so gibt es doch immer wieder Beispiele für sogenannte ewige Jugend, die auch mit fünfzig noch eine glatte, klare Haut besitzen – ohne kosmetische Operationen, wohlgemerkt. Ich kenne auch jemanden aus dieser Kategorie. Es handelt sich um eine schwarze Amerikanerin, eine Schauspielerin, die heute einundfünfzig Jahre alt ist und keine einzige Falte im Gesicht hat. Sie verriet mir sogar ihr Geheimnis: »Keine Grimassen, nicht zuviel lachen und jeden Abend Vaseline um die Augen.« Und dann sagte sie noch: »Eines weiß ich. An dem Tag, an dem ich eine Falte in meinem Gesicht entdecke, kriege ich einen Herzanfall.« Und auf die Frage, ob es sie wirklich verunsichern würde, mit sechzig Lachfalten zu bekommen, antwortete sie: »Natürlich. Ich will der Welt nicht zeigen, daß ich gelebt habe.«

Nun, meiner Meinung nach ist dies ein Fehler. Die Welt ist ohnehin unpersönlich genug, muß man dies noch durch Gesichter, die nichts mehr ausdrücken, verstärken? Ich selbst bin fasziniert von Linien und Furchen im Antlitz eines Menschen, denn sie geben Aufschluß über das Leben, das er führt oder geführt hat. Ich finde im großen und ganzen ältere Gesichter unendlich interessanter als junge, und jeder Künstler wird mir zustimmen. Man darf nicht vergessen: Solange man im Wesen nicht versteinert, wird sich auch das Gesicht nicht verhärten. Und solange dies nicht der Fall ist, bringt der Reifeprozeß körperlich und geistig nur Vorteile.

Natürlich braucht man einige Zeit, um dies zu begreifen. Auch ich habe in meiner Jugend kostbare Zeit mit Faltenangst verloren. Mit fünfundzwanzig, ich war frisch verheiratet und lebte in London, wanderte ich stundenlang durch die Regents Street, sah den Menschen, die mir in Scharen begegneten, ins Gesicht und suchte Falten. »So eine schöne Frau«, dachte ich dann bei dieser und jener, »aber sie hat schon Falten um die Augen – hoffentlich ist sie viel älter als ich.« Meine Studien, die ich meist während der Mittagspause betrieb – ich arbeitete damals ganz in der Nähe des Piccadilly Circus –, brachten aber auch erstaunliche Resultate zutage. Ich entdeckte nämlich Menschen, die Falten hatten und trotzdem jung wirkten, und andere, die keine hatten und alt aussahen. Die, welche am ältesten wirkten, obwohl sie noch nicht alt sein konnten, hatten

Gesichter, die nach unten hingen, die schlaff waren und die Kinnlinie verloren hatten. Heute weiß ich auch, woher das kommt. Es ist das sichtbare Zeichen von Resignation, des schlimmsten Feindes der Schönheit. Denn wer resigniert, wird alt.

Resignation bedeutet nichts anderes, als den Kräften, die im Körper schlummern, die Tür zu verriegeln. Jeder kennt das Wort »Lebenswille«. Jeder Arzt weiß um seine Bedeutung in kritischen Situationen, nach lebensgefährlichen Unfällen, nach einer schweren Operation, und jeder Arzt hat ihn schon einmal gesagt, den Satz: »Jetzt kann nur mehr der Wille zu leben helfen.« Und ist er vorhanden, so wirkt er Wunder. So und nicht anders verhält es sich auch mit dem Willen zur Jugend. Es ist in beiden Fällen dieselbe Energie, die in uns schlummert. Man muß ihr nur die Chance geben, aktiv zu werden. Wer aber resigniert, der läßt ungeahnte Kraftreserven ungenützt, der hat verloren, der wird alt, lange vor seiner Zeit.

Wer geliebt wird, bleibt jung

Das beste Mittel, Jugend und Schönheit zu verlieren, ist, in einer schlechten oder gleichgültigen, nichtssagenden Beziehung zu leben, ob es sich nun um eine Ehe, eine Lebensgemeinschaft oder um ein kürzeres oder längeres Zusammenleben mit einem Partner handelt. Wer als Frau nicht mehr gelobt, bewundert, geliebt wird, wer mit einem Partner lebt, der auf der Straße oder in Gesellschaft nur Augen für andere hat, wer spürt, daß er sexuell nicht mehr begehrt wird, der resigniert und wird alt.

Ehen, die von Anfang an nicht gutgehen – und deren gibt

es unzählige –, sei es nun, weil man körperlich oder weil man geistig nicht zusammenpaßt, soll man beenden, ehe Kinder vorhanden sind. Die puritanische Doktrin des »Sichdurchbeißens« ist meiner Meinung nach fatal. Akzeptieren kann man sie noch, was den Arbeitsplatz betrifft, obwohl es auch hier für alle Beteiligten besser ist, wenn man sich eine neue Stelle sucht, die einen mehr ausfüllt, an der man keine persönlichen Konflikte mit Kollegen oder Vorgesetzten hat. Findet man aber arbeitsmäßig nichts Besseres, so muß man hier versuchen, sich durchzubeißen. Auf eine Ehe bezogen, ist diese Taktik aber geradezu kriminell.

Liebe, Zärtlichkeit, Verstehen und körperliche Anziehungskraft kann man durch Ausdauer nicht erzwingen. Es gibt sie zwischen zwei Menschen, oder es gibt sie nicht. Man kann sich zwar zu einem rücksichtsvollen, höflichen Benehmen, im besten Fall zu einer Art Freundschaft durchringen, aber das ist zu wenig, um jung und schön zu bleiben. Ich weiß dies aus eigener Erfahrung: Allein zu sein ist dem Aussehen zuträglicher, als in einer schlechten Beziehung zu leben.

Natürlich braucht man viel Energie, um sich von einem Menschen, an den man sich gewöhnt hat, zu lösen. Vom Partner bekommt man in diesem Fall keine Hilfe. Männer sind in solchen Situationen wie Kinder. Auch ein ungeliebtes und lange nicht mehr hervorgeholtes Spielzeug lassen sie sich nur ungern wegnehmen. Sie entwickeln eine ungeahnte Zähigkeit, um eine Frau, die sie verlassen will, zurückzuhalten. Wenn sie nicht körperlich brutal werden, so sind sie es geistig, drohen mit Armut, Einsamkeit, einem »unerfüllten« Leben, und viele Frauen lassen sich einschüchtern und bleiben. Aber wer Angst hat, wird alt, denn die Ehe bessert sich kaum. Bestenfalls wird man zwei Wochen lang rücksichtsvoller behandelt oder auf eine Reise mitgenommen, dann aber ist alles wieder beim alten. Ich spreche, wie gesagt, aus Erfahrung. Und einen Mann in ständiger Unsicherheit zu halten, um dadurch besser behandelt zu werden, ist auch nicht jedermanns Sache. Es bedeutet, daß man lügen, sich verstellen, Theaterspielen muß. Ganz abgesehen davon, daß man einem intelligenten Mann auf die Dauer nichts vormachen kann, ist dies entwürdigend, und es bringt einen doch nicht zum begehrten Ziel: geliebt zu werden.

Nach der Trennung sind alle Türen offen

Hat man sich aber zu einer Entscheidung durchgerungen und ist man bereit, eine Zeitlang gewisse Entbehrungen auf sich zu nehmen, so wird man feststellen: Allein zu sein nach einer unausgefüllten Beziehung ist eine Erlösung Man wird auch feststellen, daß es eine unglaubliche Menge von Männern auf Partnersuche gibt, die entweder geschieden, in Scheidung, verwitwet oder noch unverheiratet sind. In dem Moment, in dem man sich aus dem sterilen Gesellschaftsleben löst, bei dem ein gewisser Kreis von Ehepaaren einander ausschließlich und immerzu einlädt – und das gesamte »Social Life« der meisten Verheirateten besteht aus nichts anderem –, beginnt man erst die Möglichkeiten zu sehen, die die Welt zu bieten hat.

Natürlich ist man die erste Zeit nach der Trennung, sie dauert so um die zwei Jahre, zu einer tieferen Bindung nicht fähig. Aber die Verhältnisse, die man eingeht, bedeuten zumindest auf körperlicher Ebene etwas. Der neue

Freund, der einen nach Hause einlädt, tut dies nicht aus Gewohnheit, sondern, wenn schon aus keinem anderen Motiv heraus – aus Begierde. Und als Frau begehrt zu werden, wieder bemerkt zu werden, ist nach einer schlechten Dauerbeziehung eine unglaubliche Wohltat. Man wird bald entdecken: Ist man erst allein, so sind alle Türen offen. Man ist wieder bereit für das, was der Himmel schickt, und er tut es auch – man muß ihm nur ein Stück entgegenkommen.

Dies bedeutet etwa, nicht mehr zu Hause zu sitzen und sich selbst zu bemitleiden, aber auch, nicht wahllos fremde Männer ins Bett zu nehmen. Es bedeutet darüber hinaus, sich einen interessanten Beruf zu suchen, sich weiterzubilden, sich voll und ganz für das, wozu man sich entschlossen hat, einzusetzen, sich für andere Menschen zu interessieren, aufgeschlossener zu werden. In Amerika, aber auch in unseren Großstädten, bedeutet dies oftmals, einen sterilen Vorort zu verlassen, in die Stadt zu ziehen, dorthin, wo das Leben noch nicht erstarrt ist, wo man Anregungen bekommt und vor allem Menschen trifft, die sich in einer ähnlichen Situation befinden. Es gibt sie, die Gleichgesinnten, die ersten Schritte aber, ihnen entgegen, muß man selbst tun.

Viele Frauen haben Angst davor, allein in ein Restaurant zu gehen, in ein Kino, ein Theater, zu einem Empfang. Sie wissen nicht, daß es kaum etwas Interessanteres gibt, als eine Dame, die allein zur Tür hereinkommt. Sofort werden alle Männer auf sie aufmerksam, und ich selbst habe mich schon oft genug geärgert, wenn der, mit dem ich in einem Restaurant am Tisch saß, zu sinnieren begann: Also, wer kann die sein, so eine interessante Person, warum geht sie allein aus? Ist sie vielleicht ansprechbar? Und all das, während die Alleinspeisende das Gefühl hat, unter so vielen Paaren unerwünscht und ein Außenseiter zu sein. Dies aber ist die größte Anfangsschwierigkeit, die man überwinden muß: Die Chancen, die sich bieten, zu erkennen. Nützen wird man sie dann ganz von selbst.

Im Spiegel sieht man mehr als das Gesicht

Eine große Hilfe, sich aus einer unglücklichen Beziehung zu befreien, ist der Spiegel. Mir hat er schon oft geholfen. Wenn ich wissen will, wie es mir wirklich geht, wie mir eigentlich zumute ist, so sehe ich in den Spiegel, meist in einen kleinen, den ich in der Handtasche habe. »Bei dem strahlenden Gesicht kann es nicht so schlimm sein«, sagte ich mir dann oder: »Jetzt sieht man mir das Unglück schon an, jetzt muß etwas geschehen.« Und dann konnte ich plötzlich handeln – aus reinem Selbsterhaltungstrieb.

Das letzte Mal geschah dies vor drei Jahren in Paris. Ich trennte mich von einem Mann, dem ich fünf Jahre völlig treu und ergeben gewesen war. Es war sehr schwer, aber ich hatte keine Wahl. Ich fühlte es instinktiv: Noch ein Jahr mit diesem Mann, und ich werde todkrank. Dabei hatte ich noch Glück. Die Verzweiflung, die schlaflosen Nächte, in denen er nicht nach Hause kam, die Unsicherheit über die Zukunft, die Lieblosigkeiten und Streitereien schlugen sich nur zu einem kleinen Teil in meinem Gesicht nieder. Aber ich hatte andere Beschwerden.

Punkt vier Uhr nachmittags bekam ich meine Depression. Tagelang hatte ich Schmerzen in den Gelenken, in Knie und Hüfte, die mir das Treppensteigen zur Qual machten. Auf dem Weg in die Nationalbibliothek, beim Umsteigen in der Metro, in den langen, weißen Korridoren schmerzte jeder Schritt, und wenn Stufen zu steigen waren, mußte ich mich manchmal mit beiden Händen am Geländer festhalten. Besonders arg war dies im Winter, wenn ich einen schweren Mantel trug. Ich konnte mich auch nicht mehr bücken, war jedesmal verzweifelt, wenn mir auf der Straße etwas aus der Hand fiel, weil ich drei, vier Versuche machen mußte, ehe ich den Schlüssel oder was immer es auch war, wieder zwischen die Finger bekam.

Wenn ich mich im Spiegel sah, sah mir eine resignierte Frau entgegen. Ich fand mich nicht mehr schön, meine Augen glänzten nicht mehr, bei jeder Kleinigkeit begann ich zu weinen. Ich übertrug meine eigene Verzweiflung schließlich auf die ganze Welt. Ich erinnere mich noch genau: Wenn ich an den Wochenenden, an denen er für mich keine Zeit hatte, allein durch die Straßen ging, betrachtete ich die vielen erleuchteten Fenster und sah hinter jedem eine unglückliche, einsame Frau, die auf ihren Mann wartete. Das ganze Leben schien freud- und sinnlos, dabei war ich erst vierunddreißig Jahre alt.

Ein halbes Jahr nach der Trennung, ich war inzwischen nach Österreich gezogen, waren diese Zustände verschwunden. Es wurde vier Uhr, und ich war immer noch guter Dinge. Ich konnte sentimentale Musik hören, konnte wieder Klavier spielen, ohne beim ersten Ton in Weinkrämpfe auszubrechen. Ich war sogar imstande, um elf Uhr abends Radio zu hören. In Österreich beginnt zu dieser Zeit eine Sendung, die »Musik zum Träumen« heißt. Schon bei der Kennmelodie war ich früher regelmäßig in Tränen ausgebrochen. Musik zum Träumen war für mich immer Musik zum Weinen, die ich haßte und fürchtete und sofort abschalten mußte. Eines Abends aber hatte ich vergessen, abzudrehen. Die ersten Takte von »Last Date« erklangen – und nichts geschah. Mein Herz wurde nicht schwer, das Leben ging weiter. Da wußte ich, daß das Schwerste überstanden war.

Eine Falte, die plötzlich verschwand

Und noch etwas geschah. Die Falte auf meiner Stirn verschwand. Ich hatte zwar immer eine glatte Stirn besessen, vielleicht weil mir die Mutter einer Freundin, als ich sieben Jahre alt war, die Hand auf die Stirn legte und sagte: »Mach keine Falten, sonst bereust du es später.« Vielleicht aber hat es nichts damit zu tun und ist nur eine glückliche Veranlagung. Jedenfalls bemerkte ich eines Tages in Paris nach etlichen Tagen Streit und einer durchgeweinten Nacht, daß sich über meiner Nasenwurzel eine feine Linie gebildet hatte, die beim Ansatz der linken Augenbraue begann und einen Zentimeter nach oben führte. Ich war verzweifelt. Schrieb es allem anderen als meinem seelischen Zustand zu, dachte an Kurzsichtigkeit und begann, Brillen und später ein Jahr lang Kontaktlinsen zu tragen. Aber die Falte blieb.

Als ich Paris verließ, hatte ich andere Probleme, als an Falten zu denken. Es ging ums Überleben, und trotz der Prophezeiungen meines Freundes, daß ich ohne seine Unterstützung in Österreich verhungern würde, beendete ich mein Studium termingemäß, schrieb und publizierte erfolgreich und landete schließlich bei einer sehr guten österreichischen Tageszeitung. Wie gesagt, mir blieb nicht Zeit, faltensuchend vor dem Spiegel zu stehen. Nach einem Jahr aber nahm ich Urlaub und hatte zum erstenmal wieder etwas Zeit für mich. Und was entdeckte ich? Die Falte zwischen den Augenbrauen war verschwunden. Ich konnte es zuerst nicht glauben und ließ das Licht von allen möglichen Seiten auf mein Gesicht fallen, um auch die kleinste Unebenheit zu entdecken, aber es war vergebens. Die Stelle, an der die Linie deutlich sichtbar nach oben verlaufen war, war glatt und ist es auch heute noch.

Und was beweist das? Daß Falten kommen und gehen, daß man sie loswerden kann, auch wenn man über dreißig ist, daß sich Emotionen sehr wohl im Gesicht niederschlagen, daß sich die Schäden aber wieder beheben lassen, wenn man bereit ist, das Risiko auf sich zu nehmen, ein unerträglich gewordenes Leben zu ändern.

Falten sind oft nichts anderes als verkrampfte Muskeln. Den Körper beherrscht aber der Geist – in welchem Grade er dazu imstande ist, haben Jogis in Indien zur Genüge bewiesen –, und der Geist kann auch auf jeden noch so kleinen Muskel im Gesicht Einfluß nehmen. Verschiedene Ärzte haben Theorien über diese sogenannte Schönheitspflege von innen entwickelt. Zu ihnen gehört auch die kürzlich verstorbene Wienerin Edith Lauda. Ihre Lehre nannte sie Ismakogie, und sie klingt überzeugend, denn sie beruht auf der Willenskraft des Menschen. Durch kleine Übungen lernt man jeden einzelnen Muskel anzuspannen oder zu lockern. Einige Minuten Training am Tag genügen. Hat man die Kontrolle erlangt, so reicht ein Gedankenimpuls, um eine verkampfte Stirn zu glätten oder Mundwinkel vor dem Hinabhängen zu bewahren. Sogar tief eingegrabene Falten lassen sich im Laufe der Zeit beseitigen. Das Geheimnis ist nur der Wille, die Kraft im Körper zu mobilisieren, nicht zu resignieren und keine Zeit auf Selbstmitleid zu verschwenden. Sogar Kurzsichtigkeit läßt sich oft durch Willenskraft beheben. Ralph MacFadyen hat in seinem Buch »Weg mit der Brille« (München 1976) ausführlichst darüber berichtet. Wer den Willen hat, hat auch den Erfolg. Wir alle kennen Menschen, die, nachdem sie ihr Leben positiv verändert haben, plötzlich um zehn, fünfzehn Jahre jünger aussehen. Sie haben ihre Angst überwunden, haben neue Selbstsicherheit und Zuversicht gewonnen, und die strahlen sie auch aus.

Schönheit ist positive Ausstrahlung

Es ist sicher kein Zufall, daß das häufigste Adjektiv, das in Verbindung mit dem Begriff Schönheit auftaucht, das Wort »strahlend« ist. Auch in anderen Sprachen als im Deutschen ist das so. Von einer »strahlenden Schönheit« wird gesprochen, von einer »radiant beauty«. Und was bedeutet »strahlen«? Nichts anderes, als das Positive, das man in sich trägt, der Umwelt zukommen zu lassen, Impulse auszusenden, die aufmuntern. Und dies wird als »schön« empfunden. Ist man aber nur von Verzweiflung oder Haß besessen, so kann man nicht strahlen. Die »vibrations«, wie man in der englischsprechenden Welt sagt, sind in diesem Fall schwarz und imstande, sogar die größte Schönheit zu töten. Sensible Menschen spüren die Ausstrahlung eines anderen ebenso deutlich, wie sie die äußere Erscheinung wahrnehmen. Wer jung und schön bleiben will, muß also mit sich ins reine kommen. Kosmetika können nichts verdecken. Unsere Ausstrahlung würde uns trotzdem verraten.

Auf das Innere kommt es also an, auf die innere Zufriedenheit. Und nichts ist ihr mehr zuträglich als eine Arbeit, die uns ausfüllt, und ein guter Liebhaber. Dazu ein Beispiel: Alle Menschen haben Schwankungen im Aussehen, jeder kennt sie, hat sie an seiner Umwelt festgestellt. Jeder hat Tage, an denen er blendend aussieht, und andere, an denen man meint, gar nichts gleichzusehen. Selten aber ist mir dies so deutlich zu Bewußtsein gekommen als nach der ersten Nacht, die ich in Österreich mit einem Mann verbrachte, der mir etwas bedeutete. Es geschah nach einem Sommerfest in den Weinbergen nördlich von Wien. Es war spät am Abend, das Fest war fast vorbei, und plötzlich saßen wir nebeneinander in einem kleinen, weißgekalkten Weinkeller und konnten nicht aufhören zu reden. Ohne viel zu sagen, war es uns beiden klar, daß wir die Nacht miteinander verbringen würden. Und das taten wir auch. Wir schliefen keine Minute, ich war zum erstenmal seit der Abreise aus Paris das, was man glücklich nennt.

Am nächsten Tag fuhr ich mittags nach Wien zurück. Ich ging ins Bad und blieb wie angewurzelt vor dem Spiegel stehen. Normalerweise ist ein Tag, an dem ich unausgeschlafen bin, für mich verdorben. Ich habe Kopfweh, kann kaum aus den Augen sehen, finde mich unausstehlich. Diesmal aber konnte ich nur eines denken, und zwar: Mein Gott, ich bin ja strahlend schön! Natürlich kannte ich das Sprichwort: »Ein guter Liebhaber ist die beste Schönheitskur.« Aber so deutlich hatte ich es am eigenen Leib noch nicht erlebt.

Das Verlangen nach Liebe ist bei jedem Menschen verschieden stark. Es gibt Frauen, die am liebsten alleine leben, andere, die vielleicht einmal im Monat einen Mann brauchen. Normen kann man keine aufstellen. Aber jeder muß versuchen, sein persönliches Quantum auszufüllen.

Liebe ist ein natürliches Bedürfnis, das bei normal veranlagten Menschen gleich nach Essen und Trinken kommt. Liebe ist lebenswichtig, wer nicht genug davon bekommt, wird verbittert, neidisch, verhärtet, alt. Nach einer schönen Nacht mit einem liebenswerten Mann aber sind Körper und Geist zufrieden, und dies strahlt aus den Augen, dringt durch die Haut und wird von uns selbst und von der Umwelt als »schön« aufgenommen. Der Anstoß kann aber, wie schon erwähnt, auch geistiger Natur sein. Fast dasselbe Gefühl des inneren Strahlens, jener Befriedigung, die sich als »schön« manifestiert, habe ich, wenn ich gut gearbeitet habe, einen wirklich bedeutenden Artikel geschrieben habe, mit mir zufrieden bin, meinen Tag nicht vergeudet habe. Das Ideale ist natürlich beides: Zufriedenheit in der Liebe und in der Arbeit. Mehr kann man sich auf dieser Welt nicht wünschen.

Die Welt aber hat sich Gott sei Dank vorteilhaft verändert, oder präziser ausgedrückt: Frauen haben lange genug gekämpft, um das Dasein auch für Frauen lebenswert zu machen. Man muß sich nicht mehr entscheiden zwischen Liebe oder Beruf. Man kann beides haben. Man weiß heute, daß ein hübsches Gesicht keine Garantie für eine glückliche Ehe ist. Es ist noch gar nicht so lange her, da hieß es noch: »Das Mädchen ist schön, wozu soll sie sich anstrengen, wozu sollen wir unser Geld für teure Schulen ausgeben? Sie wird ohnehin bald geheiratet werden.«

Ein Leben auf Schönheit zu gründen ist aber mehr als riskant. Schönheit allein hilft heutzutage nur wenig. Wenn nichts dahintersteckt, wird man auf allen Seiten verlieren: bei den Männern, bei den Kindern, im Beruf. Ich finde daher die meisten Jungmädchenzeitschriften kriminell; auch manche Modejournale. Was hat man davon, wenn man

»korrekt« angezogen und geschminkt zu einem Vortrag geht, von dem man nichts versteht? Zu einer Gesellschaft, in der man nichts zum Gespräch beitragen kann? Zu einem Rendezvous, bei dem man den Partner langweilt?

Mundhalten verboten!

Wir leben nicht mehr im 19. Jahrhundert. Damals waren Äußerlichkeiten unendlich wichtig, denn das Gesetz »Sei schön und halt den Mund« wurde rigoros angewandt. Eine Frau durfte nicht zeigen, was sie wußte; das Sagen hatten in Gesellschaft nur die Männer. Universitäten für Frauen gab es nicht, erst Mitte des 19. Jahrhunderts wurden in England einige Mädchen-Colleges gegründet; die gelehrten Damen der Renaissance waren vergessen, Frauen hatten in erster Linie angenehme, bewundernde und folgsame Gefährtinnen ihrer Männer zu sein.

Und dazu gehörte, daß sie den Mund hielten, wenn die Herren der Schöpfung sprachen. Eltern standen größte Ängste aus, wenn sie eine Tochter hatten, die sich in der väterlichen Bibliothek einiges Wissen angelesen oder die durchgesetzt hatte, an den Stunden, die der Hauslehrer dem Bruder gab, teilnehmen zu dürfen. Sie beschworen sie mündlich und schriftlich, ihr »unweibliches« Wissen in Gesellschaft zu verbergen und keinesfalls irgendeinem der anwesenden Herrn zu widersprechen, auch wenn er noch soviel dummes Zeug reden sollte. Da man mit Recht annahm, daß gebildete Frauen nicht nur stumm herumsitzen würden, wetterte man gegen Frauenbildung an sich und behauptete, daß sie die Chancen der Mädchen, einen Ehemann zu finden, mindern würde.

Ein sehr amüsantes Beispiel aus Amerika zeigt, wie es vor rund zweihundert Jahren um die Mädchenerziehung in der Neuen Welt bestellt war. Es handelt sich um das Bewerbungsschreiben eines englischen Hauslehrers, der, um sein Glück zu machen, Ende des 18. Jahrhunderts die beschwerliche Reise in die ehemaligen Kolonien unternahm und folgendes schrieb:

»Verehrter, gnädiger Herr. Höflichst erlaube ich mir, gnädigem Herrn meine Dienste als Hauslehrer seiner ehrenwerten Tochter anzubieten. Die Kenntnis der Lettern des Alphabetes, das flüssige Lesen alles Gedruckten und die Beherrschung der Algebra lehre ich in drei Monaten. Wünscht gnädiger Herr, daß die Demoiselle auch des Schreibens mächtig wird, so übernehme ich selbige Aufgabe in weiteren zwei Monaten.

Mit aller Bestimmtheit möchte ich gnädigem Herrn versichern, daß die Kenntnis des Lesens und Schreibens einer Verehelichung der jungen Dame in keiner Weise hinderlich sein wird. Wenn sich gnädiger Herr diesbezüglich an meinen letzten Dienstgeber Allan Brookstide in Philadelphia wenden möge, so wird Er erfahren, daß die ältere Demoiselle innerhalb von sechs Monaten nach Abschluß ihrer Studien und die jüngere im letzten August ihre Hände rechtschaffenen Bürgern Amerikas zum ehelichen Bunde reichten.«

Damen waren Dekoration

Warum hatten die Männer so viel Angst? Weil sie selbst für Bildung nicht viel übrig hatten. Weil sie nicht von ihren Frauen übertrumpft werden wollten. Und so fühlten sie sich sicherer in der Gesellschaft von Damen, die in erster Linie als Dekoration herumsaßen. Die Frauen mußten also lernen, die Mittel, die ihnen zur Verfügung standen, gründlich auszunutzen. Sie beherrschten bald die Kunst, sich durch Blicke, Augenaufschläge, Gesten mitzuteilen. Sie benützten ihre Garderobe, um ihrer Phantasie freien Lauf zu lassen. Sie waren gezwungen, auf Äußerlichkeiten größten Wert zu legen.

Wenn man der Sprache beraubt wird, so wird die richtige Farbe eines Kleides, das zum Teint passen soll, und die Wahl eines dazugehörigen Umhanges zu einem schwerwiegenden Problem. Die Zeit, die man damals auf Frisuren verwendete, war grenzenlos. Man saß Stunden vor dem Spiegel und wagte anschließend kaum, den Kopf zu bewegen, um das Kunstwerk nicht aus der Form zu bringen. Man wollte so schön wie möglich sein, denn nur aus dem Aussehen konnte man Kapital schlagen. Zur Konversation eines geselligen Abends hatte man nicht viel beizutragen. Und auch wenn man es hätte können, so durfte man nicht. Nicht gerade eine Glanzzeit für das weibliche Geschlecht. Alles, was man von einer Frau mitbekam, war die äußere Erscheinung. Eine Frau hatte auch, solange sie verheiratet war, ehrfürchtig auf das zu horchen, was ihr Herr und Meister von sich gab, während sich dieser – wen wundert's – oft zu Hause langweilte und seinen Spaß bei geistreichen Lebedamen holte.

Kein Wunder, daß die meisten Frauen, die etwas in sich spürten, nicht heirateten oder ihren Mann verließen – man denke nur an die Engländerin Florence Nightingale, die »Erfinderin« der Krankenschwester, oder an die französische Schriftstellerin George Sand. Keine von ihnen hätte damals etwas erreicht, wenn sie das Leben einer Hausfrau geführt hätte. Heute aber ist das anders. Die Türen stehen offen. Jede Frau kann ein ausgefülltes Leben haben. Liebe und Beruf lassen sich vereinbaren.

Sich heutzutage benachteiligt zu fühlen, weil man keine Schönheit im herkömmlichen Sinn ist, wäre dumm. Wenn man gleichberechtigt sein will, muß man lernen, ebenso wie die Männer für sich selbst zu kämpfen. Hält man sich tatsächlich weder für schön noch für attraktiv, so muß man sich um so mehr aufraffen, das zu tun, was auch den Männern nicht erspart bleibt, nämlich: sich anzustrengen, mehr Wissen zu erwerben und sich dadurch für das andere Geschlecht interessant zu machen. Ein Studium abzuschließen, sich im Beruf durchzusetzen, Erfolg zu haben, Geld zu verdienen, seinen Lebensstandard zu heben, genau dazu sind auch die Männer gezwungen – und wie sich gezeigt hat, durchaus nicht zu ihrem Nachteil.

Wer mehr leistet, hat mehr Erfolg

Leistung und das damit verbundene Geld imponieren einfach. Erfolgreiche Frauen haben auch Erfolg im Privatleben, wenn sie es darauf anlegen. Manchen aber ist tatsächlich ihre Karriere wichtiger, und sie verzichten auf eine Familie. Daraus hat man früher falsche Schlüsse gezogen. Es hieß: Erfolgreiche Frauen haben bei Männern keine Chancen. Doch dies ist grundfalsch. Ich komme durch meinen Beruf mit vielen erfolgreichen Frauen zusammen. Und keine von ihnen war allein. Schon nach den ersten Prominenteninterviews, ob es sich nun um Politikerinnen, Sängerinnen, Schauspielerinnen, Ärztinnen oder Schriftstellerinnen handelte, wußte ich: Diese Frauen haben das

Richtige getan. Sie sind selbstsicherer, zufriedener, dadurch auch aufgeschlossener, großzügiger und begehrenswerter als ihre gleichaltrigen Geschlechtsgenossinnen, die nur zu Hause arbeiten. Sicher gibt es Männer, die Nur-Hausfrauen bevorzugen, in der Art, wie man sich einen Diener hält (und ähnlich fällt auch die Behandlung aus). Aber im großen und ganzen kann man sagen, daß eine Frau, die sich aufrafft und eine eigene Karriere aufbaut, zu der auch ein eigener Bekanntenkreis gehört, mehr geliebt wird als eine, die nur daheimsitzt und auf ihren Mann wartet. Haushaltsgeschichten werden bereits am Ende des ersten Ehejahres todlangweilig. Ist die erste Euphorie über die neue Küche oder die teuren Teller vorbei, so wirken sie geradezu lähmend. Auch ein gepflegtes Gesicht macht eine Frau, die sich im trauten Heim selbst auf die Nerven geht, nicht attraktiver. Wer im Leben steht, kann mehr erzählen und bereichert eine Partnerschaft. Wer etwas leistet, wird auch dafür belohnt. Erfolg – und sei er noch so gering – gehört zu den besten Schönheitsmitteln der Welt.

Abschließend noch ein paar zusammenfassende Bemerkungen. Eine interessante Frau wird einer schönen immer die Show stehlen. Das gewisse Etwas in den Augen, das Flair einer Frau von Welt, Offenheit, Verstehen, Bildung und sicheres Auftreten sind einem hübschen Gesicht stets überlegen.

Persönlichkeit triumphiert immer über das Äußere. Nur am Anfang einer Bekanntschaft steht das Aussehen im Vordergrund. Nach einer gewissen Zeit ist es vor allem das Wesen, das auf uns einwirkt. Körperliche Unvollkommenheiten »sieht« man nach einer gewissen Zeit gar nicht mehr, geistige dagegen fallen um so mehr ins Gewicht.

Frauen mit grauen Schläfen sind schön

Frauen können von den Männern lernen. Diese haben sich gegen das Älterwerden abgesichert, indem sie so lange, bis man es glaubte, wiederholten: Erst mit grauen Schläfen wird ein Mann richtig interessant. Dagegen ist nichts einzuwenden. Aber eine Ergänzung ist notwendig: Auch Frauen profitieren durch graue Haare.

Es ist erstaunlich, wie viele Frauen heute darauf verzichten, sich die Haare zu färben. Und das Resultat ist großartig. Ein junggebliebenes Gesicht, von silbrigen Haaren umgeben, wirkt nicht älter, sondern strahlt eine ganz eigentümliche Frische aus, die in Bann schlägt. Wer sich durch graue Haare beeinträchtigt fühlt, soll sie getrost färben. Aber mit dem Ende der Jugendlichkeit haben sie nichts zu tun.

Ähnliches gilt für das Gesicht. Und auch hier haben die Männer Vorarbeit geleistet. Das Gesicht eines Mannes, hieß es jahrhundertelang, würde erst ab dreißig fertig. Dasselbe gilt auch für Frauen. Mary Wollstonecraft, eine englische Schriftstellerin, die sich sehr für die Gleichberechtigung einsetzte, hat schon Ende des 18. Jahrhunderts festgestellt, daß das Gesicht einer Frau erst ab dreißig interessant zu werden beginnt. Mit zwanzig, meinte sie, sei das Antlitz einer Frau ein reines Naturprodukt. Mit dreißig aber ist es das, was man selbst daraus gemacht hat. Was man sich aber durch Erfahrung erworben hat, wird man nie wieder verlieren.

Ein reifes Gesicht, eines, das nicht verbittert und verhärtet wirkt, ist eine Freude. Es ist so viel mehr drinnen. Es verrät so viel über die Besitzerin. Ist es auch noch schön, ist es unschlagbar. Mehr über sehr alte und wirklich schöne

Menschen steht im Kapitel »Alterseinsamkeit oder von Großmüttern und feinen alten Damen«.

Nun aber noch ein paar Worte zur Zeit. Zeit zu haben ist gut. Zu viel Zeit zu haben ist tödlich. Hat man das Gefühl, das Leben geht draußen vorbei, die Zeit verrinnt, ohne daß man etwas Nützliches mit ihr macht, dann ist man Äußerlichkeiten wehrlos ausgeliefert, steht stundenlang faltensuchend vor dem Spiegel, sieht in jedem grauen Haar den Anfang vom Ende.

Männer – außer es handelt sich um Modeschöpfer, Dressmen und gewisse »Künstler«, die nur mit der Form arbeiten und daher viel zu oft an der Oberfläche bleiben – sind oft besser, als man denkt. Frauen sehen einer anderen Frau häufig nicht ins Gesicht, sondern auf die Falten. Männer tun dies nur selten. Dazu ein Beispiel: Ich war in London, jung verheiratet, und saß mit meinem Mann beim Frühstück. Plötzlich zeigte er mir in der »Times« ein Bild von Lady Spencer Churchill im hohen Alter und sagte: »Also, was sagst du zu diesem Gesicht! Das ist eine tolle Frau.« Ich war zu unerfahren, um mich über diese Bemerkung zu freuen. Das Rivalinnendenken erwachte, und ich erwiderte: »Aber die ist doch uralt und hat Falten.« Mein Mann, ganze vierundzwanzig Jahre alt, war empört. »Was«, sagte er, »Falten? Du weißt auch nicht, worauf es ankommt. Schau dir diesen Ausdruck an! Diese Frau hat Würde. In so einem Gesicht fallen Falten überhaupt nicht auf.«

Die Zeiten sind sehr viel besser geworden. Die Faltenangst der fünfziger, sechziger und frühen siebziger Jahre ist bereits im Verschwinden begriffen. Der Beweis findet sich überall, man braucht nur seine Augen offenzuhalten. Deutlich merkt man es an der Werbung. Zeigte man vor zehn Jahren nur Gesichter, die vom Leben völlig unberührt wirkten, retuschierte man noch vor fünfzehn Jahren jede Lachfalte vom Bild, so sieht man seit etwa fünf Jahren wieder richtige Menschen auf den Plakatwänden. Erstmals aufgefallen ist mir dies bei einer Werbung für British Airways. Sie zeigte eine strahlende Stewardeß, deren kleine Falten um Augen und Mund ebenso realistisch photographiert waren wie ihre weißen Zähne. Einen sichtbareren Beweis, daß der Jugendkult seinem Ende zugeht, gibt es nicht.

3. Sexualität: reife Frauen und junge Männer

Obwohl die vier Jahre, die ich in England verbrachte, nicht gerade zu den besten meines Lebens zählen, denke ich gern an den Sommer, in dem ich siebenundzwanzig wurde. Ich lebte mit einem Mann, der mich sehr liebte, in einem weißen Haus in Kensington mit Säulen vor der Eingangstür und Hängematte im Hof. Obwohl die Beziehung stark und ehrlich war, habe ich ihm nie gesagt, daß ich zwei Jahre älter bin als er und versteckte meinen Reisepaß jede Woche in einer anderen Schublade, damit er nur ja diese Schande nicht bemerkte. Über die Absurdität des Ganzen war ich mir damals nur halb im klaren.

Dabei war sie offensichtlich. Hier war ich, siebenundzwanzig Jahre jung, gutaussehend, rückhaltlos begehrt, und trotzdem war mir das, was ich war, weniger bewußt als das, was ich glaubte, sein zu müssen, nämlich: jünger als mein Partner. Ich erinnere mich noch gut. Immer, wenn ich nach Hause flog, begleitete mich Anthony, so hieß mein Freund, zum Flughafen. Und jedesmal schrieb ich auf die kleine weiße Karte, die Nichtengländer bei der Ein- und Ausreise ausfüllen mußten, ein falsches Geburtsdatum, weil er neben mir saß und mir zusah. Der Beamte besserte es später bei der Paßkontrolle wieder aus. Ohne ein Wort zu sagen.

Inzwischen habe ich Anthony längst davon erzählt. Er konnte nicht begreifen, daß mir zwei Jahre Unterschied so viel Angst machten, und lachte mich gründlich aus. Er war – wenn auch indirekt – der Anstoß zu meinem neuen Selbstbewußtsein. Durch ihn lernte ich die Anziehungskraft kennen, die ältere Frauen auf junge Männer ausüben. Er konfrontierte mich mit der Tatsache, daß man auch als Großmutter noch körperlich begehrt werden kann.

Der Anstoß kam bei einer Party, die seine Eltern gaben. Eingeladen waren Freunde des Vaters: Rechtsanwälte, Ärzte, alle im gleichen Alter, von sechzig aufwärts, gepflegte, intellektuelle, angenehme Menschen. Obwohl dieses Fest vor zehn Jahren stattfand, erinnere ich mich noch genau an folgendes Detail: Ich saß auf einem Sofa im Salon und bewunderte gerade den schönen Perserteppich zu meinen Füßen, als ich bemerkte, daß Anthony unbewegt auf eine Dame starrte, die mir schräg gegenüber saß. Sie trug ein hellblaues Kostüm, hatte schwarze Augenbrauen, graue Haare und ein offenes, anziehendes Gesicht.

Anthony starrte und starrte, und ich erinnere mich, daß ich langsam vor Wut zu kochen begann. Ich hatte erst kurz zuvor meinen Mann verlassen – seinetwegen –, und hier saß ich nun, vernachlässigt, während er mit einer anderen flirtete. Schließlich hielt ich es nicht länger aus.

»Was fesselt dich so an der Frau?« fragte ich gekränkt, und er zuckte zusammen, was mich noch mehr verletzte. »Sie ist erstens nicht einmal schön und zweitens mindestens so alt wie dein Vater.« Seine Reaktion werde ich nie vergessen. »Sie ist fünfundsechzig«, sagte er, »und ich war sehr verliebt in sie, bevor ich dich kennenlernte. Aber das verstehst du nicht. Diese Frau hat's in sich.« Und dann be-

dachte er sie noch mit seinem ganz persönlichen Lob-
spruch, den er nur selten anwendete. Er setzte eine
Kennermiene auf und verkündete: »This woman is a sel-
ler«, was soviel heißt wie: »Diese Frau findet überall Anklang.« Ich hätte ihn erwürgen können.

Erst Jahre später, als sich meine Eifersucht längst gelegt
hatte, begann ich die Bedeutung dieses Vorfalls zu begreifen. Weshalb, begann ich mich zu fragen, fürchten sich
Frauen vor dem Älterwerden, wenn sie mit fünfundsechzig noch Chancen bei Fünfundzwanzigjährigen haben?
Irgend etwas kann da nicht stimmen. Aber dann vergaß ich
es wieder. Soviel als Einführung in das Kapitel »Sexualität:
reife Frauen und junge Männer«.

Ein Erlebnis in Paris

Die zweite Begebenheit, an die ich mich erinnere, spielte
sich in Paris ab. Ich lebte dort mit einem um zwölf Jahre
älteren Amerikaner zusammen, der im Beruf sehr erfolgreich, sonst aber unsicher, neurotisch und schwierig war.
Ich befand mich im letzten Studienabschnitt, schrieb
meine Dissertation und war dabei, meine ersten journali-
stischen Erfolge zu erzielen.

Obwohl ich meinem Freund geistig und körperlich völlig
treu war, weigerte er sich zu glauben, daß eine Frau, die
»so bedeutend jünger war«, wie er zu sagen pflegte, ein
ernstzunehmender Partner sein könne. Er war rasend eifersüchtig auf alles und jedes: auf Briefe von zu Hause, auf
Telephonanrufe, auf die Katze unserer Hausmeisterin, die
mich manchmal besuchen kam, und natürlich auf jedes
männliche Wesen in engerer und weiterer Umgebung, vor

allem, wenn es sich um eines handelte, das jünger war als er. Er war überzeugt davon, daß ich ihn verlassen würde, sowie ich mein Studium abgeschlossen hätte, und um dem vorzubeugen, versuchte er, mich zu entmutigen, wo er nur konnte. »Du kannst Gott danken, daß du mich hast«, sagte er zum Beispiel, »und daß ich genug für uns beide verdiene. Jetzt bist du schon über dreißig. Mit vierzig mag dich dann niemand mehr. Männer mögen keine Frauen über vierzig.« Dessenungeachtet war er aber anfällig für jedes weibliche Wesen mit Busen – ob älter oder jünger – und ließ mich darunter leiden. Sagte ich dann voll Eifersucht: »Aber die Frau ist doch mindestens fünfzig«, so antwortete er jedesmal: »Die ist eben eine Ausnahme.«

Fast war ich so weit, mir auf Grund meines Alters Komplexe anzuzüchten, als er mich einmal auf seine Entdekkungsgänge zum Place Pigalle mitnahm, wo er mit Vorliebe die Geschäftsabschlüsse der »halbseidenen« Damen beobachtete. Und dies war die Stunde der Wahrheit.

Wir saßen in einem Lokal, in das die Mädchen nach geleisteter Arbeit zurückkehrten, um eine Pause einzulegen, etwas zu trinken und sich zu unterhalten. Wir waren um Mitternacht gekommen und gingen um vier Uhr früh, so fasziniert waren wir von dem, was wir sahen.

Andrang um eine betagte Lebedame

Am meisten erstaunte mich, daß sich zu den jüngeren Prostituierten etliche ältere gesellten, darunter einige relativ betagte Wesen. An eine Frau erinnere ich mich noch genau. Sie war eine Art wandelnde Ruine mit tiefen Falten im Gesicht, knallrotem Mund und rußigen Augen. Sie trug einen teuren Nerzmantel, ihre Figur war durchschnittlich, und an einer eleganten Leine führte sie einen kleinen, wolligen Schoßhund.

Was mich am meisten beeindruckte, war, daß diese Person genausoviel Umsatz machte wie ihre jüngeren Kolleginnen, daß gutangezogene Herren ihre Gunst erkauften, daß sie bis zum bitteren Ende, bis vier Uhr früh, durchhielt und daß sie, als das Lokal endlich zusperrte, weder von ihren zahlenden Kunden noch von ihrer guten Laune verlassen wurde.

»Was sagst du zu dieser Frau«, fragte ich frohlockend meinen Freund, »und wie verträgt sie sich mit deiner Theorie, daß Männer nur Frauen unter vierzig attraktiv finden?«

»Rede keinen Unsinn«, antwortete er, »diese hat doch Qualitäten. Das sieht ein Mann auf den ersten Blick.« Und für ihn war die Sache abgetan.

Aber für mich nicht. Mir kam in dieser Nacht – genau vier Jahre sind es her – die Erleuchtung. Wie kann das stimmen, dachte ich, daß nur junge Frauen bei Männern Chancen haben, wenn ich hier mit eigenen Augen sehe, wie sich Männer anstellen und wie sie *zahlen*, um mit einer alten, offensichtlich »verbrauchten« Frau zu schlafen? Welche Frau, überlegte ich, würde freiwillig zahlen, damit ihr ein verbrauchter Mann, den sie in einem Zuhältercafé ansprechen muß, die Ehre erweist?

Die Geschichte hat aber noch ein Nachspiel. Kurz darauf erhielten wir nämlich Besuch. Die Schwester meines Freundes kam nach Paris und blieb zwei Wochen bei uns. Sie war eine typische amerikanische »grüne Witwe«, verheiratet, mit zwei kleinen Kindern, einem netten Haus, das sie nur verließ, um einkaufen zu fahren, die Kinder zur Schule zu bringen und wieder abzuholen oder um zu einer

Nachbarin zum Bridgespielen zu gehen. Sonst kannte sie kaum Leute. Freunde hatte sie keine. Ihre Kontakte mit der Außenwelt verliefen nur über ihren Mann. So lebte sie dahin in ihrer Fernsehwelt, war oft deprimiert und fühlte sich alt, weil »im TV doch dauernd gezeigt wird, wie sich Männer um junge Mädchen bemühen«. Dabei war sie knapp vierzig. Ihrem Alter gab sie auch die Schuld an der Tatsache, daß sie von ihrem Mann vernachlässigt wurde. In Wirklichkeit aber lag dies daran, daß sie sich mit ihm nie sexuell verstanden hatte. Alles Sexuelle war ihr unheimlich. Von diesem Problem aber habe ich erst Jahre später erfahren.

Während sie bei uns in Paris war, versuchte ich, sie aufzumuntern. Aber nichts half. Auch auf die Pigalle-Story reagierte sie negativ. Sie hätte so etwas noch nie gesehen, und die Welt sei eben eine Männerwelt, in der nur Teenager begehrt seien.

Kurze Zeit nach ihrer Rückkehr in die Staaten kam die Hiobsbotschaft. Ihr Mann hatte sie verlassen. Von einem Tag zum andern. Und weswegen? Nicht wegen eines achtzehnjährigen Mädchens, nein, wegen einer reifen Frau, achtundvierzig Jahre alt, drei Jahre älter als er und Mutter von vier(!) Kindern.

Eine Großmutter ohne Altersangst

Und dann erfuhr ich die Wahrheit über meine ungarische Großmutter. Sie lebte in Arad, einer Stadt, die heute in Rumänien liegt, während der Monarchie jedoch zu Österreich gehörte. Sie war die Tochter eines wohlhabenden Arztes, war schöngeistig erzogen, sehr talentiert, sprach vier Sprachen und führte einen literarischen Salon. Sie schrieb und veröffentlichte Gedichte, spielte ausgezeichnet Klavier und heiratete meinen Großvater – einen hohen Offizier in der österreichischen Armee – viel zu jung.

Meinen Großvater habe ich als Kind immer gefürchtet. Er lebte in späteren Jahren wieder in Wien in einer herrschaftlichen Wohnung, in der es immer hallte, wenn man durch die Zimmer schritt. Jeder Besuch war förmlich wie ein Staatsbesuch. Großpapa paßte jedenfalls überhaupt nicht zu seiner jungen Frau. Er war auch monatelang nicht zu Hause, und niemand war erstaunt, als er eines Tages nach dreimonatiger Abwesenheit nach Hause zurückkehrte und einen Verehrer hinter der Tapetentür zum Schlafzimmer seiner Frau entdeckte.

Natürlich gab es einen Skandal, ein Duell, eine komplizierte Scheidung. Großmama kehrte mit ihrem dreijährigen Sohn – meinem Vater – ins Haus ihres Papas zurück. Sie begann Theater zu spielen, eröffnete eine Buchhandlung, die beste in der ganzen Stadt, heiratete einen Professor vom Gymnasium und wurde Witwe.

Ich hatte sie nie persönlich kennengelernt. Aber sie schrieb mir die hübschesten Briefe in perfektem Deutsch, und eine Zeitlang führten wir angeregte Korrespondenz. Auf meine Fragen, warum Großmama nie nach Österreich komme, wurde immer geantwortet, daß Arad nun rumänisch sei und daß sie keine Ausreisegenehmigung erhalten würde. Diese Antwort befriedigte mich zunächst, später erfuhr ich jedoch, daß ältere Menschen ohne weiteres in den Westen fahren durften. Die Korrespondenz zwischen ihr und meinem Vater wurde auf ungarisch geführt. Die Briefe, die er erhielt, waren immer lang, er übersetzte sie jedoch nur selten. Manchmal waren auch Photos dabei. An eines erinnere ich mich noch ganz genau. Es zeigte Großmama in einem sommerlichen Garten. Sie war damals vierundachtzig Jahre alt. Sie stand etwas gebückt neben einem hübschen, großen blonden Jüngling, der sie liebevoll stützte. Auf meine Frage, wer denn das sei, sagte mein Vater: »Ach, irgendein Bekannter.«

Die Wahrheit erfuhr ich erst nach Großmamas Tod, also vor relativ kurzer Zeit. Der junge Mann auf dem Bild war der Stiefvater meines Papas. Großmama hatte ihn, als er zwanzig und sie sechsundsiebzig war, geheiratet. Sie lebten zusammen bis zu ihrem Tod – sie starb mit sechsundachtzig, und er hat bis heute noch keine andere Frau, weil er, wie er Verwandten mitteilte, nur sie je geliebt hat. Meinem Vater war dies die ganze Zeit über bekannt. Aber er schämte sich für seine Mutter und verschwieg uns ihren jungen Mann. Sein Verhältnis zu Großmama war nie herzlich gewesen. Er wurde eigentlich von seinem Großvater erzogen – genauer gesagt von dessen Schwester, die er heiß liebte, und das Duell, die Scheidung und die damit verbundene »Schande« hatten seine Kindheit überschattet. Der letzte Streich, die Ehe seiner Mutter mit einem so jungen Mann, war mehr, als er verkraften konnte.

Aber für meinen Bruder und mich war die Nachricht umwerfend. Wir waren maßlos stolz auf unsere Großmutter, debattierten lange über die Sache und erkannten den Wert für unser eigenes Leben. Wir sahen darin den Beweis, daß Geist und Persönlichkeit über den Körper siegen. Ich habe viele Bilder von meiner Großmama als junge und als ältere Frau. Sie war nie besonders hübsch gewesen. Sie besaß zwar wunderbares gelocktes Haar, eine sehr weibliche Figur mit, der damaligen Mode entsprechend, enger Wespentaille, aber sie war keine ausgesprochene Schönheit.

Dafür sprach jeder, der sie gekannt hatte, von ihrer Ausstrahlung und ihrer Persönlichkeit. Letztere kam auch in ihren Briefen zum Ausdruck. Sie sind geistreich und humorvoll, und sie zu lesen macht große Freude.

Junge Männer und reife Frauen

Geschichten von älteren Frauen und jungen Männern kannte ich früher nur aus den Zeitungen oder aus Büchern. Ich wußte von der siebenundsiebzigjährigen Engländerin Ray Goodman, die in Amerika ihren zwanzigjährigen Stiefenkel Mark geheiratet hatte (in England verweigerte man die Einwilligung, und dies erregte die Gemüter so sehr, daß alle Zeitungen darüber berichteten). Ich war darüber im Bilde, daß sich Anna Magnani nur mit schönen Jünglingen im Alter ihrer Enkel umgab (Tennessee Williams schreibt darüber in seinen Memoiren). Ich kannte die österreichische Sängerin Greta Keller, die erste, die mit tiefer Stimme Karriere machte und für Zarah Leander und Marlene Dietrich den Weg ebnete, und wußte, daß sie mit einem sehr jungen Mann zusammenlebte. Als sie mit zweiundsiebzig in seinen Armen starb, war er erst sechsundzwanzig. Ich wußte natürlich alles über Edith Piaf und die englische Prinzessin Margareth. Beide Frauen hatten und haben Männer, die um sehr vieles jünger sind, aber einen ähnlichen Fall in der eigenen Familie vorweisen zu können, fand ich phantastisch und aufregend, außergewöhnlich und stimulierend.

Kaum hatte ich die Wahrheit über meine Großmutter erfahren, begann ich instinktiv ähnliche Fälle zu suchen. Es bedurfte keiner großen Anstrengungen. Es gab sie in Hülle und Fülle im öffentlichen Leben. Romy Schneider, Marisa Mell, Ursula Andress, die französische Nachtclubbesitzerin Régine haben Männer oder Freunde, die um vieles jünger sind. Lilli Palmer ist seit dreiundzwanzig Jahren mit dem Schauspieler und Schriftsteller Carlos Thompson verheiratet, der neun Jahre jünger ist als sie. Die Mutter von Johannes Brahms war um siebzehn Jahre älter als sein Vater. Noch dazu war sie arm, eine Näherin, von einer »guten Partie« konnte keine Rede sein. Selbst die bürgerliche Agatha Christie heiratete in zweiter Ehe einen um vierzehn Jahre jüngeren Mann, den Archäologen Max Mallowan. Sie verbrachte sechsunddreißig Jahre an seiner Seite und starb in seinen Armen. Derselbe Altersunterschied bestand auch zwischen Alma Mahler und ihrem dritten Mann Franz Werfel. Und so geht es weiter; man könnte die Liste unendlich lange fortsetzen.

Die Malerin Georgia O'Keeffe

Ein Paradebeispiel aus Amerika ist die Malerin Georgia O'Keeffe. In Europa beginnt sie erst jetzt bekannt zu werden, in der Neuen Welt zählt sie längst zu den Klassikern. Ihre Bilder gehören zu den ästhetischsten Werken, die im 20. Jahrhundert entstanden sind, ihre Farben sind von einer Kraft und einer Wärme, daß man es kaum für möglich hält. Wunderschön sind ihre verschiedenen Ansichten der »Roten und orangen Hügel«, der »Klippen in der Nähe von Abiquiu«, »Lake George«, »Krähen«, »Trockener Wasserfall« und eine prachtvolle Mohnblüte einfach betitelt: »Red Poppy«.

Georgia O'Keeffe begann sehr jung zu malen. Mit siebenunddreißig Jahren heiratete sie zum erstenmal – den Vater der modernen Photographie, Alfred Stieglitz, der ihre Werke in seiner New Yorker Galerie ausstellte. Bereits im Jahre 1946, die O'Keeffe war knapp sechzig, widmete ihr das berühmte New Yorker Museum of Modern Art eine Gesamtausstellung, und das Echo war einfach überwältigend.

Nachdem ihr Mann gestorben war, blieb die O'Keeffe lange Zeit unverheiratet. Als sie dreiundachtzig Jahre alt war, zog sie nach New Mexico und ließ sich dort mitten in der Wüste auf einer malerischen Hazienda nieder. Im Jahre 1979 war sie zweiundneunzig und heiratete einen jungen Mann, knapp dreißig, der sie schon lange Zeit verehrt hatte. Georgia O'Keeffe hat nichts von ihrer Kreativität verloren. Journalisten, die sie besuchen, staunen immer wieder über ihre lebhafte Art zu erzählen und darüber, daß sie stundenlang jeden Tag in ihrer Töpferwerkstatt arbeitet, sich wie ein kleines Kind über die klare Luft, die Sonne, die prachtvollen und sich ständig verändernden Farben der sie umgebenden Landschaft freuen kann. Kommt man zu ihr auf Besuch, so wird man zwei Tage von ihr mit Beschlag belegt. Wenn man sie wieder verläßt, hat man jede Altersangst verloren. Und die Tatsache, daß eine Zweiundneunzigjährige einen Dreißigjährigen faszinieren kann, scheint das natürlichste auf der Welt.

Für mich ist vor allem eines interessant: Immer, wenn ich in Gesellschaft die Geschichte meiner Großmama erzählte, bekam ich die Antwort: »Das glaube ich sofort. Ich kenne ähnliche Fälle, und die beiden sind jedesmal sehr glücklich.« Erzähle ich die Geschichte nicht, so vergehen oft Monate, ohne daß ich derartiges höre. Dies beweist, daß es viel mehr solche Ehen, Lieben und Lebensgemein-

schaften gibt, als man denkt, daß aber der Großteil dieser
Leute glaubt – weil sie untereinander keinen Kontakt haben –, sie seien die Ausnahme. Aus diesem Grunde fühlen
sie sich verunsichert. Die Frauen schweigen aus Rücksicht
auf ihre Männer und umgekehrt. Natürlich spielt auch die
Eitelkeit eine Rolle. Die meisten Frauen, die jüngere Männer haben, sehen selbst sehr jung aus, und auf den ersten
Blick ist oft von einem Altersunterschied nicht viel zu sehen. Und wer sagt in unserer Zeit freiwillig, daß er zehn
Jahre älter ist, als man ihn schätzt? Sieht man nichts, so
fragt man nicht, und daher weiß man auch nichts. Der
wahre Tatbestand ist nur aus den Büchern der Standesäm-
ter ersichtlich, aber dazu später noch Genaueres.

Ehen, die erstaunlich gut funktionieren

Daß Ehen, in denen die Frau erheblich älter ist als der
Mann, gut funktionieren, war in Europa, zumindest nach
dem Ersten Weltkrieg, Allgemeinwissen. Die Generation
meiner Mutter – also Frauen, die um die Jahrhundert-
wende geboren wurden – hat dies bewiesen. Diese Frauen
nämlich waren mit gleichaltrigen Männern nicht verwöhnt. Hunderttausende waren zwischen 1914 und 1918
an der Front gefallen. Der Großteil der Frauen also hatte
die Wahl, ledig zu bleiben oder zu warten, bis eine neue
Generation heiratsfähiger Männer herangewachsen war.
Entschlossen sie sich für letztere Möglichkeit, so waren sie
meist schon Mitte dreißig, wenn sie heirateten, und die
Männer waren bis zu zehn Jahre jünger.
Ich kenne eine große Anzahl solcher Ehen. Sie verlaufen
alle harmonisch. Ein Beispiel habe ich geradezu vor meiner

Nase: eine sehr gute Freundin meiner Mutter. Sie ist heute achtzig, ihr Mann ist siebzig. Die beiden heirateten, als sie vierzig und gutverdienende Buchhalterin war. Beide hatten sich in ihrem Vorleben gründlich ausgetobt und sich in der Welt umgesehen. Die Ehe ist auch heute noch glücklich. Seitensprünge gab es keine. Auch von einem Altersunterschied ist nichts zu bemerken, weder körperlich noch geistig. Und wenn einer von beiden eifersüchtig ist, so ist er es und nicht sie.

Eine reife Frau hat, vor allem wenn sie beruflich erfolgreich ist, keine Schwierigkeiten, jüngere Männer an sich zu fesseln. Beispiele dazu gibt es, wie schon gesagt, in Mengen gerade im Künstlermilieu, aber auch in Politik, Wissenschaft und Wirtschaft. Was man jedoch nicht weiß, ist, daß Persönlichkeit und Ausstrahlung auch ohne eine aufregende Karriere, ohne große Berühmtheit genügen. Und dazu ein paar Beispiele aus meinem nächsten Freundeskreis.

In Paris leben Alain und Chris, in Köln Kathy und Gerd. Chris ist Österreicherin und lebt seit sehr langer Zeit mit Alain, der siebzehn Jahre jünger ist als sie, zusammen. Als sie einander kennenlernten, vor achtzehn Jahren in Paris, war er dreiundzwanzig und sie vierzig. Chris hatte bereits zwei Ehen hinter sich, eine mit einem österreichischen Geschäftsmann, die zweite mit einem französischen Offizier. Aus erster Ehe hat sie zwei Kinder, die ebenfalls in Paris leben.

Einander begegnet sind Alain und Chris in ihrer Firma, einem internationalen Konzern. Chris leitet die Lohnbuchhaltung, Alain ist Computer-Programmierer. Ich lernte die beiden vor fünf Jahren kennen. Sie lebten damals in einem winzigen Appartement unter dem Dach eines schönen alten Hauses im historischen Viertel Le Marais. Die Wohnung gehörte Chris. Sie war liebevoll eingerichtet und gerade groß genug für die wirklich exquisiten Feste, die die beiden in regelmäßigen Abständen zu geben pflegten.

Inzwischen sind sie umgezogen, in eine größere Wohnung im gleichen Stadtteil, die sie gemeinsam finanziert haben. Aber die Tatsache, daß sie zehn Jahre lang auf engstem Raum in einem kleinen Appartement, in dem kein Platz zum Ausweichen war, gut zusammengelebt haben, spricht Bände. Und sie haben die Zeit gut überstanden. Alain und Chris sind äußerst fröhliche Menschen. Und das strahlen sie auch aus. Man kann sich mit ihnen glänzend unterhalten, in Gesellschaft sind sie meist der Mittelpunkt, und mit Chris kann man im wahrsten Sinne des Wortes stundenlang lachen.

Auch Chris ist keine Schönheit. Sie ist jedoch groß, blond, stattlich, hat eine gute Figur und strahlt unglaublichen Optimismus und Lebensmut aus. Altersangst kennt sie nicht. Wenn sie in Pension geht, will sie nach Österreich zurück und dort, wenn möglich in Tirol, eine organisch-biologische Gärtnerei aufmachen. Alain ist von diesem Plan begeistert und hat bereits mit dem Studium von Fachbüchern begonnen.

Echte Partnerschaft und angenehmer Lebensrhythmus

Alain und Chris haben eine echte Partnerschaft. Ihr Lebensrhythmus ist ausgeglichen und angenehm. Alain kommt meist zwei Stunden vor Chris nach Hause, kauft ein, wäscht den Salat, bereitet alles zum Essen vor. Chris kocht am Wochenende und kümmert sich außerdem um die Wäsche. Das Saubermachen der Wohnung teilen sie sich. Es muß gesagt werden, daß die beiden sehr gut leben. Sie reisen viel und exklusiv und geben teure Feste. Alain freut sich, daß Chris finanziell unabhängig ist, und neidet ihr vor allem den Erfolg im Beruf nicht. Chris sagt, daß Alain tatsächlich der erste Mann ist, der sie nicht tyrannisiert.

Natürlich hatten auch sie ihre Probleme. Als die Firma Alain für sechs Monate nach Deutschland schickte – im zweiten Jahr ihres Zusammenlebens –, betrog er Chris prompt nach drei Monaten mit einer Sekretärin. Chris fuhr nach Deutschland und stellte ihn vor die Wahl. Als er sich nicht sofort entschließen konnte, nahm sie ihm die Entscheidung ab. »Geh«, befahl sie ihm, »geh, und laß mich allein! So ein Verhältnis tut dir gut. Bei mir lernst du ja doch nicht, was Verantwortung ist. Geh, ich kann dich nicht mehr sehen!« Nach drei Wochen kam er zu ihr zurück, und seither hat es keine derartigen Tragödien mehr gegeben.

Hat Chris Angst vor jüngeren Frauen? »Absolut nicht«, erklärte sie mir, »Alain hat inzwischen längst herausgefunden, daß mich eine kleine Sekretärin nicht ersetzen kann. Dadurch, daß ich älter bin, habe ich viele Vorteile. Ich bin selbstsicher genug, um mich nicht an ihn zu klammern. Ich bin stark genug, um mir zu sagen, daß ich auch ohne ihn leben könnte, daß die Welt nicht einstürzen würde, daß ich auch allein keine finanziellen Probleme hätte. Und ich weiß, daß ich auch mit siebzig, wenn ich es will, noch einen Mann finden werde. Und das lasse ich ihn manchmal fühlen.«

Als ich von Paris nach Wien übersiedelte, verlor ich Alain und Chris aus den Augen. Zwei Jahre lang hatten wir einander nicht gesehen, aber im Vorjahr trafen wir uns in Paris im bekannten Künstlercafé-Restaurant La Coupole. Wir hatten uns für vier Uhr nachmittags verabredet, Chris und ich, Alain sollte uns dann später zum Abendessen abholen.

Chris kam pünktlich, sah aber alt und müde aus. Ich erschrak, dachte sofort an Untreue und Trennung, aber es war nicht so. Chris hatte vielmehr zwei Operationen hinter sich und war erst drei Wochen zuvor aus dem Krankenhaus entlassen worden. »Es war ein schreckliches Jahr«, erzählte sie mir, »aber etwas Gutes hat es doch gehabt. Und weißt du was? Ich bin jetzt überzeugt davon, daß Alain mich wirklich liebt. So rührend und so liebevoll wie heuer war er die ganze Zeit unseres Zusammenlebens noch nie gewesen.«

In Köln, wie gesagt, leben Kathy und Gerd. Kathy ist Amerikanerin und seit kurzem sechsundvierzig Jahre alt. Gerd, ihr deutscher Mann, ist neunundzwanzig. Die beiden kamen zu mir nach Wien, um hier Kathys Geburtstag zu feiern. Es war eine aufschlußreiche Zeit. Kathy ist klein, drahtig, behende. Ihre Vorfahren stammten aus Italien. Sie hat einen dunklen Teint, kurze, gerade Haare und war in erster Ehe mit einem amerikanischen Universitätsprofessor verheiratet. Sie hat zwei Kinder. Schönheit ist sie keine.

Vor zehn Jahren lernte sie Gerd kennen. Er studierte bei ihrem Mann. Zwei Jahre später ließ sich Kathy scheiden, nahm ihre Kinder und ging mit Gerd nach Deutschland. Dort heirateten sie. Da beide keine weiteren Kinder wollten, ließ sich Gerd sterilisieren.

Kathy hat keinen Beruf. Sie ist Hausfrau und Mutter und das mit ganzer Seele. Anfangs hatten die beiden Geldschwierigkeiten. Bald aber fand Gerd eine gute Stelle bei einem Chemiekonzern; inzwischen ist er dabei, sich selbständig zu machen. Heute leben sie in einem sehr schönen Haus am Stadtrand mit Blick auf den Rhein. Zwischen Gerd und den Kindern gibt es keine Probleme.

Die Kollegen zogen den kürzeren

Dafür gab es welche zwischen Kathy und Gerds Arbeitskollegen. Diese waren gewohnt, nächtelang Karten zu spielen oder am Stammtisch zu sitzen und verlangten von Gerd dasselbe. Von Kathy wurde erwartet, daß sie stillschweigend zu Hause sitzen solle. Aber eine Amerikanerin läßt sich derlei nicht so leicht bieten wie eine Europäerin. »Wenn ich zwanzig gewesen wäre, hätte es mich umgebracht«, sagt Kathy heute, »aber ich war so empört, daß ich für jede Nacht, die er mich warten ließ, eine Nacht nicht nach Hause kam. Ich war zwar nur bei Freunden – einmal schlief ich auch im Hotel –, aber er wußte nicht, wo ich war. Nach dem fünften Mal hatte er genug. Wir schlossen Frieden, und heute weiß er genau, wie weit er gehen kann. Er quält mich nicht mehr. Er weiß jetzt, wie weh es tut, eine ganze Nacht lang auf einen Menschen zu warten. Er weiß auch, daß Kollegen eine Familie nicht ersetzen können.«

Kathy hat vor allem eines: einen unglaublich starken Willen. Will sie etwas haben, so geht sie darauf zu wie ein Rammbock. Meist erreicht sie ihr Ziel. Sie kann auch unglaublich lästig sein. Sie kann stundenlang reden, ohne einen zu Wort kommen zu lassen. Sie ist imstande, das eben gewaschene Frühstücksgeschirr, das zum Wegräumen bereit steht, wieder in die Spüle zu stellen und es mit siedendem Wasser zu übergießen, »weil uns sonst die Bakterien auffressen«. Sie kann, wenn sie schon im Auto sitzt, Gerd zweimal in die Wohnung zurückschicken, weil sie ihre Handschuhe oder Halsketten vergessen hat. »Ach, der Arme«, sagt sie dann mit echtem Mitgefühl, wenn er wiederkommt. Und trotzdem ist sie ein stimulierender, interessanter, lustiger Mensch. Gerd erträgt alle ihre Untugenden mit unglaublicher Geduld. Ich habe ihn auch gefragt, warum. »Weil sie einmalig ist«, antwortete er, »weil ich mich mit ihr noch keine Sekunde gelangweilt habe, weil ich ihren Hausverstand schätze und weil ich mit keiner Frau so gut schlafen kann wie mit ihr.«

Reife Frauen sind bessere Geliebte

Und nun zu allgemeinen Aussagen. Zu Anfang unseres Jahrhunderts mag man in vielem prüde gewesen sein, etwas aber war damals noch Allgemeinwissen, daß nämlich eine reife Frau sexuell weitaus begehrenswerter ist als ein junges Mädchen. Junge Männer sammelten jahrhundertelang ihre Erfahrungen bei meist verheirateten Frauen, und noch kurz vor dem Ersten Weltkrieg beschwerte sich die junge Agatha Christie, die in Kairo ihre erste Ballsaison erlebte, daß die feschen jugendlichen Offiziere nur für die Damen Augen hatten. »Wir jungen Mädchen«, schreibt sie, »waren für sie Luft.«

Natürlich kann man einwenden, daß ein junges Mädchen aus gutem Hause früher keinen Moment aus der Obhut der Eltern entlassen wurde und daß sie, sobald die Zeiten freier wurden, sehr wohl begehrt waren. Aber – und hier spreche ich aus eigener Erfahrung – ein Mann, der körperliche Liebe bejaht, der Frauen mag und schnelle, einseitige Befriedigung verachtet, wird immer die reife Frau der unreifen vorziehen.

Als junge Frau hat man meist zu viele Hemmungen. Der eigene Körper ist einem noch suspekt, man ist nie mit ihm zufrieden und konzentriert sich etwa darauf, im Bett den Bauch einzuziehen, anstatt sich der Umarmung hinzugeben. Man macht den Partner auf eingebildete Fehler aufmerksam und stört die Harmonie des Augenblickes. Man ist verkrampft, bringt den Mund nicht auf, um zu sagen: Bitte, streichle mich nicht dort, sondern da. Man läßt den Partner im dunkeln tappen und simuliert einen Orgasmus, den er meist als vorgetäuscht erkennt. Man bringt auch nichts Liebes, Lustiges oder Anerkennendes über die Lippen, alles verläuft mit tierischem Ernst möglichst im Dunkeln. Dafür schreibt man sich später die Komplimente, die man bekommen hat, ins Tagebuch. Alles selbst erlebt und erlitten.

Kein Vergleich mit einer reifen Frau. Sie hat gelernt, sich selbst zu bejahen, und ihr größtes Plus ist, daß sie den männlichen Körper nicht mehr fürchtet. Ich erinnere mich noch gut an mein erstes Erlebnis mit einem nackten Mann. Er war mir unheimlich und machte mir Angst. Etwas, das man fürchtet, kann man aber nicht lieben und verwöhnen. Und natürlich spürt ein Mann, ob man seinen Körper akzeptiert und verlangt oder ablehnt. Selbstverständlich will auch ein Mann verwöhnt, gestreichelt, geküßt, begehrt und geliebt werden – genau wie eine Frau auch. Es ist sogar lebenswichtig. Ein Mann, der zu lange mit einer Frau lebt, die seinen Körper ablehnt, wird impotent, ebenso wie eine Frau in ähnlicher Situation frigide wird.

Eine reife, sexuell erwachsene Frau nimmt es mit jedem Mädchen auf. Ich selbst habe als Teenager etliche Verehrer an eine ältere Verwandte verloren und kenne zwei Fälle, in denen der Liebhaber der Tochter zur Mutter überwechselte, wo es ihn bedeutend länger hielt. Abgesehen vom Körperlichen findet ein junger Mann bei einer älteren Freundin Verständnis und Geborgenheit, und die Kombination von Mutter und Geliebte ist unschlagbar. Das wußten schon die alten Griechen, und deshalb belegten sie auch derartige Verhältnisse mit furchtbaren Strafen. Der Dichter George Bernhard Shaw sagte zu diesem Thema etwas Prägnantes, und Lilli Palmer überliefert es uns in ihrer Autobiographie »Dicke Lilli – gutes Kind« (München 1974, S. 285): »Ich wollte immer schon mal den ›Ödipus‹ neu schreiben«, sagte Shaw. »Können Sie mir vielleicht erklären, warum der Ödipus so aus der Fassung gerät, wenn er entdeckt, daß er seine Mutter geheiratet hat? Das hätte seiner Zuneigung doch nur bekömmlich sein sollen!«

Ein ehrliches sexuelles Verhältnis

Und nun etwas Entscheidendes: Das sexuelle Verhältnis zwischen einer älteren Frau und einem jungen Mann ist meist viel ehrlicher als das zwischen einem älteren Mann und einer jungen Frau. Ein Mädchen, das mit einem alten Mann schläft, kann Erregung und Lust heucheln, auch wenn sie nichts empfindet und seinen Körper verabscheut. Ein guter Liebhaber merkt das zwar sofort – es gibt aber

Werbeantwort

**An die
Droemersche Verlagsanstalt
Th. Knaur Nachf.**

**Postfach 80 04 80
8000 München 80**

Bitte in Druckschrift ausfüllen:

VOR- UND ZUNAME

STRASSE

PLZ

ORT

BERUF

DATUM

Diese Spalten werden vom Verlag ausgefüllt.

BERUF	DAT	TITEL	ANR	INF	G

auch genügend, die es nicht tun und sogar die Wonne-
schreie der Prostituierten für echt halten.

Ein junger Mann, der mit einer alten Frau schläft, legt dagegen seine Karten auf den Tisch. Er kann seinen Körper
nicht zur Liebe zwingen. Stößt ihn ihr Körper ab, so bekommt er keine Erektion. Schläft er mit ihr, so beweist
dies, daß er seine Partnerin auch begehrt. Böse Zungen, die
behaupten, daß junge Männer nur um finanzieller Vorteile
willen mit einer älteren Frau lebten, sind leicht zum
Schweigen zu bringen. Spätestens im Bett wird sich her-
ausstellen, ob auch Gefühle vorhanden sind.

Junge Mädchen, die dies lesen, sollen mich nicht mißver-
stehen. Nichts liegt mir ferner, als die Unsicherheit, unter
der fast alle jungen Menschen leiden, zu verstärken. Ich
will vielmehr einen tröstlichen Ausblick bieten, wenn ich
sage, daß mit siebzehn, achtzehn, neunzehn und zwanzig
der Höhepunkt noch lange nicht in Sicht ist und daß die
besten Jahre, in denen man körperliche Liebe genießen
kann, erst kommen und lange, sehr lange anhalten.

Und nun zu den weiter oben erwähnten standesamtlichen
Statistiken. Tatsache ist, daß seit Beginn der sechziger
Jahre Ehen, bei denen die Frau älter ist als der Mann, stark
im Steigen begriffen sind. Bereits im Jahre 1975 war in der
Bundesrepublik Deutschland bei jeder siebten Eheschlie-
ßung der Mann jünger als die Frau. In den Städten war dies
sogar bei jeder fünften Ehe der Fall. Daß immer mehr ältere Frauen jüngere Männer heiraten, ist in der gesamten
westlichen Welt zu beobachten. Diesbezügliche Statistiken, die man in den sechziger Jahren in England erstellte,
bewiesen, daß solche Ehen im Vergleich zur Nachkriegszeit um fünfzehn Prozent angestiegen waren. Derzeit sind
es zwanzig Prozent, und sie halten länger als Ehen zwi-

schen Gleichaltrigen. Auch das geht aus den standesamtlichen Unterlagen hervor.

Verbindungen, die Zukunft haben

Daß die Verbindung ältere Frau – jüngerer Mann Zukunft hat, ist Bevölkerungsexperten bereits klar. Die Ursache liegt ganz konkret in den Geburtenziffern. Die Allgemeinheit weiß es meist nicht, aber durchschnittlich werden weltweit rund sechs Prozent mehr Knaben als Mädchen geboren. Dies geschieht deshalb, weil die Natur gegen die größere Sterblichkeitsrate männlicher Säuglinge vorbeugen will. In den letzten vierzig Jahren hat jedoch die Medizin solche Fortschritte gemacht, daß die Säuglingssterblichkeit auf ein Minimum reduziert werden konnte und somit auch der überwiegende Teil der ehemals totgeweihten männlichen Kinder überlebte.

Das Resultat ist ein ordentlicher Überschuß an jungen Männern. Wie aus einem englischen Regierungsbericht von 1979 hervorgeht, der von dem amerikanischen Nachrichtenmagazin »Time« veröffentlicht wurde, gibt es allein in England in der Altersgruppe der Zwanzig- bis Vierundzwanzigjährigen 1,3 Millionen Männer und nur 789 000 Frauen, also um mehr als 500 000 Frauen zu wenig. In der Gruppe der Zwanzig- bis Vierunddreißigjährigen fehlen sogar etwa 800 000 Frauen. Allein in England finden also fast 1 Million junger Männer keine gleichaltrigen Partnerinnen. Mehr braucht man zu diesem Thema nicht zu sagen.

Abschließend noch ein paar Gedanken. Frauen müssen lernen, sich ihres Wertes mehr bewußt zu werden. Die

Männer kennen ihn. So antwortete der bekannte englische Literat Samuel Johnson, der im 18. Jahrhundert lebte, zwei Zeitgenossinnen, die sich über die Ungerechtigkeit der Gesetzgebung gegenüber Frauen beklagten: »Die Natur, meine Damen, hat Ihrem Geschlecht so viele Vorteile gegeben, daß wir frauenfeindliche Gesetze schaffen mußten, um sie wieder auszugleichen.«

Frauen haben wirklich keinen Grund, sich vor dem Älterwerden zu fürchten. Durch ihre Fähigkeit, Lust zu schenken und Kinder zu gebären, befinden sie sich – nüchtern betrachtet – in der Position der Hersteller. Der Mann muß sich anstellen, um zu kaufen. Soweit die neue Wissenschaft Soziobiologie, die in den USA hoch in Kurs steht. Und die Moral von der Geschicht'? Frauen haben alles, was zu einem glücklichen Leben nötig ist, in sich. Sie müssen nur eines lernen: sich nicht mehr unter ihrem Wert zu verkaufen.

4. Meine eigene sexuelle Entwicklung

Ich war ganze vierundzwanzig Jahre alt, als ich heiratete. Und kaum war ich verheiratet, fühlte ich mich zum erstenmal in meinem Leben wirklich alt. Ich war gewohnt, einen Kreis von Leuten um mich zu haben, ein paar Verehrer auf Distanz darunter, nun aber lebte ich als verheiratete Frau in London, hatte keine Freunde und mein Mann hatte auch keine.

Außer ein paar Schulkollegen, die man nach formeller Einladung alle zwei oder drei Monate traf, und den Schwiegereltern sahen wir niemanden. Mein Mann war Engländer. Je besser ich die Sprache lernte, um so aussichtsloser wurde die Situation. Ich stellte fest, daß ich meinen Mann nicht liebte, daß er ganz anders war, als ich gedacht hatte, daß die Hoffnungen, die in jener Zeit entstanden waren, als wir uns noch mit Wortbrocken, Gesten und Blicken verständigt hatten, alle unerfüllt blieben. Ich begann, entsetzlich an Heimweh zu leiden, und hatte die erste Depression meines Lebens.

Sexuell verstanden wir uns überhaupt nicht. Dies war jedoch weder seine noch meine Schuld. Wir hatten beide viel zu wenig Erfahrung. Bereits nach einem Jahr wollte ich mit ihm nicht mehr schlafen. Sein Körper war mir nicht unangenehm. Er war mir egal. Seine Berührungen erzeugten keinerlei Gefühle. Trotzdem wurde ich unsicher und unruhig, wenn er drei Nächte lang nichts von mir wollte. Die körperliche Liebe gehörte zu meinen ehelichen Pflichten ebenso wie Essen kochen und Wäsche waschen. Pflichten habe ich immer ernst genommen, und ich wollte alles richtig machen, genauso, wie man es von mir erwartete.

Ich war vierundzwanzig Jahre alt, jungverheiratet, das Leben hatte schön zu sein. Aber das war es nicht. Ich langweilte mich zu Tode. Als Ablenkung begann ich, Unmengen zu essen. Wenn ich nach Hause kam, ging ich sofort in die Küche. Dort stand ein blauer Hocker. Auf diesen setzte ich mich und hatte nun Kühlschrank, Brotkasten und Kuchendosen in meiner Reichweite. In wilder Folge stopfte ich Käse, Pasteten, Kuchen, Schokolade und die Reste des Mittagsmahles in mich hinein. Einmal, erinnere ich mich, buk ich eine Torte mit ganzen Haselnüssen. Diese aß ich, kaum daß sie ausgekühlt war, auf einen Sitz auf.

Eine Ehe ohne körperliche Erfüllung

Zwei Jahre hielt ich durch. Wie, weiß ich nicht mehr. Ich weiß nur, daß mir nichts mehr Freude bereitete. Am Morgen freute ich mich nicht auf den Tag, am Abend freute ich mich nicht aufs Nachhausekommen. Die Aussicht, meinen Mann wiederzusehen, erzeugte keinen Gefühlsaufschwung, und schon gar nicht freute ich mich auf die Nacht. Während meiner ganzen Ehe hatte ich keinen einzigen Höhepunkt.

Und dann, im Sommer, der durch und durch verregnet

war, kam meine Mutter zu Besuch. Sie sah mich an und sagte: »Du siehst nicht gerade glücklich aus.« Und die nächsten drei Tage sprachen wir nur über meine Ehe. »Wenn du willst«, meinte meine Mutter am vierten Tag, einem Freitag, »dann laß dich scheiden. Du kannst jederzeit zu mir nach Hause kommen. Aber eines mußt du wissen: Sexuell gibt es Hoffnung. Du bist wahrscheinlich noch zu jung. Viele Frauen sind erst ab dreißig fähig, einen Mann zu genießen. Vorher funktioniert der Körper noch nicht richtig.«

Als meine Mutter abgereist war, ging ich zu einer Frauenärztin. Sie sagte mir dasselbe. »Nicht aufgeben. Die paar Jahre, bis der Körper bereit ist, durchhalten. Dann wird alles besser.«

Während ich noch darüber nachdachte, kam eine Einladung von meinen Schwiegereltern, das Wochenende in ihrem Haus am Meer zu verbringen. Wir waren froh, aus London herauszukommen, und freuten uns auf die gute Luft und die exzellenten Mahlzeiten. Die Schwiegereltern hatten auch einen Hund, einen lieben schwarz-weißen Spaniel, sowie einen großen Garten mit Rosen in allen Farben und einem üppig blühenden Maulbeerbaum.

Am Nachmittag, Punkt fünf, wurde Tee getrunken. Dazu versammelte sich gewöhnlich die ganze Familie im Salon, das Teeservice war aus Silber, und es gab Kuchen und delikate kleine Sandwiches. An jenem Wochenende aber war das Wetter gut, und die Männer gingen segeln. Übrig blieben meine Schwiegermutter und ich. Wir tranken unseren Tee in Frieden und führten Frauengespräche.

Unter anderem diskutierten wir über das Schicksal einer fünfundzwanzigjährigen Nichte namens Anna, die keinerlei Anstalten machte, sich zu verheiraten. Sie hatte keine spezielle Ausbildung, wechselte mindestens einmal pro Jahr ihren Job und hatte erst ein einziges Mal der Familie einen Freund vorgestellt. Das war vor drei Jahren gewesen. Seither hatte ihn niemand mehr zu Gesicht bekommen.

»Mach dir keine Sorgen«, sagte ich beruhigend, »sie wird schon noch einen Mann finden.« Und zur Bekräftigung erzählte ich ihr von einer Bekannten, die mit neunundvierzig zum erstenmal geheiratet hatte – einen wohlhabenden deutschen Gutsbesitzer, der in Brasilien große Ländereien gekauft hatte.

»Ach, ihr Österreicher«, sagte meine Schwiegermutter, »ihr seid wirklich zu beneiden. Ihr habt so eine gesunde Lebenseinstellung und seid so optimistisch. Wir Engländerinnen könnten viel von euch lernen. Wir glauben immer noch, daß für eine Frau mit zweiundzwanzig alles vorbei ist.«

An jenem Nachmittag wagte ich nichts zu erwidern. Wir plauderten weiter. Aber den ganzen Sonntag dachte ich über die Worte meiner Schwiegermutter nach. Ich verglich sie mit dem, was meine Mutter und meine Londoner Frauenärztin gesagt hatten und verstand die Welt nicht mehr. Wie kann man nur glauben, rätselte ich, alles sei schon vorbei, wenn man sich in einem Alter befindet, in dem laut Fachmann noch gar nichts begonnen hat? In dem der Körper der Frau noch nicht einmal fähig ist, mit einem Mann Lust zu empfinden? Ich war verwirrt und beschloß, von jetzt an die Augen offenzuhalten. Und ich begann zu beobachten – zuallererst mich selbst.

Was immer man auch über die Geschlechtsreife der Frauen geschrieben hat, ich weiß, daß ich vor fünfundzwanzig unfähig war, einen Mann wirklich zu begehren. Richtig reif wurde ich erst mit dreißig. Und wäre ich nicht im zarten Alter von einundzwanzig Jahren von Österreich nach Frankreich übersiedelt, wer weiß, ob ich überhaupt je soweit gekommen wäre.

Keine Erotik in der deutschen Sprache

Die Einstellung der deutschsprachigen Männer zur Sexualität zeigt sich schon in den unappetitlichen Worten, die sie für sexuelle Liebe geschaffen haben. Findet man etwas häßlich, so wird man auch einen häßlichen Begriff dafür prägen. Das beginnt bei dem abstoßenden Wort Warze für die Spitze der Brust und endet mit plumpen Bezeichnungen für intimere Körperteile. Der schwerwiegendste Beweis aber ist, daß es kein einziges gesellschaftsfähiges Wort für das gibt, was sich zwischen zwei Menschen, die einander zugetan sind, im Bett abspielt. Wie die Sprache, so die, die sie sprechen. Und die deutsche Sprache ist auf sexuellem Gebiet unterentwickelt.

Während meiner ganzen Jugend litt ich unter der Art, in der meine Schulkameraden über körperliche Liebe sprachen. Ordinäre Witze, die erzählt wurden, um uns Lust zu machen, bewirkten nur Ablehnung. Männer, die auch nur eines dieser haarsträubenden Wörter in den Mund nahmen, waren für mich von vornherein unten durch.

Ich war siebzehn, als ich zum erstenmal mit einem Mann schlief. Es handelte sich um einen guterzogenen, sensiblen Burschen. Trotzdem war ich so schockiert von dem, was sich abspielte, von der Tatsache, daß sich ein fremder Körper in mir bewegte, und von der Art, wie er sich bewegte – von den Schmerzen, die er mir verursachte, gar nicht zu reden –, daß ich eineinhalb Jahre keinem Mann erlaubte, mir in die Nähe zu kommen.

In der Folge trug ich dazu bei, die schlechte Meinung, die Männer über Frauen haben und die auf schlechte Erfahrungen in ihrer Jugend zurückgeht, zu vertiefen. Ich tat, was die meisten jungen Mädchen tun, um ihr Selbstbewußtsein zu stärken und ihre Macht über die Männerwelt auszuprobieren. Ich ging tanzen, trug dekolletierte Kleider, ging zu Rendezvous, hielt Händchen, ließ mich küssen. Unterste Grenze war die Taille. Ich war fasziniert von dem ganzen Rundherum einer leidenschaftlichen Umarmung, dem heißen Atem, dem Stöhnen, den zitternden Fingern, von der Wirkung, die entstand, wenn man seinen Bauch gegen einen gewissen männlichen Körperteil preßte. Daß ich den Mann dabei bis aufs Blut reizte, war mir nicht bewußt. Ich spürte keinerlei Verlangen und konnte mir nicht vorstellen, wie frustrierend ein »Bittehör-jetzt-auf« für ihn sein mußte.

Kam das Gespräch auf meine Anständigkeit, auf meine übermenschliche Selbstbeherrschung, so wußte ich nicht, wovon die Rede war. Mein Körper war noch nicht reif. Ich hatte kein Bedürfnis. Ich konnte bis zu meinem zweiundzwanzigsten Lebensjahr wie ein Stein neben einem vor Erregung bebenden Jüngling liegen, auch ohne Kleider und eine ganze Nacht hindurch. Es sprang kein Funke über.

Meine erste ernstzunehmende Beziehung hatte ich mit neunzehn. Mein Freund war gleichaltrig, wir sahen einander zwei- bis dreimal pro Woche, und wenn sich die Gelegenheit ergab – da wir beide noch zu Hause wohnten, geschah das nicht allzuoft –, schliefen wir zusammen. Was mir an einer gemeinsamen Nacht gefiel, waren seine Körperwärme, sein Begehren und seine Zärtlichkeit. Den Rest ließ ich über mich ergehen. Manchmal sahen wir uns zwei Wochen nicht. Wenn mir auch seine Gegenwart fehlte, sein Körper ging mir nie ab. Trotzdem war ich überzeugt, ein großartiges sexuelles Verhältnis zu haben, denn mit ihm tat es nicht mehr weh.

Die Befreiung kam in Frankreich

Weiter, glaube ich, wäre ich in Österreich kaum gekommen. Die extreme Körperfeindlichkeit meiner Umwelt und die plumpen sexuellen Anspielungen im Gespräch vertieften meine Abwehr gegen alles, was mit Mann und Frau zusammenhing. Um so größer war die Befreiung, als ich nach Frankreich kam.

Hier eröffneten sich im wahrsten Sinne des Wortes neue Dimensionen. Plötzlich fand ich mich von Menschen umgeben, die den Körper und alles, was damit zusammenhing, bejahten. Plötzlich war körperliche Liebe schön, und man konnte in der besten Gesellschaft über alles, was damit zusammenhing, diskutieren. Die französische Sprache ist voll von erfreulichen erotischen Ausdrücken und zärtlich-liebevollen Redewendungen, die es einem Menschen erlauben, das, was er als schön empfindet, auch als schön wiederzugeben.

Und das geht durch alle Bereiche. Selbst für das Nasenbohren und das, was man dabei aus der Nase herausholt, gibt es schönere Wörter. Nie werde ich mein Erstaunen vergessen, als ich einmal mit französischen Freunden zu einem Geburtstagsfest aufs Land fuhr. Ich war erst ein paar Monate in Paris, und es war mein erster intensiver Kontakt mit Franzosen. Wir saßen zu fünft in einem Auto und unterhielten uns blendend. Plötzlich hielten wir an. Der Fahrer wollte offensichtlich aussteigen, um sich zum Straßenrand zu begeben. Ich wartete auf das übliche peinliche Schweigen, schließlich sahen mich diese Leute zum erstenmal in ihrem Leben. Aber nein, auszusteigen und das Menschliche zu tun, war das natürlichste auf der Welt. Der Fahrer kündigte dies auch ganz unbefangen an: »Mes enfants«, sagte er, »meine Kinder, um euch nichts zu verbergen, je dois faire pipi – ich muß Pipi machen.«

So kann man es auch sagen, dachte ich und war begeistert. Noch am selben Abend erfuhr ich auch zu meinem Erstaunen, daß sexuelle Witze nicht schmutzig sein mußten, sondern liebenswert und erotisch anziehend sein konnten. Nach einem Jahr in Frankreich war ich von den Schäden meines österreichischen Vorlebens geheilt. Ich war zweiundzwanzig Jahre alt, und ich verliebte mich in einen Franzosen.

In meinem Leben war dies ein wichtiger Schritt. Zum erstenmal war das Körperliche nicht etwas, das man erduldet, sondern eine angenehme Draufgabe. Zum erstenmal fand ich es normal, daß man miteinander schlafen wollte. Zum erstenmal verzichtete ich auf Ausflüchte, kleine Lügen und Verzögerungsstrategien. Zum erstenmal hatte ich keine Angst. Ich sagte, daß ich mit ihm schlafen würde. Das einzige Problem war, wo.

Jean-Pierre war mein Schüler. Er war neunzehn Jahre alt und brauchte Deutschnachhilfe für das Abitur. Als ich ihn zum erstenmal sah, stand er am Fenster und drehte mir den Rücken zu. Er wandte sich um, als ich die Tür schloß. Wir sahen uns an, und irgend etwas veränderte sich. Bereits in der zweiten Stunde war uns klar, was geschehen war und geschehen würde, und wir gaben es beide offen zu.

Trotzdem dauerte es zwei ganze Monate, bis wir eine Nacht zusammen verbringen konnten. Ich wohnte in einem katholischen Mädchenheim, er war noch bei seinen Eltern. Keiner hatte Freunde mit Wohnungen, die sie uns hätten zur Verfügung stellen können. Ein Hotel kam nicht in Frage. Was uns blieb, waren wilde Küsse auf Partys und Taxifahrten, von denen nur das Ein- und Aussteigen in Erinnerung blieb, denn dazwischen lag die reinste Ekstase des Aneinanderpressens und Aufgehens in der gegenseitigen Körperwärme. Tagsüber trafen wir uns in verschiedenen kleinen Cafés, meist im Hinterzimmer, das in Paris oft im Tiefparterre unter dem Straßenlokal zu finden ist, und dort fraßen wir uns halb auf.

Und dann, ganz plötzlich nach Weihnachten, fand ich eine Wohnung. Ich hatte bereits ein halbes Jahr gesucht und jede Hoffnung aufgegeben. Eine französische Bekannte, sie arbeitete als Kosmetikerin und teilte eine Wohnung mit einer Amerikanerin, wurde nach Marseille versetzt und überließ mir ihr Zimmer. Das Haus lag im 13. Bezirk in der Rue Pascal. Es war eines jener kleinen, schäbigen Alt-Pariser Häuser mit Innenhof und einer ständig betrunkenen Hausmeisterin. Heute steht an seiner Stelle ein großer neuer Wohnblock. Das alte Haus hatte nur zwei Etagen. Die Wohnung lag im ersten Stock. Sie bestand aus einer Wohnküche mit Schlafnische und einem Wohnzimmer mit Schlafnische. Die Toilette war auf dem Gang und bestand aus einem kubischen Stück Zement mit einem runden Loch in der Mitte. Die Amerikanerin, die sich die Küche, in der es auch eine zerlegbare Dusche gab, angeeignet hatte, arbeitete als Sekretärin. Abends sang sie amerikanische Volkslieder in einem Club hinter der Kirche von Saint-Germain-des-Prés.

In dieser Wohnung in der Rue Pascal verbrachte ich mit zweiundzwanzig Jahren meine erste Liebesnacht. Zum erstenmal wollte ich einen anderen Körper in meinem eigenen spüren, zum erstenmal nahm eine Nacht kein Ende. Eine »nuit blanche«, wie die Franzosen sagen, eine weiße Nacht. Ich hatte keinen Höhepunkt, aber das war mir egal. Ich hatte kein Bedürfnis danach. Die Entdeckung, daß die Bewegungen eines Mannes angenehm und aufregend sein können, wog alles andere auf. Zum erstenmal fühlte ich mich als Frau. Ich war überzeugt davon, bis in die höchsten Sphären körperlichen Glückes vorgedrungen zu sein.

Und trotzdem: Wenn mein Freund nicht da war, ging mir nichts ab. Einmal mußte er verreisen, und wir sahen uns einen Monat lang nicht. Ich vermißte ihn zwar sehr, aber sexuell verkraftete ich die Entbehrung ohne weiteres. Ich war noch lange nicht reif. Ich hatte keine Ahnung, wie wichtig ein gutes körperliches Verhältnis für eine Frau ist. Dafür wußte ich etwas anderes, daß es die Pflicht einer Frau ist zu heiraten. Aus diesem Grunde suchte ich instinktiv nach einem »sicheren« Mann. Und als ich ihn fand, mit dreiundzwanzig, trennte ich mich von Jean-Pierre.

Mit siebenundzwanzig das erste befriedigende Verhältnis

Was meine Mutter und die Londoner Ärztin prophezeit hatten, ist eingetroffen. Mit siebenundzwanzig Jahren hatte ich mein erstes wirklich befriedigendes Verhältnis mit einem Mann – wenn auch nicht mit meinem eigenen.

Anthony habe ich bereits in dem Kapitel »Sexualität: reife Frauen und junge Männer« erwähnt. Ich habe ihm viel zu verdanken.

Wir lernten uns zu einer Zeit kennen, in der ich nicht mehr leben wollte. Meine Ehe war eingefroren. Mein Mann und ich stritten zwar nicht, hatten einander aber nichts mehr zu sagen. Jedesmal, wenn mich mein Mann zu berühren versuchte, erstarrte ich zu Eis. Ich entwickelte einen derartigen Widerwillen gegen seinen Körper, daß mir fast schlecht wurde, als er einmal nur mit dem Oberteil seines Pyjamas bekleidet aus dem Badezimmer kam. Ich hatte jede Hoffnung auf Besserung aufgegeben. Ich war überzeugt davon, frigide zu sein.

Anthony lernte ich auf einer Dinnerparty kennen. Wir saßen zufällig nebeneinander und verstanden uns sofort. Er war groß, blond und sensibel; er arbeitete als Häusermakler und war gerade dabei, sich selbständig zu machen. Wir redeten stundenlang über Musik und Tiere und beschlossen, einander wiederzusehen. Kurz vor dem Ende der Einladung erfuhr er, daß ich verheiratet war. »Schade«, sagte er und verabschiedete sich abrupt. Vier Tage später rief ich ihn an, mit großem Herzklopfen und sehr schlechtem Gewissen. Am Samstag darauf – mein Mann war segeln gefahren – trafen wir uns. Wir gingen essen, tanzen und anschließend zu ihm.

Nach der ersten Nacht mit Anthony wußte ich: Das ist genau das, worauf ich zeit meines Lebens gewartet hatte. Ich wußte auch, daß ich nicht frigide war. Als ich ihn dann eineinhalb Monate kannte, verließ ich meinen Mann und zog zu ihm. Die ersten Tage, die ich mit Anthony verbrachte, veränderten mein Leben. Ich ging umher wie eine Schlafwandlerin. Alles war anders. Überall war mehr

Farbe. Jede Minute war aufregend. Ich aß kaum einen Bissen, verlor mein Übergewicht innerhalb kürzester Zeit, verbrachte Stunden vor dem Badezimmerspiegel, um vor mich hin zu träumen, und rief mir jede Einzelheit der vergangenen Nacht ins Gedächtnis zurück.

Die Tatsache, daß ich imstande war, einen Mann ebenso zu begehren wie er mich, begeisterte mich. Endlich war das Verhältnis nicht mehr einseitig. Endlich konnte ich ebenso empfinden wie er, konnte seinen Körper ebenso erregend finden wie er meinen. Es war phantastisch. Zum erstenmal verstand ich, was in der Bibel gemeint ist, wenn von Mann und Frau gesprochen wird, die »ein Fleisch« werden. Der Körper meines Freundes war mir so vertraut wie mein eigener. Wenn ich ihn berührte – und ich hatte zum erstenmal in meinem Leben das Bedürfnis, ihn überall zu berühren und zu streicheln –, war dies so intensiv, als ob ich selbst geküßt und liebkost würde. Endlich war ich imstande, zu geben und nicht nur zu nehmen; endlich konnte ich aufhören, Lust zu heucheln und einen Orgasmus vorzutäuschen.

Es erstaunt mich immer, wie oft sich im Leben die guten und die schlechten Dinge häufen. Eine schlechte Nachricht kommt selten allein, heißt es. Aber auch das Gute kommt – wenn es kommt – von allen Seiten. Waren die ersten zwei Jahre, die ich in England verbracht hatte, kalt, trüb und regnerisch, so war dieser Sommer heiß und strahlend.

Die Londonerinnen trugen ärmellose Kleider. Wir gingen barfuß am Ufer der Themse spazieren und saßen bis elf Uhr nachts auf den Holzbänken, die vor den Pubs auf die Straße gestellt wurden. Die kleinen, kugelig geschnittenen Bäume auf der Straße vor Anthonys Haus blühen wie nie zuvor. Und als die Blütenblätter zu Boden fielen, verwandelte sich das Pflaster in einen weißen Teppich. Wir gingen in viele Konzerte, standen in der Pause auf der Terrasse der Queen Elizabeth Hall und schauten auf den Fluß. Wir kauften ein Fondue-Set, bereiteten unzählige Saucen und luden Gäste ein. Die Wochenenden verbrachten wir im Bett. Wir hatten kein anderes Verlangen als nebeneinander zu liegen und einander zu spüren.

Trotzdem ging ich nach einem Jahr nach Wien zurück, um zu studieren. Alle Ferien aber verbrachten wir zusammen. Während der langen Wochen, die ich ohne ihn in Wien war, manchmal waren es zweieinhalb Monate, hatte ich sehr viel Arbeit, und ich war Anthony völlig treu. Ich vermißte ihn sehr, zählte die Tage, bis wir einander wiedersehen konnten, aber sonst fühlte ich mich wohl und nicht von erotischem Verlangen geplagt.

Erst mit siebenunddreißig eine ausgereifte Frau

Heute, mit siebenunddreißig, kann ich auch alleine sein. Aber nach einem Monat sehne ich mich schon sehr nach einem Mann. Auch wenn ich nicht verliebt bin, möchte ich die Wärme und Kraft eines Körpers spüren. Ist dies nicht möglich, habe ich erotische Träume. Dies ist, seit ich fünfunddreißig bin, der Fall und hat sich in den letzten zwei Jahren verstärkt.

Soviel zu meiner körperlichen Entwicklung vom Teenager zur reifen Frau. Sie hat fast zwanzig Jahre gedauert, und erst heute bin ich imstande, Männer wirklich zu verstehen. Ehe ich wußte, was körperliche Liebe sein kann, waren mir Männer in erster Linie lästig. Ich hatte keinerlei Sympathie für ihr körperliches Verlangen. Als ich Hemingway las, der von einer Krisenzeit in Paris berichtete, während der er weder schreiben noch mit seiner Frau schlafen konnte, wunderte ich mich über den Satz, daß sich seine Frau fabelhaft verhalten und seine Impotenz mit großer Geduld ertragen habe. Was heißt große Geduld, dachte ich. Wahrscheinlich war sie froh, daß sie endlich in Ruhe gelassen wurde.

Wenn sich ein Mann mir nähern wollte, so stufte ich ihn als Lüstling ein und konnte nicht verstehen, daß er, als er abgewiesen wurde, ernsthaft gekränkt war. Dabei ist das gegenseitige Verstehen unendlich wichtig für eine Partnerschaft. Wird auf sexuellem Gebiet geschwindelt – und je jünger die Frau, je weniger sie fühlt und je lauter sie stöhnt, desto öfter ist dies der Fall –, so kann eine Beziehung oft mehr schaden als nutzen. Jede Frau kann lernen, körperlich frei zu werden. Den Großteil übernimmt die Natur, die den Körper reifen und bereit werden läßt. Selbst aber muß man auch dazu beitragen. Vielleicht sollten Frauen, die Probleme haben, wie ich sie hatte, für einige Zeit ins Ausland gehen. Dort hat man als Fremder eine Art Narrenfreiheit. Man kann sich freier entwickeln als in einer Umgebung, in der man sich beobachtet fühlt, da man fast jeden kennt. Die Angst, den »guten Ruf« zu verlieren, fällt weg; man kann sich in Experimente stürzen und ohne den Druck seitens Eltern oder Bekannten einen Partner suchen, der zu einem paßt.

Mir haben die sechs Jahre, die ich in Paris gelebt habe, sehr viel geholfen. Den Kontakt mit einem Land, das nicht nur oberflächlich, sondern durch und durch kultiviert ist, möchte ich nicht mehr missen. Die Franzosen, die im großen und ganzen zu sich selbst und zu Frauen eine gesunde

Einstellung haben, die ihren eigenen Körper ebenso wie den ihrer Partnerin bejahen, meist peinlich sauber sind, da sie gewohnt sind, ihre Geliebte überall zu liebkosen und dasselbe auch von ihr erwarten, sind gute Lehrmeister in der Überwindung von Komplexen.

Wie schon oben erwähnt, kommt ihnen auch ihre Sprache zu Hilfe. Als Ausländerin ist man noch dazu immun gegen Kraftausdrücke – die man meist nicht versteht – und auch später, wenn man die Sprache beherrscht, wird man über ordinäre Redewendungen nicht so schockiert sein, da man nicht von Kindheit an unter ihnen leiden mußte. Selbst wenn man die Bedeutung kennt, klingen sie weniger brutal als in der Muttersprache.

Es ist das persönliche Pech aller deutschsprachigen Frauen, daß ihnen kein Wortschatz für Zärtlichkeiten mitgegeben wurde. Man kann zwar »to make love« oder »faire l'amour« mit »Liebe machen« übersetzen, aber da diese Wendung nicht im eigenen Volk gewachsen ist, klingt sie sehr nach Ersatz. Gott sei Dank ist die Sprache lebendig und daher fähig, sich zu verändern. Höchste Zeit auch für den deutschsprachigen Mann und die deutschsprachige Frau, sich etwas einfallen zu lassen.

Keine Angst vor dem anderen Geschlecht

Der größte Vorteil des Erwachsenwerdens, der körperlichen und geistigen Reife, ist, daß man die Angst vor dem anderen Geschlecht verliert und ungefähr weiß, wieviel man erwarten kann. In der Jugend stehen Mann und Frau einander eher feindlich gegenüber. Jeder denkt: Wieviel kann ich wohl aus dem andern herausholen? Wieviel Liebe, Zärtlichkeit, wieviel gekochte Mahlzeiten und gewaschene Hemden, wieviel geputzte Fenster und Fußböden, wieviel Kinder ist sie wert? Oder umgekehrt: Wieviel Liebe und Zärtlichkeit und welchen Lebensstandard kann er mir denn bieten? Und beide haben oft das Gefühl, zuwenig von dem Tauschhandel zu profitieren.

Als reife Frau lebt man weniger in sich selbst, man beobachtet sich nicht mehr so intensiv, sondern ist imstande, nach außen zu sehen, auch das Investment des anderen zu schätzen. »Findest du es normal«, hat mich mein Mann einmal gefragt, »daß ich jeden Tag von neun bis fünf in einem Büro sitzen muß?« Ich habe ihn sprachlos angestarrt. Natürlich fand ich es normal. Und er verdiente meiner Meinung nach auch viel zu wenig Geld. Er kam mir manchmal vor wie ein Rennpferd, auf das ich gesetzt hatte und das viel zu langsam vom Fleck kam. Ich fand es völlig in Ordnung, daß er von seiner Arbeit nicht begeistert war, unbefriedigt herumsaß und am Sonntagabend seufzte: »Ach Gott, morgen ist wieder Montag.« So war eben die Arbeitswelt, und ich hatte sie nicht geschaffen. Ich fühlte mich frei von jeder Verantwortung, und wenn es ein Opfer gab, dachte ich, so war es einwandfrei ich.

Heute ist das anders. Ich finde es ganz und gar nicht in Ordnung, dem Mann Bürden aufzuhalsen, ihn mit Verantwortung zu quälen, bis er mit einem Herzinfarkt zusammenbricht. Beide Partner müssen sich anstrengen. Finanzielle Abhängigkeit ruiniert den Charakter. Finanzielle Abhängigkeit führt auch zu gefühlsmäßiger Abhängigkeit, und das hat mit freiem Willen nichts mehr zu tun. Der abhängige Partner hat viel zu viel Angst, fühlt sich gedemütigt, und die Liebe bekommt einen hündischen, sklavenartigen Beigeschmack. Die reife Frau jedoch, die sich selbst erhält, bleibt von alledem verschont. Sie kann mit gutem Gewissen nehmen, denn sie weiß, daß sie nicht nehmen muß. Sie kann sich ohne schlechtes Gewissen zum Abendessen einladen lassen, denn sie weiß, daß sie sich jederzeit revanchieren kann. Und sie darf das Beste vom Partner fordern – auch im Bett.

Die Berufswelt braucht die reife Frau

Wird man erwachsen, so begreift man schnell, daß die Arbeitswelt die reife Frau braucht, daß sie ohne sie nicht existieren könnte. Studien der OECD in Paris beweisen das immer wieder. Reife Frauen werden eher angestellt und befördert als junge, da sie disziplinierter sind, pünktlicher, gewissenhafter und auch verträglicher. Bei zu jungen Frauen besteht die Gefahr, daß sie gerade dann, wenn sie eingearbeitet sind, heiraten, Kinder kriegen und sich ins Privatleben zurückziehen. Jeder Unternehmer weiß, wie wichtig es ist, Leute zu haben, die verläßlich sind, die tun, was sie sagen, und halten, was sie versprechen. Eine Frau, die ihr Privatleben gefestigt hat und wieder in den Beruf einsteigt, setzt sich meist mit voller Kraft ein. Arbeitgebern ist das nichts Neues.

Ganz allgemein gilt: Wer tüchtig ist, gewissenhaft und fleißig, wer bereit ist, sich weiterzubilden, und ab und zu gewillt, das Privatleben hintanzustellen, der wird keine Schwierigkeiten im Beruf haben, ganz gleich, wie alt er ist. Das Wort Talent habe ich mit Absicht ausgelassen, weil talentierte Frauen, wenn sie bereit sind, sich einzusetzen, nie Schwierigkeiten haben werden, eine Anstellung zu finden. Auch wenn sie schon pensionsreif sind.

Frauen, die sich zu hohen Positionen durchgerungen haben, werden allgemein respektiert und geschätzt. Mit ihrem Alter hat das nichts zu tun. Im Gegenteil: je älter sie sind, desto leichter haben sie es. Man studiere das Leben von Fürstinnen, Königinnen, Kaiserinnen und Politikerinnen.

Beginnen wir mit Eleonore von Aquitanien, der Mutter von Richard Löwenherz, die im 12. Jahrhundert im heutigen Frankreich lebte. Sie überlebte ihren zweiten Mann, Heinrich II., der elf Jahre jünger war, um dreizehn Jahre. Sie war die imposanteste Frau des Mittelalters, die bedeutendsten Musiker und Dichter verehrten sie. Durch ihren Einfluß wurden Minnesang und höfische Literatur zu dem, was sie sind. In den letzten Jahrzehnten ihres Lebens, Eleonore wurde zweiundachtzig Jahre alt, war ihr Hof das bedeutendste kulturelle Zentrum des Abendlandes. Jeder, der auch nur irgend etwas auf sich hielt, mußte bei ihr zu Gast gewesen sein.

Und dann, zur Zeit Shakespeares, lebte Elizabeth I. von England, die große Königin, die den Welthandel förderte und den Grundstein für den künftigen Reichtum Englands legte. Man lese ferner die Biographien von Katharina der Großen, Maria Theresia, Königin Viktoria und verschiedener chinesischer Kaiserinnen.

Politiker überließen mit Vorliebe ihren weiblichen Kolleginnen die Macht, wenn sie nicht mehr weiterwußten. Paradebeispiele aus unserem Jahrhundert sind Golda Meir und Indira Gandhi. Alle diese Frauen gewannen durch das Älterwerden. Und alle hatten eines gemeinsam: Sie waren Spätentwickler, blieben lange kindlich, waren in sich gekehrt und schüchtern.

Indira Gandhi war als Mädchen so schüchtern, daß sie in Gesellschaft kaum den Mund aufzumachen wagte. Einmal sollte sie nach einem Abendessen im Familienkreis, zu dem auch Gäste geladen waren, aufstehen, um sich für einen Trinkspruch, der an sie gerichtet war, zu bedanken. Sie stand auch auf – aber nur, um in Panik aus dem Salon zu laufen und sich draußen im Garten zu verstecken. Diese Episode erzählte mir eine österreichische Diplomatin, die vier Jahre lang Botschafterin in Indien gewesen war. Indira Gandhi hat ihr den Vorfall selbst mitgeteilt. Resultat: Die besten Jahre einer Frau beginnen spät und enden bei manchen erst mit dem Tod.

Endlich kann man sich auf sich selbst verlassen

Aber zurück zum Privatleben. Es ist eine unglaubliche Befreiung, wenn man so um die fünfunddreißig entdeckt, daß man sich auf sein eigenes Urteil verlassen kann. Man erspart sich dadurch sehr viele Enttäuschungen. Vor allem hört man auf, kostbare Zeit an Männer zu verschwenden, mit denen man nichts gemeinsam hat.

Wie oft verbringt man in sehr jungen Jahren Abende mit Leuten, die absolut nicht zu einem passen. Nur will man es nicht wahrhaben. Man plagt sich stundenlang mit Konversation, versucht krampfhaft ein Gesprächsthema zu finden, das den anderen interessiert, zeigt sich von allen möglichen guten Seiten, lacht über Witze und hat, da alles nichts nutzt, am Ende das Gefühl, ein völliger Versager zu sein. Bei der Vierzigjährigen ist das anders. Ein Blick genügt, und sie weiß: Dieser Mann ist nichts für mich. Und umgekehrt genügt eine halbe Stunde, und sie weiß: Mit diesem Mann könnte ich mich verstehen.

Reife Frauen haben die größte Chance, einen Mann zu finden, der wirklich zu ihnen paßt. Wer finanziell unabhängig ist und mit den Jahren eine gewisse Menschenkenntnis erworben hat, der gibt sich nicht mehr mit Zweitklassigem zufrieden. Sicher kann man Glück haben, mit zwanzig heiraten und bis zum Lebensende halbwegs zufrieden sein. Aber die Chancen stehen eins zu tausend. Eins zu zehntausend, behauptete die englische Schriftstellerin Mary Wortley Montagu, die aus diesem Grunde ihrer Enkelin ein Leben als Junggesellin ans Herz legte. Wer aber mit seiner Ehe Schiffbruch erlitten hat und sich aus eigener Kraft erhalten kann, der hat auch die Energie, das Echte, das für ihn Richtige zu suchen. Eine Frau, die sicher auf beiden Beinen steht, klammert sich nicht mehr an eine schlechte Partnerschaft. Sie ist stark genug zu sagen, lieber eine Zeitlang allein als eine nervenaufreibende Beziehung.

Aus diesem Grunde halten Ehen, die in späteren Jahren geschlossen werden, länger. Man weiß, wie gesagt, ab fünfunddreißig oder vierzig, was man erwarten kann. Man ist in der Lage, aus sich selbst und seiner Arbeit zu schöpfen und zwingt den Partner nicht mehr in die Rolle des Alleinseligmachenden. Man weiß auch, daß man nichts versäumt, wenn man seinem Mann, Lebensgefährten oder

Freund die Treue hält. Man ist zu erfahren, um eine Liebe für ein kleines Abenteuer aufs Spiel zu setzen.

Und noch etwas weiß man als reife Frau: daß man sich selbst gehört und daß niemand imstande sein wird, die eigene Persönlichkeit, wie das in der Jugend so oft der Fall war, zu unterdrücken. Man weiß, daß die Tugenden, auf die es im Leben ankommt, Ehrlichkeit, Fleiß, Wohlwollen und Güte heißen. Man hat am eigenen Leib erfahren, daß man dann, wenn man seine Pflicht erfüllt, nichts zu fürchten hat. Man hat nicht zuletzt entdeckt, daß man sogar bei jenen Männern, die einen noch vor zehn Jahren ignorierten, Chancen hat.

Überhaupt hat man gelernt, die Grenzen zu sprengen und auch jüngere Männer und ihre Verehrung ernstzunehmen; sie als vollwertig anzuerkennen und, wenn Gefühle vorhanden sind, als gleichberechtigten Partner zu akzeptieren. Frauen über vierzig waren bei jungen Männern noch nie so begehrt wie gerade jetzt. Wo immer man hinkommt, am auffälligsten in High-Society- und Künstlerkreisen, kann man sich davon überzeugen. Und das ist ein positives Zeichen.

Ich möchte nicht mehr achtzehn oder fünfundzwanzig sein. Ich bin mit Freuden siebenunddreißig. Aber ich möchte nicht siebenunddreißig bleiben. Ich weiß, daß ich die schönste und die wichtigste Hälfte meines Lebens vor mir habe. Ich habe mich auf sie vorbereitet.

Und deshalb freue ich mich.

5. Reife Frauen sind bessere Mütter

Alles im Leben braucht Können. Auch das Muttersein. Sicher, Kinder sind schnell gezeugt und wachsen, auch wenn man sich fast nicht um sie kümmert, irgendwie heran. Aber einen neuen Menschen ins Leben zu entlassen, einen, der den Eltern zur Freude und der Gesellschaft zum Nutzen gereichen soll, braucht Geduld, Erfahrung, Intelligenz, in einem Wort ausgedrückt: Reife.

Wer reife Eltern hat, kann sich gratulieren. Eine Frau, die von dreißig aufwärts Mutter wird, weiß, was sie tut. Sie steht bereits mit beiden Beinen in der Welt, hat eine Berufsausbildung oder ihr Studium abgeschlossen und weiß, was Verantwortung bedeutet. Sie lebt, ob sie nun verheiratet ist oder nicht, in einer Wohnung, in der sie sich wohlfühlt, und hat von der Welt und den Männern nichts zu fürchten: Im Notfall bringt sie sich und das Kind auch allein durch.

Eine reife Frau wird ihrem Kind nie das Gefühl geben, daß es ihr im Wege steht. Sie hatte genug Zeit, Nächte durchzutanzen, nach Belieben auf Urlaub zu gehen, sich zu verlieben, zu flirten, sich als Frau bestätigt zu fühlen. Sie glaubt nicht, daß der Himmel einbricht, wenn sie am Abend nicht ausgehen kann. Sie weiß, daß sie nichts versäumt – im Gegensatz zu sehr jungen Müttern, die verzweifeln, wenn sie sich keinen Babysitter leisten können. Sie sind überzeugt davon, daß ihnen die aufregendsten Dinge da draußen entgehen, was sie die Kinder bewußt oder unbewußt spüren lassen. Eine Frau, die zwischen dreißig und fünfundvierzig Mutter wird, weiß, worauf es ankommt. Sie ärgert sich nicht mehr über Kleinigkeiten, sie weiß, daß ein glückliches Kind wichtiger ist als eine saubere Spielhose. Sie kann über eine zerbrochene Stehlampe lachen – und wird eine neue kaufen, ohne ihr Monatsbudget drastisch kürzen zu müssen. Sie ist mutig und wird ihr Kind verteidigen, im Notfall auch gegenüber dem eigenen Mann.

Junge Mütter haben zuviel Angst

Der Grund, weshalb so viele junge Mütter übertrieben auf den Lärm oder die Unordnung ihrer Kinder reagieren, ist, daß sie sich vor ihren Männern – ebenfalls jung und noch im Sturm und Drang – fürchten. Vor einem Jahr konnte ich das selbst beobachten. Ich besuchte eine Bekannte in Düsseldorf. Sie hatte mit neunzehn geheiratet, kurz darauf ihre Tochter bekommen und war jetzt einundzwanzig Jahre alt. Ihr Mann war Vertreter, drei Jahre älter als sie, und er kam nach Hause, als wir gerade Kaffee tranken. Er wusch sich die Hände und das erste, was er sagte, als er zu uns ins Zimmer trat, war: »Im Bad sieht's aus, als ob dort die Räuber gehaust hätten.« Gerlinde sprang schuldbewußt auf. Ich ging mit ihr. Im Bad war alles in Ordnung bis auf ein kleines, gelbes Spielzeugauto neben der Tür und ein Handtuch, das anstatt über den Ständer über den Wannenrand gebreitet war.

Als wir ins Wohnzimmer zurückkamen, blickte der Mann mißbilligend auf das Kinderspielzeug, das die kleine Natalie mit viel Freude und Mühe um den Kaffeetisch aufgebaut hatte. Ohne ein Wort zu sagen, begann Gerlinde alles wegzuräumen. Das Weinen des Kindes wurde ignoriert. Als das Schluchzen lauter, der Mann immer schweigsamer und Gerlinde immer nervöser wurde, bekam die Kleine eine Ohrfeige und wurde ins Bett gesteckt.

»In einer so kleinen Wohnung wie der unsrigen muß Ordnung herrschen«, lautete der Kommentar des Mannes, »sonst kann man hier nicht leben.« Die Wohnung war eine ausgebaute Mansarde. Es gab nur ein großes Zimmer, das Sofa wurde zum Schlafen benützt, das Kinderbett stand hinter einem Wandschirm. Es waren aber auch ein vollständiges Badezimmer und eine moderne Küche vorhanden.

Diese Küche war der ganze Stolz von Gerlindes Mann. »Ich habe mich krummgelegt, um dir diese Küche zu kaufen«, sagte er, wann immer er seine Meinung durchsetzen wollte. Mit der Küche und der vielen Arbeit, die sie ihn gekostet hatte, erpreßte er seine Frau, und es wirkte immer. Gerlinde war »nur« Hausfrau und vollgestopft mit Schuldgefühlen. Diese wurden durch die Tatsache verstärkt, daß sie ihren Mann, weil sie schwanger war, zur Heirat gezwungen hatte.

Kinder retten keine Ehe

Kinder aber sollte man um ihrer selbst willen kriegen. Und dazu sind nur reife Frauen imstande. Kinder sind zu kostbar, um als Mittel zum Zweck zu dienen – weil man sich etwa einen Mann angeln will (was meist schiefgeht), eine gefährdete Ehe retten möchte (was nie gelingt) oder aus Einfallslosigkeit, um die innere Leere zu füllen und da man sonst nicht weiß, was man tun soll.

Sind die Kinder da und bringen sie nicht das gewünschte Resultat, beginnt die Tragödie. Einer ihrer Teilbereiche heißt Kindesmißhandlung, und dazu gibt es ausreichend Forschungsmaterial. In Europa wie in Amerika zeigt sich dasselbe Bild: Jungen Vätern und Müttern sitzt die Hand bedeutend lockerer als reiferen Eltern.

»Junge Mütter sind für fünfundachtzig Prozent aller Kindesmißhandlungen verantwortlich«, erklärte ein Beamter des amerikanischen Gesundheitsministeriums vor zwei Jahren einem Reporter der »New York Times«. »Wir haben rund eine Million Fälle, die pro Jahr gemeldet werden. Zweitausend davon enden tödlich. Über die Dunkelziffer braucht man kein Wort zu verlieren. Aber eines wissen wir: Wenn es gelingen würde, Frauen zu überreden, keine unerwünschten Kinder mehr in die Welt zu setzen und ganz allgemein ein paar Jahre länger mit der Familiengründung zu warten, dann würden wir das Problem schnell in den Griff bekommen.«

Jagte man bis vor kurzem noch Frauen über vierzig Angst im Hinblick auf schwierige Geburten und Mongolismus ein, so befaßt man sich in Amerika heute bereits mit den Problemen, die zu junge Mütter mit sich bringen. Man stellt fest, daß Kinder, die unfähig sind, die Grundschule zu bewältigen, zu fünfundsiebzig Prozent Mütter unter zwanzig Jahren haben. Ähnliches gilt für die Jugendkriminalität. Siebzig Prozent der Kinder, die in letzter Zeit wegen schwerer Brandstiftung angeklagt wurden, haben Mütter, die Teenager waren, als diese Kinder geboren

wurden. Außerdem findet man die höchste Rate an Früh-
und Totgeburten bei jungen Frauen unter achtzehn.

Ältere Frauen medizinisch entlastet

Was Geburtsdefekte betrifft, so schob man jahrzehntelang
die Schuld auf das Alter der Mutter, ebenso wie man
Frauen jahrhundertelang fälschlich für das Geschlecht der
Kinder verantwortlich gemacht hatte. Erst seit kurzem
berücksichtigt man auch die Väter. Und die Ergebnisse
entlasten die Frauen. Der österreichische Arzt Professor
Andreas Rett untersuchte die Eltern von über zweitausend
mongoloiden Kindern und konnte eindeutig feststellen,
daß die krankhafte Veranlagung bei einem Drittel aller
Fälle auf den Vater zurückging. »Der gleiche Vorgang in
der Zellteilung, der Mongolismus verursacht, kann sich
sowohl in der Ei- als auch in der Samenzelle abspielen«,
erklärte Rett, »vermutet haben es schon viele, aber wir haben es jetzt bewiesen. Der Vater kann ebenso Ursache sein
wie die Mutter.«
Rett wies auch auf eine Anhäufung mongoloider Geburten
nach dem Krieg gerade in den Familien von Männern hin,
die jahrelang in Kriegsgefangenschaft gewesen waren. Das
Risiko, ein mongoloides Kind zu zeugen, erhöht sich auch
nach einer schweren Krankheit des Vaters. Bei der Mutter
wiederum erhöht sich die Wahrscheinlichkeit, wenn
knapp nach einer Geburt oder einer Abtreibung eine neue
Schwangerschaft erfolgt. Das betrifft ältere und junge
Frauen. Die Hälfte der Mütter mongoloider Kinder in
Professor Retts Studie aber sind jung.
Zu allen Zeiten und bei allen Völkern bekamen Frauen

Kinder, solange sie fruchtbar waren. Wäre es unnatürlich, als erwachsene Frau Kinder zu kriegen, so hätte die Natur die fruchtbaren Jahre der Frau mit dreißig beendet und nicht auf Ende Vierzig bis Ende Fünfzig ausgedehnt. Es gibt viele Frauen, die erst zwischen fünfundfünfzig und sechzig Jahren in den Wechsel kommen. In den Großfamilien vor der Zeit der Antibabypille waren Nachzügler – als Nesthäkchen verwöhnt, geliebt und oft um zwanzig Jahre jünger als ihre älteren Geschwister – gang und gäbe.

Gesunden Mittdreißigerinnen und Frauen um die Vierzig einzureden, sie seien keine ganzen Frauen mehr und mit ihrem Nachwuchs könnte irgend etwas nicht stimmen, ist eine ganz neue Sache, die – man kann es genau verfolgen – mit dem Teenager-Kult der Nachkriegszeit ihren Anfang genommen hat. Gott sei Dank aber ist sie seit dem Ende der Lolita-Kultur auch wieder im Schwinden begriffen. Heute findet man an einer vierzigjährigen Mutter nichts Unnatürliches mehr. Im Gegenteil, man findet es gegen die Natur, Frauen zu zwingen, in einem Alter, in dem sie weder ihre volle körperliche noch ihre volle sexuelle Reife erlangt haben, sämtliche Kinder, die sie sich wünschen, in die Welt setzen zu müssen.

Im Jahre 1979 kam die Frau des damaligen deutschen Bundespräsidenten, Dr. Mildred Scheel, mit ihrem Mann zum Opernball nach Wien. Obwohl sie stark erkältet war, fand sie am Vormittag des Balltages noch Zeit für ein kurzes Interview, und wir sprachen unter anderem auch über ältere Mütter. Frau Scheel, die ihr erstes Kind mit neunundzwanzig und ihr zweites mit Ende Dreißig zur Welt gebracht hatte, warnte vor Statistiken, die den reifen Frauen Angst einjagten. »Diese Statistiken«, erklärte sie, »werden erst seit ganz kurzer Zeit aufgestellt. Niemand weiß Genaueres. Sehr viele Beobachtungen werden auch weltweit erhoben, das heißt, sie betreffen zu neunundneunzig Prozent Frauen aus den Entwicklungsländern.« In der Dritten Welt aber gelten andere Maßstäbe. In vielen Ländern, wo es keine Sozialversicherung, Rente und Pension gibt, sind Kinder die einzige Sicherheit der Eltern. Je mehr Nachwuchs man hat, um so besser hat man vorgesorgt. Eines der Kinder wird schon durchkommen, denkt man, und, wenn die Eltern alt sind, für sie sorgen. Aus diesem Grunde beginnt man so früh wie möglich mit der Familiengründung. Eine Frau aber, die mit fünfzehn ihr erstes Kind bekommt und während ihrer Ehe zahlreiche Schwangerschaften mitmacht, ist mit vierzig Jahren in einer anderen Verfassung als eine Europäerin, die sich ihrem Beruf widmete, Zeit hatte, sich zu pflegen, Sport zu treiben und, da sie noch nicht oder nicht oft geboren hat, körperlich nichts von ihrer Spannkraft verloren hat.

Die schönen Mütter um die Vierzig

Auffallend viele Frauen der westlichen Welt, die zuerst beruflich etwas leisten, aber dennoch nicht auf Kinder verzichten wollen, entschließen sich Ende Dreißig, Anfang Vierzig, eine Familie zu gründen. Dieser Trend begann Anfang der siebziger Jahre und ist ständig im Zunehmen. Zu den Schauspielerinnen, die mit gutem Beispiel vorangingen, gehören Sophia Loren, Claudia Cardinale, Sabine Sinjen, Romy Schneider, Cathérine Deneuve und Ursula Andress. Die Andress verkündete im Januar 1980 mit dreiundvierzig Jahren freudestrahlend, daß sie von ihrem Freund, einem neunundzwanzigjährigen amerikanischen Schauspieler, ein Kind erwarte. Niemand fand etwas dabei, daß die schwedische Königin – ich begegnete ihr anläßlich des letzten Staatsbesuches in Wien, und sie gehört zu den wenigen Frauen im Rampenlicht, die in Wirklichkeit schöner aussehen als auf den Bildern – erst Mitte Dreißig ihr erstes Kind bekam.

In den USA begann man sich schon früh für Frauen zu interessieren, die nach dem vierzigsten Lebensjahr zum erstenmal Mutter wurden. Zahlreiche Artikel erschienen zu diesem Thema in Tageszeitungen und Illustrierten. Die »New York Times« interviewte bereits 1972 eine Reihe von reifen Müttern. Darunter waren: eine siebenundvierzigjährige Innenarchitektin, die sich für unfruchtbar gehalten hatte und erst nach sechsundzwanzigjähriger Ehe einem gesunden Sohn das Leben schenkte; eine Universitätsprofessorin, die mit zweiunddreißig geheiratet und absichtlich bis einundvierzig mit dem Kinderkriegen gewartet hatte, weil sie erst ihre berufliche Position festigen wollte; eine Schauspielerin, die Ende Dreißig ihre Karriere aufgegeben hatte und plötzlich, nach elf Jahren kinderloser Ehe, in ihrem vierzigsten Lebensjahr feststellte, daß sie schwanger war. Sie bekam ebenso wie die Universitätsprofessorin einen gesunden Sohn. Interviewt wurden aber auch einige Hausfrauen, die eine unglückliche erste Ehe hinter sich hatten und erst nach dem vierzigsten Lebensjahr einen Partner fanden, von dem sie sich Kinder wünschten.

Ob berufstätig oder nicht, alle befragten Mütter waren sich einig, daß ihre Schwangerschaft, die Geburt und das Kind eine unglaubliche Bereicherung darstellten. Die behandelnden Ärzte waren von der Tapferkeit der Frauen beeindruckt – keine zeigte auch nur eine Spur von Wehleidigkeit. »Frauen, die später Kinder bekommen, bleiben nicht nur länger jung«, ergänzte eine Gynäkologin aus Manhattan, »sie sind auch ausgezeichnete Mütter. Sie erleben die Mutterschaft viel bewußter als junge Frauen. Sie jammern nicht. Sie regen sich nicht über Kleinigkeiten auf. Sie kennen das Leben, geben ihren Kindern mehr Freiheit und erziehen sie zu größerer Selbständigkeit, weil sie mehr Erfahrung und weniger Angst haben als junge Mütter.«

Nie wieder: »Frag nicht so dumm«

»Kinder reifer Eltern sind intelligenter«, meinte die berühmte rumänische Ärztin und Altersforscherin Dr. Aslan, als sie auf dem Weg zu einem Kongreß in Südamerika in Wien Station machte, »und das ist kein Wunder. Reife Mütter haben von allem ›mehr‹. Mehr Zeit, mehr Selbstvertrauen, mehr Hirn, mehr Geld und mehr Verantwortung. Das muß sich positiv auswirken.«
Daß Kinder reifer Eltern in der Schule besser vorankommen, ist eine alte Tatsache. Die neidische Umwelt hat sogar ein Wort dafür geprägt: Altklug nennt man Kinder, die mehr wissen als ihre gleichaltrigen Spielgefährten. Und obwohl die Bezeichnung abfällig gemeint ist, ist sie im Grunde doch ein Kompliment. Man kann nie klug genug sein, und je früher man damit anfängt, desto besser.
Warum haben es Kinder reifer Eltern leichter? Ganz einfach deshalb, weil sie auf ihre Fragen brauchbarere Antworten bekommen. Meine Mutter war zweiundvierzig, als ich geboren wurde. Während meiner ganzen Kindheit habe ich nicht ein einziges Mal den Satz: »Frag nicht so dumm« gehört. Wenn ich etwas wissen wollte, wurde es

mir so lange geduldig erklärt, bis ich zufrieden war. Ich bekam jede Hilfe, die ich benötigte, von den Hausaufgaben angefangen bis zum Klavierunterricht. Ich hatte den Vorteil, Ratschläge und Lebensweisheiten angeboten zu bekommen, die junge Mütter, einfach weil ihnen die Erfahrung fehlt, nicht geben können.

Unbekannt war mir auch der Satz: »Ich hab' jetzt keine Zeit.« Meine Mutter hatte immer Zeit für mich, obwohl sie den Haushalt führte und ab meinem achten Lebensjahr halbtags berufstätig war. Ich hatte eine sehr glückliche und geborgene Kindheit. Das Alter meiner Mutter brachte keinerlei Probleme. Sie holte mich wie jede andere Mutter von der Schule ab, und keinem wäre in den Sinn gekommen zu sagen: Deine Mutter ist älter als meine. Das Thema kam überhaupt nie zur Sprache. Der einzige Unterschied, der zwischen mir und meinen Schulkameradinnen bestand, war der, daß ich meiner Mutter auch meine intimsten Geheimnisse anvertraute. Ich wußte, sie verstand mich.

Der größte Vorteil, eine ältere Mutter zu haben, liegt jedoch darin, daß man selbst die Angst vor dem Altwerden verliert. Als ich zehn Jahre alt war, war meine Mutter zweiundfünfzig, vital, humorvoll und sportlich; für mich war sie eine junge Mutter. Als ich zwanzig war, entdeckte ich, daß auch eine Frau mit zweiundsechzig nicht alt ist, und jetzt, mit siebenunddreißig, weiß ich, daß es keinen Grund gibt, sich vor der Zahl neunundsiebzig zu fürchten. Mehr darüber später im Kapitel »Alterseinsamkeit oder von Großmüttern und feinen alten Damen«.

Noch etwas ist wichtig. Eine reife Mutter bekennt sich voll zu ihrem Kind. Sie fühlt sich durch eine heranwachsende Tochter in keiner Weise bedroht. Während die junge Mutter verzweifelt ist, *schon* ein so erwachsenes Kind zu haben, freut sich die reife Frau darüber, *noch* einen Teenager im Haus zu haben. Und das Kind merkt den Unterschied. Das Problem ist ohnedies größer, als man denkt. Eine junge Mutter will in erster Linie jung sein. Sie sieht jung aus und will für jung gehalten werden. Die Kinder aber sind der sichtbare Beweis dafür, daß sie nicht mehr unbeschwert und frei, daß sie kein Mädchen mehr, sondern bereits eine Frau mit Pflichten und Verantwortung ist. Natürlich gibt es viele junge Mütter, die dieses Problem ohne weiteres bewältigen. Es gibt aber auch genügend andere. Dazu ein Beispiel:

Die verleugnete Tochter

In Paris kannte ich eine Malerin namens Claudine. Sie war ausnehmend hübsch, hatte ein zartes Gesicht, einen zarten Körper, glänzende braune Augen und elegante Bewegungen. Claudine lebte in einer Wohnung, die der Inbegriff künstlerischen Geschmacks war. Sie hatte die richtigen Kleider, ihr Mann verdiente ausgezeichnet als Modephotograph, und die beiden zusammen waren genau das, was man »beautiful people« nennt.

Als ich Claudine kennenlernte, war sie sechsunddreißig Jahre alt. Sie holte mich manchmal von der Bibliothek ab, und ich sehe sie heute noch vor mir, wie sie in der Einfahrt an der Mauer lehnte, in Blue jeans schlank wie ein Knabe, eine Schirmmütze auf den Haaren, jung, frisch und unbeschwert.

Claudine gab viele Feste, und man riß sich um die Einladungen. Sie war eine perfekte Gastgeberin und stellte stets die richtige Mischung von Leuten zusammen. Es war immer lustig, und ihr kleiner Rauhhaardackel namens Jonny sorgte für Überraschungen, indem er sich hinter den langen Vorhängen versteckte und in den ungeeignetsten Momenten laut bellend hervorschoß. Im Sommer machte er gerne sein kleines Geschäft vom Balkon auf die Straße hinunter, im Winter erledigte er es auch auf dem Wohnzimmerteppich, wenn er fand, man schenke ihm zu wenig Beachtung.

Claudine hatte einen Fehler: Sie log unbekümmert. Vor allem, was ihr Alter betraf. Nur langjährige Freundinnen wußten, daß sie über dreißig war. Der Großteil ihrer Bekannten hielt sie für Mitte Zwanzig. Einmal im Sommer gab sie eine Abendeinladung. An die zwanzig Gäste waren versammelt, darunter ein junger Dichter, der aus seinen Werken las.

Es war fast elf Uhr, als plötzlich die Tür zu einem der Gästezimmer aufging und ein blasses junges Mädchen erschien – etwa vierzehn Jahre alt –, das suchend herumblickte. Wie von der Tarantel gestochen war Claudine auf den Beinen, packte das Kind an den Schultern, drängte es ins Zimmer zurück und schloß hinter sich die Tür. Zehn Minuten später kam sie wieder heraus. »Wer war denn das?« wollte ich wissen. »Nur meine Nichte«, antwortete Claudine. »Warum läßt du sie denn nicht zuhören?« fragte ich. »Weil sie von Gedichten keine Ahnung hat und nur stört.«

Später, in der Küche, als ich half, große Schüsseln mit Salaten und Krabbenreis ins Eßzimmer zu tragen, erwähnte ich gegenüber Claudines Mann, ich hätte gar nicht gewußt, daß eine Nichte zu Besuch sei, geschweige denn, daß Claudine einen Bruder oder eine Schwester habe. »Hat sie auch nicht«, war die Antwort, »diese ganze Lügerei hängt mir zum Hals heraus. Das Kind, das du gesehen hast, ist ihre Tochter aus erster Ehe. Die Art, wie sie sie behandelt, wird uns noch auseinanderbringen. Aber ich sage nichts mehr. Normalerweise ist die Kleine im Pensionat, aber momentan sind Ferien. Übermorgen fährt sie zu ihren Großeltern, da wird sie wenigstens menschlich behandelt.«

Angst vor dem Wort »Mutter«

Claudine ist vielleicht eine Ausnahme, aber es gibt genug junge Frauen, die nicht imstande sind, die Verantwortung einer Mutter auf sich zu nehmen. Dies erkennt man vor allem daran, daß sie sich vor dem Wort »Mutter« fürchten. Ihre Kinder dürfen weder Mama noch Mutter zu ihnen sagen, sondern müssen sie bei ihrem Vornamen nennen, als handle es sich um eine ganz gewöhnliche Verwandte oder Bekannte. Was den Kindern dabei verlorengeht – immerhin gibt es für jeden nur einen einzigen Menschen auf der Welt, den er Mutter nennen kann –, ist ihnen nicht begreiflich zu machen.

Eine Frau, die von ihren Kindern verlangt, daß sie sie Helga oder Liesl nennen, ist nur bereit, die Rolle einer Freundin zu erfüllen. »Wir sind die besten Freundinnen«, heißt es dann, und dementsprechend dürftig ist auch die Beziehung. Kinder brauchen keine zusätzliche Freundin. Sie haben in der Schule, in der Nachbarschaft genug davon. Kinder brauchen, um halbwegs glücklich aufzuwachsen, einen Halt, einen Erwachsenen, der sie schützt und umsorgt, der aber auch eine gewisse Überlegenheit und Konsequenz spüren läßt. Ein Kind verliert das Vertrauen in eine Mutter, die vorgibt, auf derselben Stufe, auf der es selbst steht, zu stehen. Und Kinder schätzen es absolut nicht, wenn Eltern ihre eigenen Schwierigkeiten vor ihnen ausbreiten, ja sie womöglich noch um Rat fragen.

Ein derartiges Verhalten kann Kinder nur belasten, da sie ohnehin mit ihren eigenen Schwierigkeiten überfordert sind. Kinder sind viel verletzlicher, als man denkt. Eltern, die sich weigern, Kinder vor unnötigen Sorgen zu bewahren, die nur Freunde, aber nicht Eltern sein wollen, ziehen Neurotiker heran.

Das Freundinnenverhältnis ist außerdem von sehr kurzer Dauer. Spätestens in der Pubertät bricht es zusammen. Die Tochter entwickelt sich zum kleinen Weibchen, das sich, da es oft noch voller Komplexe steckt, in der Welt beweisen muß – und zwar als Frau. Und nun beginnt der Kampf. Die Mutter ist selbst noch viel zu jung, um eine andere Frau in ihrer unmittelbaren Nähe zu dulden, und aus der guten Freundin ist plötzlich eine Rivalin geworden.

Die beste Freundin ist eine schlechte Mutter

Man kann dieses Phänomen immer wieder beobachten. Für das Kind ist es furchtbar, für die Mutter tragisch. In meiner unmittelbaren Nähe wohnt eine elegante geschiedene Frau mit ihren zwei Töchtern. Sie ist Mitte Dreißig, die Töchter sind fünfzehn und siebzehn Jahre alt. Die Mutter hat mit achtzehn geheiratet, war mit neunzehn bereits Mutter und mußte den Traum aufgeben, zu studieren und als Auslandskorrespondentin die Welt zu bereisen. Die Rivalität, die zwischen diesen drei Personen herrscht, ist so stark, daß es auch für einen Außenstehenden peinlich ist. Die Mutter muß sich um ihrer verlorenen Jugend willen ununterbrochen beweisen, daß sie bei Männern mehr Erfolg hat als ihre Töchter. Natürlich hat sie ihn. Aber dies genügt ihr nicht. Bei jeder Gelegenheit erzählt sie, wie oft man sie und ihre Kinder für Geschwister halte, daß sie haargenau dieselbe Figur wie ihre ältere Tochter habe und deren Kleider trage, daß sie sich den Kindern gegenüber nie als Mutter »aufgespielt« habe und beide selbst für ihre eigene Entwicklung zuständig seien.

In den letzten vier Jahren hat die Mutter viermal ihren Freund gewechselt. Die Töchter bringen längst keine Bekannten mehr nach Hause, weil die Mutter sofort mit diesen zu flirten beginnt. Aus Rache machen sie sich an den jeweiligen Liebhaber der Mutter heran, dieser erzählt es weiter, und der Krach ist fertig.

In der Schule sind beide Kinder schlecht. Die ältere Tochter hat inzwischen das Haus verlassen und ist zu ihrem Vater gezogen. Nach zwei Monaten nahm sie sich mit ihrem Freund eine Wohnung. Den Kontakt mit der Mutter hat sie völlig abgebrochen. Die jüngere Tochter ist noch zu Hause. Kürzlich traf ich sie mit ihrer Mutter auf der Straße. Beide waren schwer bepackt, sie hatten für das Wochenende eingekauft. Das Kind nahm der Mutter an der Tür den Vortritt, und der Frau wurde dadurch das Einkaufsnetz aus der Hand gerissen. »Kannst du nicht aufpassen?« rief sie böse. »Ach Maria, halt den Mund!« antwortete die Tochter. Soviel zum Thema »Mutter als beste Freundin«.

Eine andere Bekannte, die mit zweiundzwanzig ihre Tochter bekam, konnte es nicht lassen, bei Geburtstagsfeiern oder kleinen Festen, die das Mädchen geben durfte, mit dabei zu sein und sich kindischer als die anwesenden jungen Leute zu benehmen.

Ein Wochenende voll Überraschungen

Unvergeßlich ist mir die Mutter meines Tanzschulpartners. Als ich sie kennenlernte, war ich siebzehn und sie vierundvierzig Jahre alt. Sie war eine ausgezeichnete Sportlerin gewesen und schon seit dem sechzehnten Lebensjahr verheiratet. Ihr Mann hatte sie bei einem Sportfest bewundert und beschlossen: diese oder keine. Er war fast dreißig Jahre älter als sie und hatte eine sehr gute Stelle als leitender Beamter. Mit dreiundzwanzig bekam sie ihren ersten Sohn; zwei weitere folgten.

Die Familie besaß ein Wochenendhaus in der Nähe von Salzburg. Dorthin wurde ich eingeladen. Das erste, was die Mutter meines Tanzpartners sagte, als sie mich sah, war: »Wie alt sind Sie? Siebzehn? Als ich siebzehn war, war ich bereits ein Jahr verheiratet.« Anschließend nahm sie mich in Beschlag und erzählte stundenlang ohne Unterbrechung von ihrer Jugend und ihren großen Erfolgen als Sportlerin. Zwischendurch wurde Tee getrunken, Kuchen serviert, und wir sahen alte Photoschachteln, mit Bildern von Sportfesten bis zum Rand gefüllt, durch.

Während des ganzen Wochenendes sprach sie ununterbrochen von dem großen Altersunterschied zwischen ihrem Mann und ihr, tat alles, um zu beweisen, daß sie eine Generation jünger war, und ließ keine Gelegenheit verstreichen zu betonen, daß sie in Wahrheit zu uns, zu ihrem Sohn und mir, gehörte. Kurz vor dem Abendessen am Samstagabend kam das Gespräch auf Badeanzüge.

»Kommt«, sagte sie zu ihrem Sohn und mir, und wir folgten ihr in das Schlafzimmer. Dort zog sie sich splitternackt aus und begann, eine Reihe von Bikinis zu probieren. Sie fragte nach unserer Meinung, wiegte sich in den zugegebenermaßen sehr attraktiven Hüften und wollte Komplimente über ihre Figur hören, die ich als Siebzehnjährige, noch dazu verschreckt durch ihr eigenartiges Benehmen, gar nicht machen konnte. Ich merkte nicht einmal, daß sie das von mir verlangte.

Die Frau war das typische Opfer einer falschen Lebenseinteilung. Tüchtig, ehrgeizig und ihren Freundinnen auf Grund ihrer sportlichen Erfolge überlegen, wollte sie sofort alles haben, was in ihrer Jugend erstrebenswert schien. Und dazu gehörte ein Mann. Erst als sie verheiratet war, merkte sie, daß sie einen Fehler gemacht hatte. Sie begann zum erstenmal zu überlegen, wie ihr Leben verlaufen wäre, wenn sie die Schule beendet hätte und Sportlehrerin oder Trainerin geworden wäre.

Sie wurde unzufrieden. Ihr Mann, der dies merkte, wurde mißtrauisch. Er begann sie, kaum war er in Pension, wie ein Wachhund zu beobachten. Er sah auf die Uhr, wenn sie einkaufen ging, und sah auf die Uhr, wenn sie zurückkam. War sie seiner Meinung nach zu lange ausgeblieben, gab es Strafe. Einmal ertappte er sie dabei, wie sie mit der Nachbarin im Treppenhaus tratschte. Weil sie nicht sofort zu ihm in die Wohnung zurückgekommen war, sperrte er sie zwei Stunden in den Keller.

Diese Geschichte erzählte sie mir jedoch nicht voll Empörung, sondern als Beweis der großen Liebe ihres Mannes. Und noch etwas spielte hier herein – auch wenn sie es nicht aussprach: Eltern sperren ihre Kinder ein, und in diesem Fall war sie das Kind, das sie offensichtlich sein wollte.

Und das Verhältnis zu ihren eigenen Kindern? Es war nicht das beste. Die Söhne lobten zwar ihre körperlichen Vorzüge, nahmen sie jedoch nicht ernst, und keiner hätte auch nur im Traum daran gedacht, mit irgendeinem Problem zu ihr zu kommen. Der älteste Sohn beging nach einer kurzen unglücklichen Ehe Selbstmord. Der zweite Sohn wurde Ingenieur und emigrierte nach Kanada. Als sie der dritte Sohn schließlich zur Großmutter machte, wußte sie mit den Enkelkindern nichts anzufangen. Heute ist sie vierundsechzig Jahre alt, eine Witwe mit guter Pension. Immer noch klagt sie über ihre verlorene Jugend.

Reifen Müttern bleibt so etwas erspart. Sie haben keine einzige Minute das Gefühl, etwas versäumt zu haben. Und das prägt auch ihre Beziehung zu den Kindern. Das Verhältnis einer reifen Mutter zu ihrem Nachwuchs ist meist ein sehr herzliches und vertrauensvolles. Auch das Leere-Nest-Syndrom existiert bei reifen Müttern nicht. Sie wollen die Kinder haben, wollen sie, so lange als möglich behalten, und schließlich brauchen die um vieles jüngeren Kinder die Mutter bis ins fortgeschrittene Alter.

Schrecklich für die Kinder: Mutter auf Zeit

Spricht man mit jungen Müttern mehrerer kleiner Kinder, so hört man unweigerlich den Satz: »Ja, wenn die Kinder einmal groß sind, dann werde ich endlich dieses und jenes tun, dann werde ich mir mehr leisten, dann werde ich reisen, den Führerschein machen, wieder arbeiten gehen und Geld verdienen.« So sehr diese Mütter ihre Kinder auch lieben mögen, sie sprechen vom Zeitpunkt ihres Erwachsenwerdens als von einem Zeitpunkt der Befreiung. Und diese Haltung, daß man nämlich eine Pflicht erfüllt, von der man sich über kurz oder lang befreien wird, führt zu Extremen.

Bei einem internationalen Kongreß lernte ich eine New Yorkerin kennen. Sie war um die fünfundvierzig Jahre, hatte jung geheiratet und zwischen zweiundzwanzig und vierundzwanzig zwei Kinder geboren. Drei Jahre vor unserer Begegnung hatte sie wieder zu arbeiten begonnen. Von ihrem Leben als Hausfrau und Mutter sprach sie äußerst ungern. Was mich aber wirklich schockierte, war der Satz: »Als ich noch Mutter war, hatte ich überhaupt kein Geld, und deshalb will ich diese Zeit vergessen.«

Das Wort »war« spricht Bände. Hier stand eine Frau, die sich nur, solange die Kinder zu Hause lebten, als Mutter gefühlt hat. Ganze achtzehn Jahre lang hatte sie ihre Pflicht getan. Aber keinen Tag länger. Als die Kinder fortzogen, legte sie alles, was mit dem Muttersein zusammenhängt, ab und verwendete ihre ganze Energie darauf, das, was sie versäumt hatte, aufzuholen.

Und wie ist ihr jetziges Verhältnis zu den Kindern? »Normal«, meinte sie. Während des Schuljahres wohnen beide in einer Universitätsstadt, in den Sommerferien arbeiten sie, um Geld zu verdienen, nach Hause kommen sie nur zu Weihnachten und das auch nicht immer. Beide haben bereits Zukunftspläne. Die Tochter wird nach Kalifornien gehen, der jüngere Sohn will nach Abschluß des Studiums nach Europa.

Empfindet sie es nicht als kränkend, daß sich die Kinder, sobald sie flügge werden, Tausende Meilen vom Elternhaus entfernt niederlassen wollen? Nein, das tut sie nicht. »Amerika ist ein riesiges Land«, sagte sie, »und die Leute sind mobil. Kinder, die mit zwanzig noch bei ihren Eltern wohnen, kenne ich keine.« Sie kannte auch keine jungen Leute, die mit ihrer Mutter abends ausgehen wollten oder freiwillig mit den Eltern in Urlaub fahren. Sie selbst hatte es ebenso gehalten. Sie fuhr einmal im Jahr zu ihrer Mutter als Pflichtbesuch. Das mußte genügen.

Die Tatsache, daß man von Kindern spricht, als handelte es sich um überstandene Masern, ist äußerst traurig. Kinder sind selbst mit achtzehn noch Kinder. Auch ein Zwanzigjähriger braucht noch Hilfe und Rat von den Eltern und sogar mit dreißig, wenn man die Welt langsam zu verstehen beginnt, ist man über elterliche Fürsorge keineswegs erhaben. Eine reife Mutter ist sich darüber im klaren. Sie bleibt gerne Mutter, und zwar zeit ihres Lebens.

Immer mehr Soziologen, Psychologen, Lehrer, Ärzte – vor allem Ärztinnen – sind der Ansicht, daß die beste Zeit, Kinder zu bekommen, nicht zwischen zwanzig und dreißig, sondern zwischen dreißig und vierzig ist. »Warum«, sagte kürzlich eine Kinderpsychologin, »soll man mit zwanzig als lästige Pflichtübung absolvieren, was man mit fünfunddreißig als Fleißaufgabe machen kann?«

»Ich weiß nicht«, meinte eine junge Mutter mit vier Kindern, »Sie sagen, man soll später anfangen – später aber hat man gar nicht mehr die Nerven dazu.« Nun, das ist ein Trugschluß. Oder besser: Es trifft nur auf sie zu. Wer mit siebenundzwanzig bereits vier kleine Kinder zu versorgen hat, der hat mit vierzig vielleicht nicht mehr die Nerven, noch einmal von vorne anzufangen. Wer sich aber in der Jugend nicht verausgabt hat, der hat später sehr wohl noch die Kraft sowie die Lust – und den größeren Verstand als Draufgabe.

Späte Mutterschaft gefährdet keine Karriere

Und nun ein paar Worte zum Berufsleben. Eine sehr junge Frau, die sich kurze Zeit, nachdem sie zu arbeiten begonnen hat, ins Privatleben zurückzieht, um ihre Kinder aufzuziehen, findet es oft schwer, »draußen« wieder Fuß zu fassen. Meist hat sie nicht lang genug gearbeitet, um spezielle Kenntnisse erworben zu haben, und durch die Zeit daheim ist ein gewisser Schlendrian eingerissen, der es ihr schwermacht, sich einem Arbeitsprozeß einzuordnen.

Hat man aber in seinem Beruf richtig Fuß gefaßt, hat man sich etwas aufgebaut und bleibt man dann Mitte Dreißig ein bis zwei Jahre weg, so ist die Karriere keinesfalls gefährdet. Man ist ein Teil des Betriebes geworden. Ist man selbständig, so hat man seinen Kundenkreis. Man hat bewiesen, daß man tüchtig ist, und wird mit Freuden wieder aufgenommen werden. Oft befindet man sich dann schon in einer Position, die es einem erlaubt, seine Zeit so einzuteilen, daß weder Beruf noch Kind zu kurz kommen. Für die zeitraubendsten Hausarbeiten kann man sich eine Hilfe leisten. Welche Schlüsse sind nun aus dem Ganzen zu ziehen? In erster Linie folgende: Wer mit fünfundzwanzig keine Lust hat, Kinder zu haben, soll getrost zehn Jahre warten. Hat man dann noch immer keine Lust, dann vergesse man das alles. Niemand wird heute eine Frau schief anschauen, weil sie kinderlos ist. Ein großes Umdenken hat begonnen. Die menschliche Rasse ist in keiner Weise vom Aussterben bedroht – im Gegenteil. Die Welt läuft Gefahr, übervölkert zu werden. Qualität heißt das neue Motto, nicht Quantität. Lieber weniger Kinder, diese aber mit Liebe und Fürsorge erziehen; lieber später Mutter werden, dafür aber mit größerem Einsatz bei der Sache sein. Es ist etwas Wunderbares, Kinder zu haben. Erst als reifer Mensch wird man sich dessen richtig bewußt. Erst dann erkennt man, daß es sich um ein Wunder der Schöpfung handelt, nicht bloß um ein Naturereignis.

Wer trotzdem schon in jungen Jahren Kinder möchte, sollte auf jeden Fall vorher eine Berufsausbildung absolvieren. Je mehr man lernt, desto mehr hat man dem Kind mitzugeben. Jugendlicher Enthusiasmus allein genügt nicht. Ein Kind braucht auch geistige Führung. Die Dummheiten, die junge, unerfahrene Eltern oft ihren Kindern erzählen, hängen diesen nicht nur in der Schule, sondern oft ein Leben lang nach. Ein Kind zu erziehen ist eine verantwortungsvolle Sache. Schaden ist schnell angerichtet. Viel schneller, als man denkt.

Und zum Abschluß noch ein amüsantes Beispiel. Unsere Nachbarin hatte zwei erwachsene Söhne. Sie bekam mit siebenundvierzig Jahren plötzlich Magenbeschwerden und Übelkeitsanfälle. Sie ging zum Arzt, der sie auf Magengeschwüre behandelte. Als alles nichts nützte, erklärte er ihr, daß es sich aller Wahrscheinlichkeit nach um ein verfrühtes Klimakterium handle. Fünf Monate später brachte sie einen gesunden Buben zur Welt. Ohne Komplikationen.

Während ich im Familienkreis noch über diesen Vorfall diskutierte, in Büchern nachschlug und herausfand, daß die Großmutter Mary Wortley Montagus, die im 17. Jahrhundert lebte, erst mit fünfundvierzig Jahren geheiratet hatte, dann noch ihre Kinder bekam und bis zu ihrem sechsundneunzigsten Lebensjahr eine begehrte, geistreiche Dame der Gesellschaft war, während ich feststellte, daß die Romanschriftstellerin Frances Burney, die im 18. Jahrhundert lebte, mit vierzig einen französischen Offizier heiratete und mit einundvierzig ihren Sohn gebar, kam aus New York eine Nachricht, auf die wir schon lange gewartet hatten.

Eine Bekannte, die mit einem Amerikaner verheiratet ist, hatte ihr heißersehntes Kind zur Welt gebracht, wunschgemäß ein Mädchen. Die Mutter war zum Zeitpunkt der Geburt fünfzig Jahre alt. Es war ihr erstes Kind. Ich hatte sie, als sie das Kind erwartete, in Rom kennengelernt. Sie ist eine ausnehmend schöne Frau, war eine strahlende Schwangere und schien durch das Kind in ihrem Körper geradezu veredelt. Die Geburt war ohne Komplikationen verlaufen. Mutter und Tochter sind gesund, das Kind ist inzwischen drei Jahre alt geworden, und beide freuen sich ihres Lebens.

Zusammenfassend ist zu sagen: Späte Mutterschaft kann einer gesunden, starken Frau weder körperlich noch seelisch schaden. Im Gegenteil. Die Frauen blühen durch ihre Kinder auf und bleiben länger jung. Die Kinder genießen den Vorteil, eine reife Mutter zu haben, die einen gezielten Start ins Leben garantiert. Und noch etwas: Späte Mutterschaft ist die Lösung eines Problemes, das viele tüchtige und kreative Frauen betrifft. Es heißt: Karriere oder Kinder? Nun, man braucht auf beides nicht zu verzichten. Es ist nur eine Frage der Einteilung.

6. Alterseinsamkeit oder von Großmüttern und feinen alten Damen

Mit dem Älterwerden ist es wie mit den Bergen, die auf einer weiten Reise in der Ferne auftauchen. Nie, denkt man, wird man sie überqueren können. Das Auto wird die Steigung nicht schaffen. Und was geschieht? Je näher man kommt, desto mehr verlieren die Gipfel an Schrecken. Die Straße ebnet sich wunderbar, die Erhöhung, die so bedrohlich wirkte, schafft man spielend. Resultat: Man hat sich umsonst gefürchtet.

Meine Mutter ist, wie schon erwähnt, neunundsiebzig Jahre alt. Abstrakt gesehen ist dies eine Zahl, die von vielen als »hohes Alter« angesehen wird. Steht man aber meiner Mutter gegenüber, hört man ihr Lachen und spürt man ihre Vitalität, so würde man es als absurd empfinden, diesen Begriff auf sie anzuwenden. Meine Mutter steht fest im Leben, viel fester als viele junge Frauen, und das trotz zweier Kriege, die sie mitgemacht hat, trotz Hunger, Inflation, Bombardements, Angst um ihren Mann und ihre Kinder.

Sie lebt nicht in der Vergangenheit, sondern im Jetzt. Wenn die persischen Studenten ihre Kolleginnen aus den Hörsälen prügeln und die Russen Afghanistan besetzen, dann ist dies für sie genauso furchtbar wie für mich. Und nicht zuletzt deshalb bleibt sie jung. Sie wirkt auch jung, weil sie sich selbst nicht als alt einschätzt. Kürzlich diskutierten wir über das Leben, über Geburten und Todesfälle, über das Älterwerden und die Lebenserwartung. Und was hatte sie dazu beizutragen? »Ich«, sagte meine neunundsiebzigjährige Mutter mit Überzeugung, »habe gar keine Angst vor dem Altwerden.«

Natürlich ist das auch eine Sache der Veranlagung. Meine Mutter hatte Glück. Sie ist ausgeglichen und begeisterungsfähig. Sie hat sich ihre Spontaneität erhalten, kann mitten im Spazierengehen stehenbleiben und einen blühenden Kastanienbaum bewundern. Dabei leuchten ihre Augen, daß die Freude ansteckend ist. Wenn sie in die Oper gehen will und keine Karten mehr bekommt, dann nimmt sie einen Stehplatz. »Bist du denn nicht müde«, fragen Bekannte immer wieder entsetzt, »wenn du so lange stehen mußt?« – »Nein, gar nicht«, erklärt sie dann, »die Musik ist viel zu aufregend und außerdem kann man sich ja in den Pausen niedersetzen.«

An meiner Mutter sehe ich, daß sich ein Mensch im Laufe seines Lebens nur geringfügig verändert, daß er mit achtzig nicht weniger liebenswert ist als mit achtzehn. Auch die Energie ist noch da. Wenn meine Mutter wirklich etwas will, dann erreicht sie es auch, heute genauso wie in der Jugend. Und wenn sie etwas absolut nicht versteht, dann ist es das Wort »Alterseinsamkeit«.

Ein Schlagwort unserer Zeit

Alterseinsamkeit ist ein Schlagwort unserer Zeit. Es ist eigentlich nicht schrecklicher als Einsamkeit überhaupt – obwohl es von denen, die es geprägt haben, sicher als Steigerung gemeint war. Einsamkeit aber hat genau besehen mit dem Alter nichts zu tun. Einsam sind Menschen, die nicht allein sein können. Ob sie jung oder alt sind, ist einerlei.

Jeder kann feststellen, daß das Problem bereits in der Jugend vorhanden ist; früher noch, im Kindergartenalter. Manche Kinder können sich stundenlang allein beschäftigen. Andere kommen alle zehn Minuten und fragen, auch wenn sie vom schönsten Spielzeug umgeben sind: »Was soll ich denn tun? Mir ist so langweilig.« Natürlich ist Angst vor dem Alleinsein in erster Linie eine Frage der Veranlagung. Ein phantasievolles Kind kann mit einem Kasten voller Bausteine mehr anfangen als eines, das wenig Vorstellungskraft besitzt. Es ist aber auch in großem Maße eine Frage der Erziehung zur Selbständigkeit, zum »Einssein«, wie man so schön sagt, mit sich selbst.

Wie man es nicht machen darf, habe ich voriges Jahr im Urlaub gesehen. Ich saß mit einer Gruppe von Freunden nach dem Abendessen auf der Hotelterrasse. Wir führten Erwachsenengespräche und die achtjährige Tochter meiner Freundin begann sich zu langweilen. Sie hielt tapfer eine Stunde durch, dann wollte sie in ihr Zimmer nach oben gehen und spielen.

Nun steckte ihr Vater gerade tief in einer angeregten Diskussion über benzinsparende Autos und hatte keine Lust, diese zu unterbrechen, um das Kind hinaufzubringen. Als ihn die Kleine zum zweitenmal störte, zog er sich folgendermaßen aus der Affäre: »Du bist doch ein Dummerl«, sagte er im Gottvaterton. »Was willst du denn da oben? Dort bist du ganz allein. Verstehst du? Ganz allein. Hier bist du bei uns, das ist doch viel schöner, oder? Wer wird denn allein im Zimmer sein wollen?«

An den Ausgang der Episode erinnere ich mich nicht mehr. Aber die Worte empörten mich derart, daß ich sie bis auf den heutigen Tag nicht vergessen habe. Wie kann man einem Kind bewußt Angst vor dem Alleinsein einjagen? Wie kann man einem Wesen, das noch nicht imstande ist, Vergleiche zu ziehen, falsche Werte aufzwingen, in diesem Fall, daß die Gesellschaft von Menschen, die ihm nichts zu bieten haben, wichtiger sei als die eigene Gesellschaft? Nichts ist deprimierender, als einen Abend mit Menschen zu verbringen, die einem nichts zu sagen haben. Jeder kennt die Leere, die einen überkommt, wenn man sich aus beruflichen oder anderen Gründen mit uninteressanten, nichtssagenden, arroganten Menschen abfinden muß, sei es bei einem Essen, bei einem Cocktail oder auch bei unausweichlichen gesellschaftlichen Verpflichtungen. Hundertmal besser ist es, allein zu sein, einen angenehmen Abend zu planen, nachzudenken, Briefe zu schreiben, zu baden, die Haare zu waschen, zu musizieren, Musik zu hören, mit Freunden zu telephonieren, ein feines kleines Essen ganz für sich allein zu kochen, sich einmal selbst zu verwöhnen, Pläne zu schmieden. Wie schön ist es auch, nach turbulenten Feiertagen wieder allein zu sein, Zeit zum Nachdenken zu haben, zum Erholen.
Ich habe mit großem Genuß ganze Wochenenden allein verbracht, vor allem, wenn ich etwas Wichtiges zu erledigen hatte, einen dringenden Artikel fertigschreiben mußte, Bücher zu Ende lesen wollte. Es ist auch schon vorgekommen, daß ich im Sommer in der Stadt blieb, um Samstag und Sonntag faul auf meinem efeuumrankten Küchenbalkon zu verbringen, auf Decken und Polstern liegend, ein Buch, eine Tasse Kaffee zur Hand. Nicht, weil ich keine Einladung gehabt hätte, sondern weil ich einfach das

Bedürfnis dazu hatte. Ich brauche von Zeit zu Zeit meine eigene Gesellschaft. Alleinsein ist nicht Einsamkeit, sondern Regeneration.

Auch alte Menschen sind gern allein

Natürlich hilft es, wenn man aus einer Familie kommt, in der niemand Angst vor dem Alleinsein hat. Meine Mutter, die mit sechs Enkelkindern ausgelastet ist, freut sich nach einem anstrengenden Familienwochenende immer sehr auf ein paar geruhsame Tage allein in ihrer Wohnung. Dann will sie nicht gestört werden, dann lebt sie nach ihrer eigenen Routine, steht auf, wann es ihr gefällt, kocht, was sie mag, liest, sieht fern, geht schlafen, alles, wann es ihr paßt. Und vor allem hat sie eine große Sicherheit: Sie weiß, daß sie jederzeit Leute um sich haben könnte.

Jene Leute aber, jene Menschen, die sie lieben und jederzeit gern um sich haben wollen, sind nicht vom Himmel gefallen. Sie hat ihren großen Bekanntenkreis und ihre Familie, die sie bis aufs Blut verteidigen würde, nicht zufällig, sie hat sich diese Zuneigung verdient. Man hüte sich vor Geschichten, die folgendermaßen beginnen: »Ja, als ich noch jung war, da war immer etwas los, da war ich immer irgendwo eingeladen, da hatte ich viele Freunde. Aber jetzt, im Alter, da will mich niemand mehr haben. Ich bin völlig einsam.« Im allgemeinen gilt nämlich folgendes: Wer in der Jugend beliebt und gesellig ist, der ist es auch im Alter. Wer eine angenehme Ausstrahlung besitzt, intelligent und offenherzig ist, aufgeschlossen für andere und bereit, sich für sie einzusetzen, der ist im Alter ein ebenso gern gesehener Gast wie in der Jugend.

Meine Mutter lebte lange Zeit in einem Haus mit fünf Parteien. Vier davon waren ständig miteinander verfeindet. Man stritt um den Garten, um den Zaun und darum, wer als nächstes Schnee zu kehren hatte. Die beiden Familien, die im Parterre wohnten, sprachen jahrelang nicht miteinander. Ihren Kindern wurde verboten, zusammen zu spielen. Und wer schlichtete? Meine Mutter. Sie war mit allen gut, ließ sich auf keine Intrigen ein, gab bei unwichtigen Kleinigkeiten sofort nach – bei den anderen lösten diese regelmäßig neue Komplikationen aus – und war daher bei allen beliebt. Aber nicht nur die Nachbarn sprachen gern mit ihr und luden sie ein, auch bei meinen Freunden war sie die Mutter Nummer eins.

Ein Verehrer aus meiner Tanzschulzeit hat sie noch Jahre später, als er längst verheiratet war und Kinder hatte, regelmäßig besucht. Hatte er Probleme, so kam er zu ihr, um sich auszusprechen. Meine Freundinnen kamen mit Vorliebe zu mir nach Hause, um sich bei ihr Rat zu holen. Wenn sie mich heute treffen, so richten sie immer Grüße aus und fragen, wie es ihr geht. Wenn sie mich einladen, so heißt es stets: »Bring doch deine Mutter mit!« Und die eigenen, gleichaltrigen Bekannten meiner Mutter? Sie hat sie behalten. Mit ihrer besten Freundin aus der Pensionatszeit ist sie seit fünfundsechzig Jahren in engem Kontakt. Was ist so Besonderes an meiner Mutter? Nun, sie hat gelernt, sich zu beherrschen. Sie jammert nicht.

Wer jammert, wird allein gelassen

Leider gibt es viel zu viele alte Leute, die über nichts anderes zu sprechen in der Lage sind, als über ihre diversen

Krankheiten. Man kann Themen anschneiden, so viele man will, immer wieder kommen sie beharrlich auf ihre Leiden zurück und werden nicht müde, diese bis ins kleinste Detail zu schildern. Nicht, daß sie an Krankheiten im allgemeinen Interesse hätten. Meist hören sie den Klagen und Beschwerden eines Gleichgesinnten gar nicht zu. Was diese alten Menschen bewegt, ist nur eines: sie selbst. Nichts ist ihnen wichtig außer sie selbst, nichts interessiert sie außer der eigenen Person. Die Welt, die Mitmenschen sind ihnen egal. Sie brauchen sie höchstens als stumme Zuhörer zum großen, alles umfassenden Thema »Ich selbst«.

In Gegenwart solcher Leute bekommt man spätestens nach fünfzehn Minuten Depressionen. Und was ist die Folge davon? Man meidet ihre Gesellschaft. Kein Wunder, daß sie über Einsamkeit klagen. Über verdiente Einsamkeit, denn Egoismus kann zu nichts anderem führen. Und die Wurzeln dieses Verhaltens liegen in der Jugend. Es gibt auch Zwanzigjährige, die nur über sich selbst reden, die, wenn sie zufällig einen Gesprächspartner zu Wort kommen lassen, nicht zuhören, sondern nur überlegen: »Was sage ich als nächstes?«

Menschen dieses Typs sind unbeliebt, ganz gleich, ob sie jung oder alt sind. In der Jugend, solange sie zu einer Gruppe gehören, zu einem Club, einem Chor, einem Tanzkurs, einem Sportverein, einer Klassengemeinschaft, fallen sie nicht so sehr auf. Es gibt genügend andere in der Gruppe, und sie werden geduldet. Aber beliebt ist dieser Menschenschlag nie. Und der krasse Egoismus verdirbt ihnen die Chancen, echte Freundschaften für später zu schließen.

Nichts im Leben kommt von selbst. Wer unterhalten sein

will, der muß sich die Mühe machen, zur Unterhaltung anderer beizutragen. Man darf nicht den Fehler so vieler Menschen – alter wie junger – begehen und sich zurücklehnen und warten, daß die Welt zu einem kommt, um einen zu amüsieren.

Man kann natürlich, wenn man reich ist, Gesellschaft kaufen, indem man anstatt Geist und Humor, Interesse und Einfühlungsvermögen, Dinnerpartys, teure Weine, Einladungen zum Tennis oder ins Landhaus bietet. Nur darf man nicht den Fehler machen, diese Leute als Freunde zu bezeichnen. Sie kommen wirklich nur um der Annehmlichkeiten willen, aber nicht, weil ihnen der Gastgeber als Mensch zusagt.

Ähnliches gilt für Position und gesellschaftliches Ansehen, die oft höher geschätzt werden als ein guter Charakter. Aber Vorsicht! Wer es zu einem bestimmten Status gebracht hat, wird zwar eingeladen, aber nur, weil man sich von ihm Vorteile erwartet oder ihn nicht zum Feind haben will. Am Tag der Pensionierung oder der finanziellen Einschränkung verschwindet die Achtung auf Nimmerwiedersehen. Dann macht man auch die Erfahrung, wer wirklich als Freund gelten kann – und viele werden nicht übrigbleiben. Wer sein Leben lang nur an sich und seinen Vorteil denkt, ohne an seiner Persönlichkeit zu arbeiten, ohne sich manchmal zu zwingen, auch den Mitmenschen Interesse entgegenzubringen, der hat wirklich ein einsames Alter vor sich.

Es ist interessant, wie sich die Werte in den letzten siebzig Jahren verändert haben. Liest man Romane aus früheren Zeiten, so sieht man, daß ganz andere Eigenschaften an Menschen erwünscht waren als heute. Erkundigte man sich nach den Qualitäten eines Mannes, der als Schwiegersohn oder als Ehemann in Betracht kam, so wollte man zwar auch wissen, ob er imstande sein würde, die Familie zu ernähren. Fast ebenso wichtig aber waren menschliche Eigenschaften. Hat er einen vorteilhaften Charakter? Ist er verträglich? Hat er Talente? Kann er musizieren? Kann er gut erzählen? Hat er Humor? Ist er sensibel? Ist er angenehm im Umgang?

Heute ist man meist nur an einem interessiert: Hat er Geld? Oder: Ist er aggressiv genug, um zu welchem zu kommen? Niemanden scheint zu interessieren, ob man mit diesem Finanzwunder auch leben kann. Ob es zum Familienleben Geduld, Liebe und Wärme beitragen kann. Ob es sich selbst hintanstellen und der Frau, den Kindern Interesse und Wohlwollen entgegenbringen kann. Egoismus wird heute geradezu gezüchtet. Was man dabei erreicht, sind berufliche Erfolge und menschliches Versagen. Und dies rächt sich spätestens im Alter, meist aber schon viel früher.

Was früher nur für Männer galt, betrifft heute auch die Frauen. Viele Frauen arbeiten, oft erhalten sie die Familie oder die Kinder. Tüchtigkeit und Erfolg sind auch für sie wichtig. Aber dies darf nicht auf Kosten des Charakters gehen. Beliebtheit läßt sich vielleicht für kurze Zeit erkaufen, auf die Dauer aber wird nur dem gegeben, der selbst auch zu geben imstande ist. Wer an die Zukunft denkt, darf dies nicht vergessen.

Anderen nicht die Lebensfreude verderben

Alte Menschen, die nicht allein sein wollen, müssen noch etwas lernen, nämlich aufzuhören, bei jeder passenden und unpassenden Gelegenheit zu verkünden, daß alles endgültig dem Ende zu gehe. Es gibt viele ältere Menschen, die, weil sie den größten Teil ihres Lebens schon hinter sich haben und weil sie sich vor dem Tode fürchten, auch der Umwelt die Freude am Leben zu nehmen versuchen. Alles wird ihrer Meinung nach schlechter, vom Wetter angefangen bis zu den neugeborenen Kindern. Sie betonen unaufhörlich, daß sie mit dieser Welt nichts mehr zu tun haben wollen, daß es nur noch Chaos gebe, daß es nicht mitanzusehen sei, wie die Autorität der Lehrer, der Kirche oder der Männer untergraben werde; die dummen Psychologen würden mit ihrer Nachsicht doch nur Unheil anrichten, die moderne Musik sei überhaupt nicht mehr auszuhalten, die Künstler seien alle verrückt und so weiter und so fort.

Hand in Hand mit dieser Gewohnheit, die auch die geduldigsten Menschen rasch in die Flucht treibt, geht die Vorliebe, sich in Negatives zu verbohren, an allem und jedem nur die Nachteile zu sehen und im Gespräch mit großer Ausdauer darauf zurückzukommen. Scheint die Sonne, so heißt es: »Ach Gott, da wird es in der Stadt wieder heiß sein.« Regnet es, so ist dieses furchtbare Wetter »mehr, als man ertragen kann«. Ist der Enkel in Mathematik eine Leuchte, so sorgt man sich im Detail darüber, ob er auch in Deutsch genug leisten wird. Hat er eine Freundin, so zittert man, ob sie wohl den richtigen Einfluß auf ihn ausübt, hat er keine, so wird er doch um Gottes willen kein Homosexueller werden?

Wenn man mit diesen Menschen über kurz oder lang das Gespräch nicht mehr sucht, so ist dies nicht verwunderlich. Gehört man zu den Höflichen, so läßt man sie reden, ohne ihnen zuzuhören. Letzteres tut man aus reinem

Selbstschutz. Würde man auch noch Anteil nehmen, so würde die ganze Gesprächsrunde über kurz oder lang in Tränen ausbrechen.

So hart es klingt: Wer am Leben teilnehmen will, wer geschätztes, gerngesehenes Mitglied einer Gesellschaft und der Familie sein und bleiben will, der muß – und wenn er sich dazu zwingen sollte – Schönes und Lebenswertes wahrnehmen, erwähnen und vor allem auch andern vergönnen. Die Devise: »Mir geht's schlecht – euch soll's nicht besser gehen« führt mit Sicherheit in die totale Einsamkeit.

Kinder, die sich nicht um ihre Eltern kümmern

In Europa gibt es weniger alte Leute, die einsam sind, als in den USA. Hier sind die Familien stärker, vor allem in den südlichen Ländern. Zwar besteht in den Scheidungsziffern zwischen der Alten und der Neuen Welt nicht viel Unterschied, aber die Liebe zwischen Eltern und Kindern scheint in Europa doch tiefer zu sein. Bereits in England findet man jedoch die Vorstufe dessen, was man in Amerika häufig antrifft: Eltern, die sich so schnell wie möglich jeder Verantwortung für die Kinder entledigen.

Mit acht Jahren schon werden Kinder aus gutsituierten britischen Familien ins Internat geschickt, in die sogenannten Preparatory Schools, und anschließend bleiben sie bis zu ihrem achtzehnten Lebensjahr in der Public School, ebenfalls im Internat. In den USA ist die Kontaktlosigkeit zwischen der Eltern- und der Kindergeneration oft geradezu schmerzhaft. Man trifft immer wieder Familien, deren Söhne und Töchter Tausende von Meilen entfernt wohnen und Kinder, die jeden Besuch bei den Eltern als lästige Pflicht betrachten.

In Europa ist es noch gang und gäbe, daß Jugendliche zu Hause wohnen, bis sie heiraten, und daß sie bei den Eltern bleiben, solange sie studieren, falls sie in einer Universitätsstadt leben. Eine Zweiundzwanzigjährige, die zu Hause wohnt, hat bei uns durchaus nichts Lächerliches an sich. Ganz gleich, was man in der Neuen Welt darüber denkt. Kinder mit zwanzig ins Wasser, sprich aus dem Haus zu werfen, nach der Devise: stirb oder schwimm, kann unter gewissen Umständen sein Gutes haben. In Amerika aber wirft man sie eindeutig zu früh hinaus. Und was ist oft die Folge? Entwurzelte Menschen, Neurotiker, Jugendliche, die schon unter schweren Depressionen leiden. Die Gier nach Drogen, nach immer mehr Genuß, die in den USA ihren Ausgang genommen hat, ist im Grunde nichts anderes als die Suche nach Liebe und Geborgenheit. Menschen sind nicht viel anders als Pflanzen. Je länger sie in der Jugend gehegt, beschützt und gut beeinflußt werden, desto stärker werden sie, desto leichter sind sie imstande, das Leben zu meistern.

Eltern, die es sich zu leicht machen, dürfen sich nicht wundern, wenn sie von ihren Kindern verlassen werden und im Alter allein dastehen. Wer über undankbare Kinder klagt, der darf nicht vergessen, daß er sie selbst herangezogen hat. Wer von seinen Söhnen und Töchtern bei der ersten sich bietenden Gelegenheit im Stich gelassen wird, der muß die Schuld vor allem bei sich selbst suchen. Kinder zu erziehen darf man nicht als lästige Pflicht betrachten, die mit deren achtzehntem Geburtstag abgeschlossen ist und dann für immer ad acta gelegt werden kann. Der Spruch: Jugend gehört zu Jugend ist nur in begrenztem

Maße richtig. Sicher ist es für junge Menschen wichtig, mit Gleichaltrigen zu spielen, sich zu amüsieren, sich auszutoben. Aber geistig profitieren kann man nur von Älteren. Niemand ist mit einundzwanzig über den Rat der Eltern erhaben. Und die Eltern müssen sich die Mühe machen, ihren Kindern zeitlebens beizustehen.

Kinder kann man halten

Wir leben in einem materialistischen Zeitalter und haben uns angewöhnt, nur dort Gefühl oder Geld zu investieren, wo Profite locken. Bei der Eltern-Kind-Beziehung aber gelten andere Regeln. Hier ist die Investition einseitig. Sie wird nur von einem Teil gemacht, und zwar von den Eltern. Eltern haben die Pflicht, ihre Kinder ohne Hinblick auf eigene Vorteile zu erziehen. Wer das nicht wahrhaben will, wird Tiefschläge einstecken müssen.

Ich habe bereits im Kapitel »Reife Frauen sind bessere Mütter« darauf hingewiesen, wie wichtig es ist, daß eine Mutter erfahren und stark ist. Auch wenn sie noch so viele Probleme hat, ist sie dazu da, ihre Kinder zu schützen – und nicht umgekehrt. Mütter, die ihre eigenen Sorgen bei den Kindern abladen, die, falls sie von ihrem Mann verlassen wurden, den Sohn zum Ersatzmann heranziehen, werden im Alter Einsamkeit ernten. Nicht anders ergeht es Vätern, die ihren Söhnen vorschreiben, daß sie Millionen verdienen müssen. Die Belastung ist für das Kind meist zu groß. Es versagt und bekommt Schuldgefühle und sucht summa summarum das Weite. Wer nicht die Großzügigkeit aufbringt, Kinder um ihrer selbst willen in die Welt zu setzen, der sollte es am besten ganz unterlassen und sich seiner Karriere widmen. Wer aber Kinder hat und sie auch im Alter noch haben möchte, der beachte folgendes: Kinder hält man am besten, indem man sie gar nicht hält, indem man ihnen sagt: »Geh, nimm keine Rücksicht auf mich, tu, was du tun mußt. Lebe dein Leben, und laß dich durch mich nicht behindern. Ich komme schon durch.« Man hält sie, indem man dies auch praktiziert und nicht beleidigt ist, wenn die Tochter das ganze Wochenende über mit Freunden Ski fährt; indem man weder Rücksicht noch Hilfsbereitschaft voraussetzt.

Es liegt nun einmal in der menschlichen Natur, jede Art von Zwang abzulehnen. Hilfsbereit ist man gerne – aber nur, solange man nicht dazu gezwungen wird. Rücksichtsvoll ist man mit Freuden – aber dort, wo Rücksicht vorausgesetzt wird, regt sich der Widerstand. Eltern, die stark genug sind, auf die Forderung nach Opfern und Hilfsbereitschaft von seiten der Kinder zu verzichten, werden nie ohne Rücksichtnahme und Hilfsbereitschaft auskommen müssen. (Das klingt absurd, aber so ist das Leben.) Wer von seinen Kindern nichts erwartet und Opfer ablehnt, der wird zeitlebens von seinen Kindern geliebt und gebraucht. Er wird nie alleingelassen, schon gar nicht im Alter.

Willenskraft, die über den Körper siegt

Und nun zu etwas anderem. Alterseinsamkeit, sagen viele, ist weitgehend von der Gesundheit abhängig. Solange man rüstig ist, hat man keine Sorgen. Aber was geschieht, wenn man krank wird? Dem ist entgegenzuhalten, daß man auch in der Jugend die Gesundheit nicht gepachtet hat. Krank zu sein ist immer unangenehm, egal, ob man jung oder alt ist. Und niemand streitet heutzutage ab, daß Gesundheit auch vom menschlichen Willen abhängt. Viel kann man sich ersparen, wenn man jede Bereitschaft zum Krankwerden von sich weist. Wer gesund sein will, überlebt auch Operationen und Unfälle viel leichter, ganz gleich, wie alt er ist.

Meine Tante Anna stürzte im Alter von fünfundachtzig Jahren und brach sich die rechte Hüfte. Während sie im Bett lag, versuchte der Hausarzt, die Familie auf ihr Ableben vorzubereiten. Aller Wahrscheinlichkeit nach, meinte er, würde sie sich nicht mehr erholen; dies sei der Anfang vom Ende, das nächste Jahr würde sie mit ziemlicher Sicherheit nicht mehr erleben.

Sechs Wochen nach dem Unfall kam meine Mutter unverhofft zu Besuch. Tante Anna war nicht in ihrem Bett, auch nicht im Wohnzimmer. Nach längerer Suche fand meine Mutter die angeblich Todgeweihte auf dem Balkon. Die zierliche, weißhaarige alte Dame lag splitternackt in der Sonne und machte ernsthaft gymnastische Übungen. Der Arzt hat ihr auch bis heute nicht verziehen, daß sie damals nicht gestorben ist. Er wurde so unleidlich, daß sich Tante Anna mit sechsundachtzig einen neuen Hausarzt suchen mußte, einen mit mehr Respekt vor ihrem Lebenswillen. Tatsache ist, daß sie knapp drei Monate nach dem Unfall wieder mit dem Fahrrad durch die Stadt fuhr. Und sie lebte, bis sie dreiundneunzig Jahre alt war, nicht zuletzt dank ihrer Willenskraft.

Wer im Alter gesund sein will, darf Selbstmitleid nicht kennen. Meine Mutter hatte mit dreiundsiebzig eine schwere Operation. Der Eingriff war zwar erfolgreich, aber die Wunde wollte nicht heilen. Man hatte zum Vernähen einen Faden genommen, der vom Körper absorbiert werden sollte. Der Körper jedoch stieß ihn ab. Monatelang mußte meine Mutter einen Verband tragen, und als alles nichts nützte, lautete das Urteil des Arztes: Neuerliches Öffnen der Wunde, neue Narkose, neuer Klinikaufenthalt.

Zum Selbstmitleid, dem so viele ältere Menschen keinen Widerstand entgegensetzen, wäre guter Grund gegeben gewesen. Aber meine Mutter? Keine Spur davon. Wenn ich besorgt anrief, war sie es, die mich aufmunterte. Wenn es ihr wirklich schlecht ging, so sagte sie: »Mach dir keine Sorgen, es geht schon noch.«

Als ich sie vom Krankenhaus abholte, hatte sie stark an Gewicht verloren. Sie war dünn wie ein Schulmädchen und schwach auf den Beinen. Aber am ersten Abend bestand sie darauf, ins Konzert zu gehen, weil ihr Enkel, der zu den Wiener Sängerknaben gehörte, auftrat und ein Solo sang. Nie werde ich vergessen, wie sie sich im Konzertsaal die Treppen hinaufmühte. Die einzigen Karten, die wir noch auftrieben, waren auf der Galerie im zweiten Stock, und jede Stufe bereitete ihr Schmerzen. Aber sie schaffte es und schleppte sich nach der Vorstellung auch noch in die Künstlergarderobe, um ihrem Liebling zu gratulieren. Zwei Tage brauchte sie, um sich von dieser Strapaze zu erholen, aber bereut hat sie es nicht. Und es ging ihr immer noch besser als einer ihrer Bekannten, die nur drei Jahre älter ist und ununterbrochen über ihren schlechten Gesundheitszustand klagt, obwohl ihr gar nichts fehlt außer einer Aufgabe und dem Interesse für andere.

Wer einen Defekt sucht, findet ihn

Viele alte Menschen machen den Fehler, sich zu intensiv zu beobachten. Sie haben plötzlich Zeit, und anstatt sich mit nützlichen oder interessanten Dingen zu beschäftigen, Dingen, für die sie im Berufsleben keine Zeit hatten, horchen sie in sich hinein und suchen irgendeinen Defekt. Nichts ist schädlicher für die Gesundheit. Wer darauf wartet, krank zu werden, der wird es bestimmt. Wer von einer Untersuchung zu anderen läuft und die Prozedur alle sechs Monate wiederholt, der hat bald nichts anderes mehr als Ärzte, Klinik und Symptome im Kopf – und nichts ist schädlicher für die Abwehrkräfte des Körpers. Wer sich ständig vor einer bestimmten Krankheit fürchtet, der spürt mit Sicherheit bald die entsprechenden ersten Schmerzen. Vielleicht existieren sie nur in der Einbildungskraft, aber für den Betroffenen kommt dies auf dasselbe hinaus. Was man also braucht, ist eine Beschäftigung. Denn wer keine Zeit hat, krank zu sein, der wird auch nicht krank werden.

Das Leben ist unglaublich interessant. Als ich mit meinem Studium begann – ich war gerade sechsundzwanzig Jahre alt –, taten sich im wahrsten Sinne des Wortes neue Dimensionen auf. Als ich anfing, über die englischen Schriftstellerinnen des 18. Jahrhunderts nachzuforschen, hätte ich am liebsten nicht mehr zu studieren aufgehört. Ich las einfach alles, was mir unter die Finger kam: die Tagebücher dieser faszinierenden Frauen, die Briefe, die sie an ihre Freundinnen, Ehemänner oder Liebhaber schrieben. Ich war in Bann geschlagen von der Art, wie sie lebten, und dem Umstand, daß sie vor einem festlichen Ball sieben Stunden lang frisiert wurden, daß sich ein Fräulein aus gutem Haus nicht selbst die Schuhe binden durfte, daß tüchtige Kammerzofen mit ihren Ersparnissen in London kleine Läden eröffneten, die bald zu den begehrtesten Modegeschäften der damaligen Zeit zählten, daß Dinge, die uns heute selbstverständlich sind, überaus kostbar waren: Dazu gehörte zum Beispiel das Papier, weshalb manche Damen, die heimlich Romane verfaßten, auf das grobe Packpapier angewiesen waren, das sie hinter dem Rücken ihrer Haushälterinnen aus der Küche stehlen mußten.

Ich las Zeitungen und Predigten und Geschichtsbücher der damaligen Zeit. Ich lernte die Anfänge der industriellen Revolution kennen, erfuhr vom Entsetzen der Bürger, die zum erstenmal eine Fabrik besuchten, von ihrem Schock angesichts der Tatsache, daß dort ein Mensch nur einen halben Gegenstand und keinen fertigen ganzen herstellen durfte, las ihre Prophezeiungen, wie sich diese Art von Tätigkeit auf die Psyche auswirken würde. Ich verfolgte schreibende Damen, die anfangs von der Französischen Revolution begeistert waren, auf ihrem Weg nach Paris und erfuhr, wie schnell sie sich wieder nach dem sicheren England sehnten.

Ich las Zeitungen aus der Neuen Welt, studierte die Anzeigen der damaligen Zeit in amerikanischen Tageszeitungen – auch das gab es schon vor über zweihundert Jahren – und amüsierte mich darüber, daß die heutige Industriestadt Philadelphia damals ein kleiner Bauernmarkt war und die Hälfte der Annoncen entlaufene Kühe und Ochsen betraf. Ich bekam – um es kurz zu fassen – ein neues Weltbild. Hätte ich ein Privatvermögen oder wäre ich ein Pensionist mit Zeit und Muße – ich hätte nicht aufgehört zu forschen und würde heute noch in den prachtvollen Lesesälen der Bibliotheken sitzen.

Mit sechzig beginnen, das Leben zu erforschen

Warum ich dies schreibe? Um zu zeigen, was es im Leben alles zu erfahren und zu erforschen gibt. Nicht nur in der Literatur. Man kann beginnen, wo man will. Beim Tischtuch. Bei der Kaffeetasse. Es gibt so viele Geheimnisse in der Tier- und Pflanzenwelt, die man ergründen kann, wenn man nicht mehr gezwungen ist, zu arbeiten und Geld zu verdienen. Es gibt Künste, die man erlernen kann, ganz gleich, wie alt man ist. Man kann musizieren, malen, sticken, weben, seinen Garten in einen richtigen Garten verwandeln, in eine Oase der Erholung, die nicht nur aus sterilem Rasen und drei Birken besteht, sondern aus Lauben und Rosenbäumchen, verschiedenen blühenden Sträuchern und mit grünen Hecken eingefaßten Wegen. Die Freude, die man verspürt, wenn einem etwas gelungen ist, übertrifft alle Erwartungen. Die Begeisterung, die einen ergreift, wenn man plötzlich versteht, warum Tiere, Pflanzen, Menschen sich so und nicht anders verhalten, kann man nicht beschreiben. Es gibt so viele Fachgebiete, in die man sich vertiefen kann, es gibt in jeder größeren Stadt Bibliotheken, die jedem offenstehen. Und warum sollte man nicht wie Studenten auch ein paar Stunden am Tag in einem Lesesaal sitzen und erforschen, wie das komplizierte Liebesleben der Lachse aussieht oder warum die Ureinwohner von Neuguinea ihre Vorfahren auffraßen? Ganz gleich, für welchen Forschungsgegenstand man sich entschließt – und jeder findet irgend etwas, das ihn in der Jugend faszinierte, das er aber im Berufsleben vernachlässigen mußte –, wenn man sich nur gründlich damit auseinandersetzt, so erhält man etwas ganz Besonderes: einen winzigen Blick in die großartige Schöpfung, die uns umgibt. Man bekommt eine Ahnung des Mikro- und Makrokosmos, dessen winziger Bestandteil wir sind. Solche Einsichten lehren uns aber auch Bescheidenheit, geben uns die richtige Perspektive von uns selbst, zeigen uns unsere relative Kleinheit. Sie machen uns bewußt, wie absurd es ist, in diesem faszinierenden Universum nur uns selbst und unsere Kopfschmerzen ernst zu nehmen, und die echten oder nur eingebildeten Schmerzen in den Gelenken als Vorwand anzuführen, die Bildungsmöglichkeiten, die heutzutage allen offenstehen, nicht auszunutzen.

Die Angst vor dem Tod verlieren

Und noch etwas lernt man, wenn man sich weiterbildet: die Bedeutungslosigkeit des eigenen Todes. Sich vor dem Sterben zu fürchten ist eigentlich ungerecht. Es heißt nichts anderes, als gegen eine Spielregel zu protestieren, die man von Anfang an kannte. Das Leben auf dieser Erde ist nun einmal begrenzt – für jeden. Und auch darin liegt Gerechtigkeit. Daß das Leben nur eine gewisse Zeit dauert, ist vom Beginn an eingeplant. Man existiert eine Ewigkeit lang nicht, dann wird man geboren, atmet, lebt, hat Entscheidungsfreiheit und begibt sich wieder zur Ruhe. Daß Menschen diesen winzigen Zeitabschnitt, ihren Zeitabschnitt, mit Angst vergeuden, ist sträflich. Daß man sich vor der Ruhe, die dem Leben folgt, fürchtet, ist ungeschickt. Man denke nur daran, wie oft man sich nach echter Ruhe sehnt. Daß man sie nach dem Tod findet, spürt jeder, und das müßte auch dem, der an kein Weiterleben des Geistes glaubt, große Sicherheit geben.
Ich selbst glaube fest daran, daß der Geist besteht. Ich

glaube auch an Gott, und zwar ganz konkret deshalb, weil ich Seine Gegenwart spüre – vor allem in Momenten großer Verzweiflung. Ich glaube an Ihn, weil Er mir geholfen hat, weil ich Ihn brauche, weil Er mir große Kraft gibt. Man braucht nur seine geistigen Fühler auszustrecken und man spürt, Er ist da. Als meine Mutter auf ihre Operation wartete, war ich sehr verzweifelt. Am Tag, an dem sie stattfinden sollte, stand ich um vier Uhr früh auf, ging in die Kirche und begann, Gott mein Herz auszuschütten. Ich fand auch ein Buch mit alten Kirchenliedern, las Texte, die ich jahrelang nicht mehr gehört hatte, die sehr alt sind und reinste Lyrik. »Du Retter in der Not«, las ich, »Du Zuflucht der Kranken«, und plötzlich hatten diese Worte eine Bedeutung. Nach einigen Stunden in dieser alten gotischen Kirche kam auch eine große Welle der Erleichterung über mich, und ich wußte, die Operation würde gut ausgehen. Sie tat es auch.

Mit dem Sterben hat es eine eigene Bewandtnis. Wenn man den Akt bewußt erlebt, so fürchtet man sich nicht. Meine Großmutter lebte in einem kleinen Ort und war mit dem Dorfarzt gut befreundet. Dieser wurde fast einhundert Jahre alt. Er war für die ganze Gemeinde eine Art Vater- und Mutterfigur, da er generationenlang Menschen auf die Welt gebracht und ihr Leben lang betreut hatte. Jeden Sonntag sah man ihn in alter Frische im Gasthaus sitzen. Er war lustig, konnte ausgezeichnet erzählen, und solange er sonntags beim Wirt seinen Tafelspitz mit zwei Gemüsen aß, schien die Welt in Ordnung. Vor einigen Jahren kam ich wieder in das Dorf. Es war Sonntag, und ich ging ins Gasthaus. Der Doktor fehlte. Er war vor einiger Zeit gestorben, erfuhr ich. Und man erzählte mir auch, wie es dabei zugegangen war. Er hatte die Familienmitglieder um sich versammelt und ihnen ganz trocken, als würde er eine medizinische Vorlesung halten, erklärt, was jetzt in seinem Körper vor sich ging, welches Organ gerade zu arbeiten aufgehört hatte und wie lange das Herz noch durchhalten würde. Er weigerte sich, irgendein Betäubungsmittel zu nehmen. »Fällt mir gar nicht ein«, erklärte er, »ich habe so vielen Menschen beim Sterben zugesehen, jetzt will ich endlich wissen, wie das wirklich ist.« Er war bis zuletzt bei vollem Bewußtsein, gefaßt, ohne Angst, nur interessiert und fasziniert davon, endlich dem Geheimnis, das ihn sein Leben lang begleitet hatte, auf die Spur zu kommen.

Neugier auf das Jenseits

Als meine Mutter im Krankenhaus lag, hatte sie ein eigenartiges Erlebnis. Ob es während oder nach der Operation war, ist nicht sicher, aber sie lag noch in tiefer Narkose, als sie plötzlich vor sich an der Wand ein grünes Viereck sah, auf dem zwei weiße Strümpfe hingen. Aha, dachte sie, wenn ich sterben muß, dann muß ich in diese Strümpfe steigen. Sie fühlte weder Entsetzen noch Schrecken, es war eine Selbstverständlichkeit, daß diese Strümpfe, falls das irdische Leben zu Ende sein sollte, auf sie warteten. Erst als sie wußte, daß sie wieder gesund werden würde, hat sie uns davon erzählt. Und wenn wir jetzt vom Sterben sprechen, so immer ohne Panik. Aber auch vor der Operation war es nicht viel anders. Meine Mutter lag bereits in der Klinik und hatte ein sehr schlechtes Blutbild. »Weißt du«, sagte sie, »an so einer Anämie zu sterben ist etwas Herrliches. Man wird ganz angenehm müde und sehnt sich nur nach einem: nach Schlaf und nach Ruhe.«

Wenn man das Glück hat, von Menschen umgeben zu sein, die das Ende des Lebens ebenso akzeptieren wie den Anfang, dann fällt es einem sogar leicht, den Tod faszinierend zu finden. Es war vor einigen Jahren in Paris, und ich hatte soeben mit Begeisterung gelesen, was der englische Denker John Stuart Mill vor mehr als hundert Jahren über die ungerechten Ehegesetze und das Wahlrecht der Frauen schrieb. Anschließend vertiefte ich mich in ein Buch über sein Leben und kam zu folgendem Satz: »Seine Frau Hariet Taylor, mit der er eng zusammengearbeitet hatte, starb nach nur sieben Jahren Ehe in Avignon an Lungenschwindsucht.«

Kaum hatte ich den Satz gelesen, kam mir zu Bewußtsein, daß ich nicht die geringste Ahnung davon hatte, wie man an Lungenschwindsucht stirbt. Hunderte Male liest man, daß jemand erkrankt und stirbt, aber wie das vor sich geht, ist ein Rätsel. Das einzige, was mir einfiel, waren meine Pensionatszeit und die übermenschlichen Anstrengungen, die ich damals unternommen hatte, um auch nur ein klein bißchen Fieber zu produzieren, damit ich mich vor der Lateinschularbeit drücken konnte. So gesehen, schien das Sterben – tot, wirklich tot zu sein – eine gewaltige Leistung.

Mit Respekt dachte ich plötzlich an meine Vorfahren, die »erfolgreich« gestorben waren. Verglichen mit ihnen, erschien mir meine Unfähigkeit, auch nur einen kleinen Defekt herbeizuführen, als bodenloses Versagen. Wie schafft man das nur, dachte ich, kann man es lernen? Wie bringt man den Blutkreislauf zum Stillstand? Ich wußte es nicht, und tagelang gedachte ich mit Bewunderung all jener, die sich erfolgreich ihrer irdischen Hülle entledigt hatten.

Alles, was mit dem Tod und dem, was nach ihm kommt,

zusammenhängt, erfüllt mich mit großer Neugierde. Ich bin überzeugt davon, daß ich dann, wenn meine irdische Existenz zu Ende ist, erfahren werde, wozu dieses Leben gut war, welchem Sinn die Erde, die Milchstraße, das Universum gehorchen. Daß es einen Grund gibt, daran habe ich nie gezweifelt. Ich habe auch nie die Vermessenheit besessen, zu behaupten, daß sich das ganze Universum nur um mich, den Menschen, dreht. Genauso könnte die Ameise, die ihren komplizierten Staat aufbaut, denken, daß sie das A und O der Schöpfung sei.

Auch wenn wir in der Lage sind, unseren Planeten zu verschmutzen, auszubeuten und teilweise zu zerstören, so sind wir doch nur ein winziges Glied in einer Evolutionskette, deren Ausmaße wir hier nie begreifen werden. Trotzdem aber hat das Leben einen Sinn. Ich weiß, daß ich einen Part zu übernehmen habe und daß es absolut nicht gleichgültig ist, ob ich ihn gut spiele oder schlecht.

Vor dreihundert Jahren lebte in England ein Staatsmann namens Lord Halifax. Die Lektüre seiner Briefe und seines anderen Geschreibsels ging mir entsetzlich auf die Nerven, zumal er eine Art Anstandsbuch für seine Tochter verfaßte, in dem er ihr die völlige Unterwerfung unter ihren künftigen Ehemann empfahl, der, wie er sich ausdrückte, aller Voraussicht nach entweder dumm oder brutal, geizig, ein Frauenheld oder ein Säufer sein würde. Ein paar gute Sätze aber, die das Leben und Sterben betreffen, habe ich doch bei ihm gefunden:

»Wenn du, meine Tochter, dich zu sehr von den Unannehmlichkeiten, die in jedem Leben vorkommen, bedrükken läßt, so läßt dein Glaube an Gott noch zu wünschen übrig. Echter Glaube an das Gute in der Welt nämlich besänftigt und läßt Kummer und Kränkung zerfließen. Das

Geheimnis, bis zum Ende glücklich zu leben, besteht darin, alles Irdische nur als bequemes Kleid zu betrachten, das dich lose umfließt – keinesfalls aber als engen, festgeknöpften Mantel, der dir ganz um den Leib geschnürt ist.«

Man sammle Menschen, die keine Angst haben

Tod, Altersangst, Alterseinsamkeit – man braucht sich vor den Worten und dem, was sie ausdrücken, nicht zu fürchten. Warum soll ich vor dem Sterben Angst haben? Es gibt keinen Grund. Und warum soll ich aus Angst vor dem Tod die letzten zwei Drittel meines Lebens als minderwertig betrachten? Solange ich lebe, lebe ich. Mit dreißig wie mit vierzig, mit fünfzig, sechzig, siebzig und erst recht mit achtzig.

Wer trotzdem Angst hat, dem sei geraten, sich einen Kreis von Menschen aufzubauen, die über der Altersangst stehen. Man kann sie regelmäßig anrufen, ihnen in Krisenzeiten schreiben, meist aber genügt schon der Gedanke an sie, und schon geht es wieder aufwärts. Ich selbst sammle schon seit langem, zu Hause und in allen anderen Ländern, in denen ich gelebt habe. Ich sammle Männer und Frauen, und je älter sie sind, desto lieber ist es mir.

Helen aus Florida

Zu meinen letzten Eroberungen gehört eine Amerikanerin namens Helen. Alt ist sie noch lange nicht; als ich sie kennenlernte, war sie noch nicht einmal sechzig, aber sie gehört zu einer Gesellschaftskategorie, in der man zumindest in Amerika wenig lebenstrotzende Frauen antrifft, nämlich zur Gruppe Ehefrauen reicher Männer.

Helen ist klein und stämmig, trägt mit Vorliebe Hosen und hat die Haare meist zwanglos im Nacken zusammengebunden. Ihr Mann ist einer der nettesten reichen Männer, die ich kenne, er hat jeden Pfennig, den er besitzt, selbst und ohne andere zu schädigen verdient, er freut sich seines Lebens, freut sich über Frau, Kinder und Enkel und macht weiterhin Pläne, die er auch ausführt. Dazu gehört der mit drei anderen Partnern gemeinsame Erwerb eines französischen Weingutes, komplett mit Weinkellerei und kleinem Schloß, in der Nähe von Bordeaux. Ich sah Helen zum erstenmal in Paris bei einer Party, einer typischen blasiert-langweiligen Angelegenheit. Man stand herum, es gab ausgezeichnetes Essen, aber nichtssagende Konversation, und die eleganten Damen, alles Frauen wohlhabender Männer, trugen ihren angestammten verwöhnt-leidenden Ausdruck zur Schau. Man sprach über den Dollarverfall oder den Immobilienmarkt in New York und sah insgeheim auf die Uhr, ob man nicht schon gehen könne.

Und zwischen dieser gekonnt leblosen Vornehmheit stand Helen. Sie wippte auf ihren Absätzen, hatte einen Arm vergnügt in die Seite gestemmt und erzählte mit Begeisterung von einer alten Pariserin, die sie kürzlich auf dem Markt beobachtet hatte, von ihrer Haltung, ihrem Kopftuch und der Einkaufstasche. Schon lange, erklärte sie mit Freuden, sei sie auf der Suche nach einer derartigen Person gewesen. Sie wolle sie, wenn sie wieder zu Hause in Florida sei, in Ton modellieren. »Aber vorher«, verkündete sie strahlend, »das wißt ihr ja, bin ich drei Wochen lang Schloßherrin. Das ist nicht zu verachten, eine amüsante Abwechslung. Wie im Theater.«

Wenn ich an Helen denke, bin ich sofort gut aufgelegt. Alles, was mit Alterseinsamkeit oder Angst vor dem Älterwerden zusammenhängt, ist ihr fremd. Sie steht über der abstrakten Zahl, die ihr Geburtsdatum angibt – was sind das anderes als Ziffern auf einem Papier. Sie ist und bleibt sie selbst: ausgeglichen, zufrieden, vergnügt, ständig bereit, von ihrer Kraft und Lebensfreude anderen etwas abzugeben.

Langeweile kennt sie nicht. Ich habe zwei Wochenenden mit ihr auf dem Weingut verbracht, lange Spaziergänge gemacht, und wir fanden immer hunderttausend Themen, über die wir diskutieren konnten. In ihrer Gegenwart verging die Zeit rasend schnell. Sie erzählte mir von ihrem Leben. Von den Geldsorgen am Anfang ihrer Ehe in New York, von ihrer Überzeugung, daß sie den richtigen Mann geheiratet habe, von ihren Kindern. »Ich freue mich, daß es uns jetzt gutgeht«, meinte sie, »aber ich habe auch die schlechten Zeiten überstanden und weiß, daß ich notfalls auch ohne Geld auskommen werde. Was kommt, das kommt, und mit Gottes Hilfe werden wir es schon meistern.«

Als die Kinder erwachsen waren, zog Helen mit ihrem Mann nach Florida. War sie einsam? Keine Spur. Sie begann zu modellieren, besuchte Kurse, eröffnete ein kleines Atelier. Sie verkauft nur in privatem Kreis, aber sie hat Talent und ist mit Herz und Seele dabei. Jeden Monat verbringt sie mehrere Tage in New York. Dort besucht sie Museen und Galerien, versäumt keine einzige Ausstellung und verbringt möglichst viel Zeit mit ihren Enkelkindern. »Einsam bin ich keine Sekunde«, betont sie, »aber ich fühlte mich auch in meinem ganzen Leben noch nie gelangweilt. Wo ich hinsehe, gibt es Unmengen zu tun und zu lernen. Das wird sich bestimmt nicht ändern, auch wenn ich achtzig bin.« Die alte, kleine Pariserin, die ihr auf dem Markt so sehr gefallen hat, ist inzwischen in Ton fertiggestellt. Sie war das Glanzstück von Helens letzter Ausstellung.

Birgit aus Wien

Wer zeitlebens an sich arbeitet, das Positive im Menschen sucht und nicht resigniert, der hat keine Mühe, junge Leute zu fesseln. Ein anderes Beispiel, ein weiteres Mitglied meiner Sammlung, ist die Wienerin Birgit Martens. Unsere erste Begegnung fand im Zug statt, im Orientexpreß von Paris nach Wien. Birgit war gerade siebzig geworden, ich war dreiunddreißig. Wir verstanden uns sofort und unterhielten uns während der ganzen Fahrt ausgezeichnet. Als wir in Wien ankamen, vereinbarten wir, in Kontakt zu bleiben, tauschten Adressen aus, und ich gelobte, sie bei meinem nächsten Wienbesuch anzurufen.

Dieser ersten Begegnung folgte eine unglaublich hektische Zeit. Ich beendete mein Studium, übersiedelte von Frankreich nach Österreich und begann meine Arbeit als Journalistin. Die ersten zwei Jahre in Wien arbeitete ich ohne Übertreibung fast Tag und Nacht. Auch an den Wochenenden war ich mit dem Aufspüren interessanter Themen für die Zeitung oder mit dem Schreiben von Artikeln und Buchbesprechungen beschäftigt. Zwei Tage und praktisch die ganze Nacht saß ich im Hotel Imperial in Wien, um die spanische Königin zu bewegen, mir ein Interview – das erste, das sie je gab – zu geben. Zähe Kämpfe focht ich mit

Leibwächtern und Sekretären aus, um mit Scheich Jamani, dem saudiarabischen Erdölminister, ein Gespräch führen zu dürfen. Ich war im vollsten Einsatz, Zeit, alte Bekannte anzurufen oder irgendeine Art von Privatleben zu führen, verblieb nicht. Erst im letzten halben Jahr ist es leichter geworden. Die Routine, die man bekommt, bewahrt vor Zeitverschwendung. Man ist imstande, ohne Herzklopfen und schlechtes Gewissen, ein paar Stunden am Tag auszuspannen und gerade, als ich mich dazu entschlossen hatte, an den Wochenenden die Zeitung aus meinem Kopf zu verbannen, bekam ich einen Anruf: Es war Birgit Martens.

»Ich habe«, sagte sie, »kürzlich in der Zeitung einen Artikel über Farben gelesen. Da dachte ich mir, der kann nur von Ihnen sein.« Der Anruf kam in die Redaktion, da ich Birgit weder meine Übersiedlung noch meine neue Adresse mitgeteilt hatte. Ich freute mich so sehr, von ihr zu hören, daß wir uns noch am selben Abend trafen und bis ein Uhr früh tratschten.

Seither sehen wir einander in regelmäßigen Abständen. Im Sommer sitzen wir auf der Terrasse meines Lieblingscafés, gleich neben dem Rathauspark, im Winter besuchen wir einander zu Hause. Vor kurzem kamen wir auch auf die Vor- und Nachteile des Alters zu sprechen und ich horchte auf, als sie sagte: »Das größte Problem im Alter ist das Alleinsein.«

Auf meine Bitte hin schilderte sie dann ihren Tagesablauf. Sie steht früh auf, räumt auf, beantwortet ihre Post und geht einkaufen. Anschließend beginnt sie zu kochen, denn ihre Enkelin kommt täglich zu ihr zum Mittagessen. Nach dem Essen wäscht sie das Geschirr und anschließend gönnt sie sich ein paar ruhige Stunden, während deren sie handarbeitet. Handarbeit ist eigentlich nicht der richtige Ausdruck für das, was sie tut, denn sie stellt wunderbare Wandbehänge her und restauriert alte Teppiche. Manchmal malt sie auch.

Vier Stunden täglich, meist von vier Uhr nachmittags bis acht Uhr abends, pflegt sie ihre todkranke Schwiegertochter. Wenn sie dann nach Hause kommt, ißt sie mit einer amerikanischen Kunststudentin, der sie ein Zimmer vermietet hat. Dazwischen aber findet sie noch Zeit, alte Familiendokumente und Briefe, die in Frakturschrift verfaßt sind, umzuschreiben, um sie ihren Kindern und Enkeln zugänglich zu machen. Außerdem kümmert sie sich um die Villa in der Nähe von Wien, die schon ihren Großeltern gehörte, pflegt den Garten, hackt Holz, bindet Rosen auf, setzt Blumenzwiebeln ein und kocht ganze Wochenenden hindurch für ihre drei Kinder und deren Kinder, die vor allem im Sommer regelmäßig zum Erholen von der Stadt aufs Land flüchten.

Den Angehörigen ein Vermögen sparen

»Wie können Sie sagen, daß Sie einsam sind?« fragte ich erstaunt. »Es gibt genügend Junge, die zurückgezogener leben und nicht so viel leisten wie Sie.« Birgit dachte nach. »Vielleicht habe ich den falschen Begriff verwendet«, meinte sie dann. »Wenn ich darüber nachdenke, ist es gar nicht Einsamkeit. Es ist vielmehr das Gefühl, nicht mehr gebraucht zu werden.« Aber die viele Arbeit, die sie leistet. Hat sie denn nicht bedacht, daß es die Familie ein Vermögen kosten würde, wenn man fremde Personen zum Kochen, Aufräumen und Krankenpflegen, von den anderen

Arbeiten gar nicht zu reden, anstellen und bezahlen müßte?

Nein, das hatte sie nicht. Sie hatte etwas anderes getan. Sie hatte ihr Leben von heute mit dem von früher verglichen, mit ihrem Leben als junge Frau, als ihr Mann ganz unverhofft an einem der letzten Tage des Zweiten Weltkrieges starb und sie allein, unversorgt und mit drei kleinen Kindern zurückließ. Damals, in dieser chaotischen Zeit, war die Familie im wahrsten Sinne des Wortes auf Leben und Tod von ihr abhängig. Es mangelte an Lebensmitteln und vor allem an Milch. Säuglinge starben zu Hunderten in Wien. Es gab fast keine öffentliche Unterstützung. Witwenpensionen und Sozialversicherungen waren nicht ausreichend. Die Verwaltung des Landes war am Auseinanderbrechen, und die Besatzungssoldaten, vor allem die erste Welle der russischen Armee, verbreiteten durch ihr ausschweifendes Leben Todesangst unter den Frauen.

Birgit war allein und nur auf sich selbst gestellt, aber sie schlug sich durch. Sie zeigte, was sie konnte. Als junges Mädchen hatte sie in einem Atelier Schneidern und Weben gelernt. Sie begann also Auftraggeber zu suchen und Kleider anzufertigen. Sie arbeitete ganze Nächte durch, anfangs auch in ungeheizten Räumen und bei kaum ausreichendem Licht. Langsam aber wurde es besser. Sie hatte sich einen Kundenkreis geschaffen. Sie schickte die Kinder auf gute Schulen. Alle drei durften studieren, was sie wollten, in einer Zeit, wohlgemerkt, in der es fast keine Stipendien gab. Und alle Kinder sind, wie es so schön heißt, etwas geworden. Eine Tochter ist Direktionsassistentin eines großen Unternehmens, die andere ist Schriftstellerin. Der Sohn leitet erfolgreich eine Anwaltskanzlei.

Verglichen mit damals, meint Birgit, sei ihre heutige Existenz nichtssagend; ein milder Abglanz, eine leichte Beschäftigungstherapie. Aber recht hat sie nicht. Man kann nicht eine Zeit des totalen Chaos, eine Krisenzeit wie das Ende eines verlorenen Krieges mit einer Epoche des allgemeinen Wohlstandes vergleichen. Niemand in ganz Österreich ist heute am Verhungern. Würden alle Eltern nur dann Lebensberechtigung empfinden, wenn sie ihre Kinder vor dem Hungertode bewahren, sie könnten sich allesamt wegen totaler Nutzlosigkeit aus dem Fenster stürzen.

Birgit Martens macht den typischen Fehler aller tüchtigen Frauen ihres Alters. Sie legt viel zu hohe Maßstäbe an sich selbst und zu geringe an die Umwelt. Ihr Hauptproblem ist ihre Bescheidenheit. Daß sie gebraucht wird, daß sie für ihre Familie eine große Hilfe ist, steht außer Zweifel. Würde sie in einer ruhigen Minute darüber nachdenken, sie würde es auch einsehen. Aber sie tut es nicht. Sie ist sich ihres Wertes nicht bewußt. Sie verschwendet keine Zeit damit, ihre Arbeit in Geld umzurechnen und die Ersparnisse zu kalkulieren, die sie ihren Angehörigen ermöglicht. Und so ist sie trotz ihrer Intelligenz beinahe ein Opfer des Altersterrors unserer Zeit geworden. Sie nimmt sich selbst nicht aus, wenn alle alten Leute in einen Topf geworfen werden, sie beginnt an erfundene Probleme zu glauben und sich mit Menschen, mit denen sie nicht das geringste gemeinsam hat, zu identifizieren. Deshalb hat sie auch das Schlagwort Alterseinsamkeit auf sich angewandt, obwohl es, wie sich nach unserem kurzen Gespräch herausstellte, nicht im mindesten auf sie zutraf.

Nicht auf das Lob der Umwelt warten

Ein kleines bißchen Lob von ihrer Familie hätte Birgit von ihren Zweifeln befreit. Kinder aber sind undankbar, und die Welt ist äußerst behäbig und muß getreten werden, ehe sie die Leistung eines Menschen anerkennt. Genau dazu aber muß man sich zwingen: zu treten. Kinder müssen oft mit der Nase auf das, was sie haben, gestoßen werden. Den Wert eines Vaters, einer Mutter, einer Großmutter erkennen sie oft erst dann, wenn sie sie verloren haben. Zu große Bescheidenheit älterer, aufopfernder Familienmitglieder hilft niemandem: Die Kinder lernen deren Wert nicht zu schätzen und die älteren Menschen verschwenden unnütze Energie mit Selbstzweifeln. Ein paar Minuten ab und zu wirken Wunder, in denen man Bilanz zieht und sich überlegt, was man alles geleistet – und, da in unserer Gesellschaft Geld fast den lieben Gott ersetzt, was die Arbeit kosten würde, wenn man Fremde dafür einstellen müßte.

Will man Hausarbeit nicht als Arbeit betrachten, so überlege man, was ein guter Gesprächspartner wert ist. Ein Mensch, der in der Lage ist, zuzuhören und auf Grund seiner Erfahrung Ratschläge zu geben. Was ein Psychiater für eine Stunde verlangt, ist bekannt. Ein weises, älteres Familienmitglied dagegen kostet nichts. Und was ist schon die Anwesenheit allein wert? Die Tatsache, daß man einen Menschen hat, dem man blind vertrauen kann, der schon bewiesen hat, was er zu leisten imstande ist, und daher neidlos, voller Wohlwollen den Erfolg anderer würdigt? Man kann ihn durch Gold nicht ersetzen.

Alte Menschen sind eine Bereicherung, und jeder vernünftige Mensch schätzt, was sie zu sagen haben. Ein bekannter Wiener Innenarchitekt, der so viele Aufträge hat, daß er nicht weiß, wo ihm der Kopf steht, nimmt sich immer Zeit für eines: sein abendliches Kartenspiel mit einer Reihe von Pensionisten in einem gemütlichen Wiener Gasthaus. »Die wissen, worum es im Leben geht«, meint er, »wenn die reden, dann halt' ich den Mund. So viel wie an einem Abend mit meinen Pensionisten lerne ich während der ganzen Woche nicht.«

Die Menschheit braucht die Erfahrung der alten Menschen; heute mehr denn je. Alle großen Kulturen haben das Alter verehrt. Und auch wir beginnen seinen Wert langsam wieder zu entdecken. Aber die Alten müssen mithelfen. Sie dürfen sich nicht bescheiden bücken. Wer sich bückt, wird getreten. Weg mit der falschen Bescheidenheit! Hätte sich Birgit Martens zurückgezogen und nicht die Initiative ergriffen, wir hätten beide etwas versäumt. Auch sie hätte sich sagen können, nun, diese Frau ist fast vierzig Jahre jünger, was habe ich ihr zu bieten? Gott sei Dank hat sie das nicht getan. Und wir haben beide dazugewonnen.

Lisa Feldner, Pianistin

Nun gut, kann man sagen, Alterseinsamkeit ist ein Mißverständnis. Zudem handeln alle angeführten Beispiele von Frauen, die Kinder hatten. Was ist, wenn man nicht geheiratet hat und keine Familie besitzt? Hat man es dann nicht viel schwerer? Nein. Ganz und gar nicht. Das Paradebeispiel dafür ist eine unschlagbare alte Dame namens Lisa Feldner. Sie war die letzte Pianistin meines Vaters – er war Kapellmeister –, und wenn sie aus ihrem Leben erzählt, so kommt man aus dem Staunen nicht mehr heraus.

Geboren wurde sie im Jahre 1896. Ihre Eltern schickten sie ins Pensionat, dort lernte sie Klavierspielen, und man wurde bald auf ihre musikalische Begabung aufmerksam. Sie durfte Musik studieren, und was tat sie, als sie fertig war? Sie wurde Mitglied einer vornehmen Damenkapelle und bereiste die Welt. Sie fuhr durch ganz Europa, aber auch durch Ägypten, Marokko und Tunesien. Sie spielte in den großen, eleganten Konzertcafés der damaligen Zeit und hatte mehr Verehrer, als ihr lieb war.

Einmal wurde sie schwach: Sie heiratete einen Musiker, aber zwei Jahre später ließ sie sich wieder scheiden. Um ihr Leben neu zu beginnen, lernte sie innerhalb kürzester Zeit ein anderes Instrument: Trompete. Sie ließ sich neu verpflichten und ging wiederum auf Tournee.

Als mein Vater eine Pianistin suchte, war sie gerade in Europa. Sie schrieb einen kurzen Brief. Es war das kürzeste Bewerbungsschreiben, das er je erhalten hatte. Auch Geburtsdatum war keines angeführt. Am Mittwoch in zehn Tagen, schrieb sie, würde sie zu uns nach Hause kommen und vorspielen. Und sie kam. Mein Vater dachte auf den ersten Blick: Nun, die Jüngste ist sie auch nicht mehr, und genau derselben Meinung waren auch wir. Sie trug einen alten, graugrünen Mantel und einen undefinierbaren Hut; was uns aber am meisten auffiel, war ihre große Nase.

Aber dann setzte sie sich ans Klavier. Und sie begann zu spielen. Mein Vater lächelte, dann kramte er Noten hervor. Sie spielte alles, was er ihr vorlegte. Was sie nicht kannte, spielte sie vom Blatt. Ein Wunder geschah: Mein Vater holte seine Geige, und die beiden musizierten zum allgemeinen Vergnügen den ganzen Nachmittag bis in den späten Abend. Er engagierte sie vom Fleck weg, und sie blieb bei ihm, bis er sechs Jahre später starb.

Hätte Lisa Feldner ein normales Bewerbungsschreiben geschickt, er hätte sie wahrscheinlich nicht einmal zum Vorspielen eingeladen. Sie war, als sie zu uns kam, bereits weit über siebzig. Aber, wie man sieht, das Alter beeinträchtigte sie nicht. Auf dem Podium und im eleganten langen Kleid machte sie eine ausgezeichnete Figur, und was ihr Können betrifft, so ist es untadelhaft. Ihr großes Plus: Sie kennt keine falsche Bescheidenheit. Lisa spielt auch heute noch und sie wird spielen, bis sie mit hundert tot vor dem Klavier zusammenbricht. Im Sommer spielt sie im Kurorchester eines oberösterreichischen Badeortes, im Winter spielt sie in einem eleganten Wiener Konzertcafé. Zwischendurch, in den wenigen Wochen, die ihr zwischen den Engagements bleiben, reist sie in der Welt umher und besucht Freunde. Wir lernten sie, wie gesagt, kennen, als sie über siebzig war. Und angeblich schließt man in späteren Jahren keine Freundschaften mehr. Stimmt alles nicht. Lisa Feldner ist eine sehr liebe Familienfreundin geworden, sie besucht uns, wir besuchen sie, und wir sind nicht die einzigen, die mit ihr in engem Kontakt stehen. Über Einsamkeit hat Lisa nicht zu klagen. Soviel ist sicher.

Und nun nochmals ein Wort zum Aussehen. Um es gleich vorwegzunehmen: Es gibt wunderschöne alte Menschen. Männer wie Frauen. Die meisten von ihnen waren auch in der Jugend schön. Viele aber haben es erst im Alter, durch die Erfahrung, das Verstehen, das sie erworben haben, und durch die Arbeit an sich selbst zur vollen Schönheit gebracht. Es sind die Haltung, das Wohlwollen, die Würde, der Ausdruck im Gesicht, die man als schön empfindet. Falten können das nicht mindern. Diese Schönheit hat auch mehr Substanz. Alte Menschen, die schön sind, hin-

terlassen deshalb einen viel größeren Eindruck als junge.
So erinnere ich mich heute noch an einen eleganten englischen Gentleman, den ich in meinem ersten Jahr in England kennenlernte. Es war Sommer, und ich fuhr wie so
oft zum Wochenende zur Großmutter meines Exmannes
nach Weymouth. Großmama hatte ein großes Haus und
vermietete verschiedene Stockwerke davon an Ferien-
gäste. Das oberste Geschoß hatte sie an besagten Herrn
und dessen Frau vermietet.
Als ich ihn zum erstenmal sah, blieb mir die Sprache weg.
Ich stand gerade am Fenster, eine Tasse Tee in der Hand,
als er – groß, schlank, stattlich – den Garten zur Straße hin
überquerte. Er hatte ein edles Gesicht, sehr weiße Haare
und war, wie mir Großmama erklärte, früher Offizier in
Indien gewesen. Als sie noch hinzufügte, daß er sechsundachtzig Jahre alt sei, fiel mir fast die Tasse aus der Hand.
Ich konnte es nicht glauben. Und der Eindruck, den er auf
mich, die knapp Fünfundzwanzigjährige, machte, war so
groß, daß ich sein Gesicht heute noch genau vor mir sehe.

Eine richtige Dame mit dreiundachtzig

Auch über Großmama selbst ist allerhand zu sagen. Als ich
sie kennenlernte, wußte ich: Aha, das ist eine richtige
Dame. Sofort erinnerte ich mich einer guten Familienfreundin, für mich hieß sie Tante Clara, die mir, als ich
sechzehn war und davon träumte, wie sie eine Frau von
Welt zu werden, sagte: »Merke: Das Wichtigste im Leben
ist, eine Dame zu werden. Das dauert seine Zeit. Aber
wenn du eine wirkliche Dame geworden bist, dann
brauchst du dich vor dem Alter nie zu fürchten. Damen

bleiben immer schön« – was sie selbst auch bis zum letzten Atemzug bewiesen hat.

Später noch mehr über sie, zuerst aber zurück zur englischen Großmama. Diese also erfüllte alle Vorstellungen einer Dame, obwohl ihr Leben schwer gewesen war und sie eine gewisse Härte erworben hatte, die nicht zu übersehen war.

Sie war ein empfindsames junges Mädchen aus gutem Hause gewesen und hatte davon geträumt, auf die Kunstakademie zu gehen. Sie wollte Malerin werden und bekam, als sie den Mann, der ihrer Familie genehm war, heiratete, eine angemessene Mitgift. Anfangs malte sie auch. Aber nicht lange. Sie stellte nämlich fest, daß ihr Mann das gemeinsame Vermögen durch Nachlässigkeit und Untalent verschwendete. Sie begann sich also auf die Füße zu stellen, und es gelang ihr mit knapper Not, zwei der Häuser, die sie in die Ehe gebracht hatte, zu retten.

Als ich Großmama kennenlernte, war sie dreiundachtzig Jahre alt. Sie war nicht gerade die Liebenswürdigkeit in Person, aber sie flößte Respekt ein. Die Familie akzeptierte sie als stärkstes Mitglied des ganzen Clans, und jeder nahm sie ernst. Sie lebte allein in einem ihrer beiden Häuser, die sie selbst verwaltete, und dachte nicht im Traum daran, in ein Heim für ältere Leute zu ziehen.

Sie genoß ihre Wohnung und ihren Garten; sie malte, wenn sie Lust hatte; sie kochte jeden Tag, es machte ihr Spaß, wochentags buk sie ihr eigenes Brot und sonntags ausgezeichnete kleine Kuchen, die sie »rock-cakes« nannte, aus ungebleichtem Mehl, mit vielen Rosinen. Sie nahm keinerlei Medikamente, nur auf eines schwor sie, auf eine Art Vitamin-B-Präparat namens Brewer's Yeast. Das schluckte sie täglich. »Mein liebes Kind«, sagte sie zu mir, »du mußt dir eines merken: Langes Leben ist kein Geheimnis. Du kannst alles, aber auch alles tun, nur mußt du es mit Charme tun und mit Mäßigung.«

Als ich Großmama zum erstenmal erblickte, saß sie in einem eleganten Lehnstuhl im Hause meiner Schwiegermutter, die weißen Haare hübsch frisiert, etwas Rouge auf den Wangen, die Lippen zart gerötet. Sie war der beste Beweis dafür, daß alten Damen nichts, aber auch gar nichts besser steht als ein klein wenig Farbe im Gesicht. In Frankreich hat man längst erkannt, daß dezent gerötete Wangen zu weißem Haar einen idealen Kontrast bilden. Und wenn man wie Großmama mit dreiundachtzig einen schönen Mund hat, warum soll man ihn nicht betonen?

Die Überlegung: Jetzt bin ich alt, also darf ich mich nicht mehr verschönern, ist blanker Unsinn. Alt oder jung, man ist ein und dieselbe Person. Ich sah Photos von Großmama als junges Mädchen. Die hohe Stirn, die großen, klaren Augen sind dieselben geblieben. Warum hätte sie aufhören sollen, sich zu pflegen?

Madame Bralé aus Frankreich

Gepflegte, alte Damen, die so schön sind, daß man sich auf der Straße nach ihnen umdreht, findet man sehr oft in Italien und in Frankreich. Während meines ersten Jahres in Paris machte ich auch gleich mit einer von ihnen Bekanntschaft. Die Familie eines Arztes hatte mich eingeladen, gemeinsam zwei Wochen auf dem Land zu verbringen, in einem schönen, alten, aus grauem Stein gebauten Haus in der Bretagne.

Das Haus gehörte der Großmama. Sie war in jenem Som-

mer gerade achtzig geworden. Sie besaß einen Langhaar-
dackel, unerschöpflichen Humor und Energie und war einer der liebenswürdigsten Menschen, die mir je begegnet
sind. Obwohl gleichaltrige Töchter im Hause waren, verbrachte ich meine Zeit am liebsten mit ihr. Sie war eine interessante Persönlichkeit. Nicht schön im klassischen
Sinn, auch etwas zu mollig, da sie gutes Essen liebte, aber
sie hatte eine solche Ausstrahlung und einen gewissen
Schwung in ihren Bewegungen, daß sie auch im größten
Menschengewühl auf der Straße Aufsehen erregte.
Mit Madame Bralé verbrachte ich herrliche Tage. Das
Wetter war strahlend schön, und am Vormittag saßen wir
zusammen im Garten unter einem riesigen Lindenbaum,
schälten Erbsen oder Bohnen, während ein Mädchen aus
dem Dorf die unangenehmeren Arbeiten, wie Zwiebel-
schneiden oder Kartoffelschälen, verrichtete. Der Hund
lag zu unseren Füßen, die Bienen summten, und wir führten stundenlange Gespräche über Frankreich während des
Krieges, über ihre Jugend, ihre glückliche Ehe, über das
Leben Chopins und Mozarts (Madame Bralé spielte ausgezeichnet Klavier) und darüber, ob die französischen
Konzertflügel der Firma Gaveau mit den österreichischen
Bösendorfern Schritt halten können.
Madame Bralés Philosophie war einfach. Das Leben war
für sie schön. Sie war eine große Optimistin und brachte
es fertig, bei allem die positive Seite zu sehen. Sie hatte ihren Mann sehr geliebt, und anstatt sich zu beklagen, daß
sie schon vor sieben Jahren Witwe geworden war, freute
sie sich darüber, daß ihr dreißig glückliche Ehejahre ver-
gönnt gewesen waren. »Suzanne«, sagte sie zu mir, »Sie
müssen heiraten. Ich war dreißig Jahre lang verheiratet
und dreißig Jahre lang glücklich.« Sie schien es auch tat-

sächlich gewesen zu sein, denn von Bitterkeit war in ihrem ganzen Wesen kein Hauch zu spüren.

Was Madame auch tat, das nahm sie ernst, ihr Mittagsmahl ebenso wie ihre tägliche Körperpflege. Jeden Tag nach dem Essen und dem Kaffee, ungefähr um halb drei Uhr nachmittags, stieg sie regelmäßig mit einer Kanne heißen Wassers in ihr Schlafzimmer (das Haus besaß keine Wasserleitung, nur eine Zisterne im Hof). Wenn sie sich der Treppe, die zum ersten Stock führte, näherte, verkündete sie uns allen: »Mes enfants, je monte pour faire ma toilette«, was soviel heißt wie: »Kinder, ich geh' nach oben, um Toilette zu machen.«

Wenn sie dann um fünf Uhr wieder sichtbar wurde, trug sie ein schönes Kleid, hatte etwas Rouge und Lippenstift benutzt, irgendein dazupassendes Seidentuch, hatte ein Buch oder Klaviernoten unterm Arm und den Hund auf den Fersen. Sie bot, man kann es nicht anders beschreiben, einen erfreulichen Anblick. Sie strömte Wohlwollen aus und das Gefühl, daß die Welt in Ordnung sei. Und auch wenn man ganz genau weiß, sie ist es nicht, so ist es doch ein wahrer Segen, mit der Illusion der heilen Welt ab und zu eine geruhsame Stunde zu verbringen.

Eine Dame bleibt immer schön

Sich zu pflegen, sich für Kleider zu interessieren, ist nicht das Vorrecht der Jugend. Wer eine gute Figur hat und sich gerne hübsch anzieht, der soll tragen, was ihm gefällt. Den bösen Vorwurf: »Du kleidest dich zu jugendlich«, mit dem ganze Generationen von Frauen einander die Hölle heiß gemacht haben, hört man heutzutage kaum mehr.

Gemeint war auch etwas ganz anderes damit, nämlich: »Du siehst viel zu jung aus und wagst es auch noch, es zu betonen.« Heute gilt nur eines: der eigene Geschmack. Niemand wird mehr gezwungen, sich alt herzurichten, wie es im 19. Jahrhundert der Fall war. Wer sportlich ist, kann auch mit achtzig Blue jeans und einen einfachen Pullover tragen und wird im Badeanzug eine gute Figur machen. Wer elegant ist, hat keinen Grund, im Alter weniger Aufwand zu treiben als in der Jugend. Und das bringt uns zurück zu Tante Clara.

Tante Clara war der Inbegriff der eleganten Wienerin. Sie war stattlich, blond, vollbusig und lebenslustig. Wenn sie verreiste, so geschah dies auch noch im hohen Alter mit vier Hutschachteln. Sie ist leider gestorben – mit neunundachtzig. Aber bis zuletzt hat sie nichts von ihrer Faszination verloren. Tante Clara fuhr zeit ihres Lebens regelmäßig zur Sommerfrische aufs Land, und zwar ins Dorf meiner Großmutter. Vor ihrer Ankunft gab es jedesmal große Aufregung. Zimmer wurden gelüftet, Betten überzogen, Blumensträuße gepflückt, Teppiche geklopft. Und dann erschien sie – im Reisekleid mit Seidenschal, wunderbar duftend, im Gefolge etliche Schweinslederkoffer und besagte vier Hutschachteln, die für mich die große Welt schlechthin symbolisierten.

Sie wohnte im schönsten Haus des Dorfes. Es lag gleich neben der Kirche und war als Sommersitz der Bischöfe von Passau erbaut worden. Ihre Wohnung bestand aus drei Zimmern, mit dunklen, schweren Möbeln und schönen Teppichen eingerichtet und mit einem Glasschrank, in dem sich die faszinierendsten Dinge befanden, darunter ein kristallenes Riechfläschchen und ein Behälter für Rosenöl.

Jeden Nachmittag hatte sie Besuchsstunde, und ich stand mit Herzklopfen vor der hohen, schweren, glänzenden Eichentür und wartete nach meinem schüchternen Klopfen auf das herrische: »Herrrein!« Ich hätte mich am liebsten stundenlang in ihrer Nähe aufgehalten, so groß war die Anziehungskraft dieser alten Dame auf mich, das halbe Kind. Und niemandem wäre auch nur im Traum eingefallen, sich über ihre Kleider, Schals, Hüte und kostbaren Parfüms lustig zu machen.

Altwerden ist schön. Und es ist auch eine Gnade. Wer es richtig betreibt, der hat nichts zu fürchten. Also: keine falsche Bescheidenheit, kein Resignieren, Haltung bewahren, zeigen, aus welchem Holz man geschnitzt ist. Das Leben ist so vielfältig, es gibt so viel zu tun. Altwerden mit Stil, Mut und Humor, das ist das Rezept. Vorbilder sind genügend da. Und es gibt keinen Grund in der Welt, warum man es selbst nicht auch schaffen könnte.

7. Die junge Rivalin: nicht zu beneiden, sondern zu bemitleiden

Jede Frau kennt zumindest die abstrakte Angst vor der jüngeren Rivalin, die den Mann betört, ihn von der Gleichaltrigen weglockt, um bis an ihr Lebensende ein verwöhntes, verzärteltes Dasein zu führen. Und das alles nur, weil sie jünger ist.

Nichts aber liegt ferner der Wahrheit. Junge Frauen, die von älteren Anbetern mit Liebe und Geschenken über-schüttet werden, existieren meist nur in der Phantasie der betrogenen Ehefrau. Außerdem muß gleich am Anfang festgehalten werden: Nicht das Jüngersein, sondern das Anderssein ist die Gefahr. Der Reiz des Neuen kann eine Verbindung gefährden, nicht die Falten im Gesicht.

Ein Mann, der zur Untreue neigt, der chronisch Ab-wechslung braucht, langweilt sich mit jüngeren Frauen viel schneller als mit älteren. Ein bekannter Wiener Lebe-mann beweist das immer wieder. Er ist Stammgast in ei-nem Künstlercafé, wo er mit Vorliebe seine neuesten Er-oberungen vorzeigt. Meist handelt es sich dabei um junge amerikanische Studentinnen, die in schöner Regelmäßig-keit alle drei bis vier Wochen wechseln. Die einzige längere Beziehung, die das Kaffeehauspublikum mitbekam, hatte er mit einer gleichaltrigen Frau: Sie hielt sich zum allge-meinen Erstaunen zehn Monate lang.

Es ist immer wieder erstaunlich festzustellen, wie viele Frauen sich vor jeder jüngeren Geschlechtsgenossin fürchten. Dabei ist dies purer Unsinn. Es ist auch Zeitverschwendung. Ebensogut könnte man ständig davor zittern, von den Pocken befallen zu werden. Der Großteil der Frauen kommt nie in die Situation, ernsthaft von einer jungen Rivalin bedroht zu werden. Die Angst, die sich bei den meisten dennoch breitmacht, ist theoretisch. Sie wird durch Gespräche, dumme Bemerkungen, überholte Witze und abgedroschene Redewendungen aufrechterhalten. Da der Mensch ein ängstliches Wesen ist, das Gründe, um sich zu fürchten, gierig aufsaugt, verankert sich diese Angst in der Phantasie und nimmt dort immense Proportionen an. Warum? Weil es an Vergleichsmöglichkeiten im wirklichen Leben fehlt.

Im allgemeinen besteht die Regel, daß eine gute Ehe oder Lebensgemeinschaft durch eine jüngere Frau nicht gefährdet werden kann. Männer sind besser, als sie schlechte Journalisten in zweitklassigen Illustrierten beschreiben. Und wie viele Playboys und Lebemänner gibt es? Man kann ihre Zahl an den Fingern der beiden Hände abzählen. Und diese wenigen sind für den Durchschnittsmann ebensowenig maßgebend wie Exkaiserin Soraya für die Durchschnittsfrau.

Wenn es trotzdem vorkommt, daß Männer ihre Frauen verlassen und zu einer anderen ziehen, so ist im seltensten Fall die Jugend der anderen der maßgebende Grund dafür. Ausschlaggebend ist, ob die Ehe noch erträglich war oder nicht. Frauen müssen endlich aufhören, sich selbst etwas vorzumachen. Funktioniert eine Verbindung nicht mehr, so ist es höchste Zeit, etwas zu unternehmen. Ob man sich nun weiterbildet, sich ins Berufsleben stürzt, sich trennt oder intensiv an der Beziehung zu arbeiten beginnt, weil man fühlt, daß doch noch etwas zu retten ist, bleibt gleichgültig. Wichtig ist nur, daß etwas geschieht. Tut man nichts, dann gibt man anderen Frauen eine Chance – auch jüngeren.

Ein Klischee, das die Bedeutung verloren hat

Viel ist bereits über »die andere« geschrieben worden, so viel, daß man sie schon als festgefügtes Klischee vor Augen hat. Leider. Denn was in der Phantasie floriert, hält sich länger, als einem lieb ist. In den fünfziger Jahren jedenfalls war »die andere« dümmlich, weiblich, sanft, erotisch, anschmiegsam und jung. In letzter Zeit ist sie zur Studentin avanciert, forsch, sexuell experimentierfreudig, nicht mehr kindlich-jung, aber immer mit locker schwingendem Haar, begeisterungsfähig, bewunderungshungrig und über Leichen gehend, wenn sie es auf einen Ehemann abgesehen hat.

Ob es sich nun um oberflächliche Filme, schlechte Romane, billige Illustriertenstorys oder mittelmäßige TV-Programme handelte, immer war die Ehefrau im Nachteil und betrogen, die junge Rivalin aber stark und siegessicher. Immer wurde die Geschichte von der Seite der Ehefrau präsentiert. Über das, was sich nach dem Sieg der Rivalin zwischen dieser und dem Mann abspielt, erfuhr man nichts.

Und das hat seinen Grund. Hätten sich nämlich die Drehbuchautoren, Schriftsteller und Journalisten mit diesem Aspekt befaßt und zu recherchieren begonnen, es wäre das Ende ihrer Klischeefrau gewesen. Das, was nach dem Sieg kommt, ist gänzlich anders, als man denkt. Die verlassene Ehefrau braucht nicht zu verzweifeln. Weder der Mann noch die junge Rivalin schweben im Glück. Der Freundin geht es mit Sicherheit schlechter als ihr selbst. Aller Wahrscheinlichkeit nach kommt es – wenn sie nicht darauf besteht – nicht zur Scheidung. Die Nebenbuhlerin wird ihre Zeit verschwenden und ihre ersten schweren seelischen Schäden einheimsen. Sie wird wohl in Zukunft verheiratete Männer meiden wie die Pest und mindestens zwei Jahre brauchen, um sich von diesem Experiment zu erholen. Der Mann dagegen wird reumütig zurückkehren und je nach Temperament nie mehr oder zumindest nicht in nächster Zukunft rückfällig werden.

Um die unbegründete Angst vor der jungen Rivalin und den Haß auf sie abzubauen, braucht man nur die Augen offenzuhalten und zu beobachten, was rundherum geschieht. Man wird lange suchen müssen, bis man eine wirklich glückliche Zweitfrau findet. Ich selbst habe mich fünf Jahre lang in der Situation der jungen Geliebten befunden. Ich möchte diese Zeit nie mehr mitmachen müssen, und ich habe sie ohne Übertreibung nur mit knapper Not überlebt. Nüchtern betrachtet gibt es für die Nebenbuhlerin außer einer winzigen Chance kaum die Möglichkeit eines glücklichen Ausganges. Sie befindet sich in einer scheußlichen Situation, und ihr größtes Handicap ist genau das, was die Ehefrau am meisten fürchtet: ihre Jugend.

Wer jung ist, wird übervorteilt

Eine junge Frau, die sich ernsthaft in einen älteren verheirateten Mann verliebt, befindet sich aller Vorurteile zum

Trotz in einer äußerst schwachen Position. Da ihr die Erfahrung fehlt, glaubt sie ihm, wenn er sagt, er meine es ernst. Da sie den Mann, der ihr an Reife, Wissen, Position und Finanzkraft fast immer überlegen ist, meist auch rückhaltlos bewundert, dauert es unendlich lange, bis sie imstande ist, sich einzugestehen, daß er sie belügt und von Anfang an belogen hat.

Kein Mann sagt einer jungen Frau: »Ich bin relativ gut verheiratet, meine Frau gibt mir die nötige Kraft und Sicherheit, die ich für meine Karriere brauche. Alles, was ich will, ist ein bißchen Abwechslung.« Im Gegenteil. Er erzählt ihr die uralte Geschichte, daß er unglücklich und unverstanden ist, daß er aus diesem Grunde zuviel raucht und zuviel trinkt und deshalb seine Gesundheit gefährdet; daß er aber verfolgt, wie er in ihrer Gesellschaft kaum eine Zigarette anrührt und keinen Tropfen trinkt; daß er also ihre Hilfe braucht.

Eine erfahrene Frau weiß spätestens nach dem zweiten Satz, woran sie ist, und läßt die Finger von ihm. Eine junge Frau aber, eine, deren Ideale noch intakt sind, glaubt jedes Wort und sieht eine edle Aufgabe auf sich zukommen. Natürlich ist sie bereit zu helfen. Natürlich will sie dem geliebten Mann das Leben verschönern. Sie ist stolz, daß gerade sie dazu auserwählt wurde. Daß sie ein Opfer par excellence ist, begreift sie erst sehr viel später.

Und dies ist einer der Hauptgründe, weshalb Männer, die Abenteuer suchen, bei viel jüngeren Frauen landen. Nicht, weil sie Gleichaltrige weniger begehrenswert finden, sondern weil sich junge Frauen leichter an der Nase herumführen lassen, weil sie immer noch hoffen und ausharren, wenn die Erfahrene längst das Weite gesucht hat, weil sie so leicht zu beschwichtigen sind und so furchtbar lange brauchen, um die Aussichtslosigkeit einer Situation zu erkennen.

Der zweite Grund, weshalb Männer auf jüngere Frauen zurückgreifen, ist körperlicher Natur. Männer, die sexuell nicht viel zu geben in der Lage sind, suchen oft jüngere Frauen, weil diese auf dem Gebiet anspruchsloser sind. Einer jungen, sexuell noch nicht gereiften Frau geht es in erster Linie um das Zusammensein und um Zärtlichkeit. Es gefällt ihr oft auch ungemein, in teure Restaurants, die sie sich selbst nicht leisten kann, ausgeführt zu werden. Sie ist überwältigt von der vermeintlichen Verbesserung ihrer Lage und betrachtet jedes Glas Sekt in einer teuren Bar als Liebesbeweis. Daß sich im Bett nichts Besonderes abspielt, ist für sie nicht so wichtig.

Und der Mann? Er gewinnt an allen Fronten. In Stammtischkreisen hat sich immer noch der Mythos erhalten, daß eine Frau um so gieriger nach körperlicher Befriedigung verlangt, je jünger sie ist. Der Mann wird also, obwohl es bedeutend schwieriger ist, eine Vierzigjährige zufriedenzustellen als eine Zwanzigjährige, als »toller Bursche« bezeichnet. Er wird beneidet, weil er es »mit so einer jungen Frau aufnimmt«. Und er hat zwei Fliegen auf einen Schlag getroffen: geringen Leistungsaufwand auf der einen Seite und den Ruf eines Potenzgenies auf der anderen.

Halt den Mund und bewundere!

Weitere Gründe, weshalb Männer zumindest eine Zeitlang jüngere Frauen bevorzugen, sind, daß sich diese domestizieren lassen, daß sie manipulierbar sind, keine zu hohen Ansprüche stellen, zumindest am Anfang der Beziehung jugendlichen Optimismus und gute Laune ausstrahlen und vor allem unermüdlich im Zuhören sind.

Jeder Mann liebt Publikum. Fast jeder hört sich gerne reden. Und die junge Freundin hört zu. Was der Ehefrau schon zum Halse heraushängt, fasziniert die junge Frau noch, in erster Linie Berichte über berufliche Erfolge. Unsicher sind fast alle Männer, selbst die, die es geschafft haben. Bewunderung braucht jeder, egal von wem sie kommt. Und junge Frauen sind Meister dieser Kunst.

Auch die Suche nach der verlorenen Jugend spielt eine Rolle in der Beziehung älterer Mann – junge Frau. Aber sie ist ein zweischneidiges Schwert, und fast alle Männer werden darin enttäuscht. Darüber jedoch später mehr. Zuerst noch ein paar Worte über das Selbstbewußtsein. Je weniger Selbstbewußtsein ein Mann hat, um so größer ist die Wahrscheinlichkeit, daß er sich – brutal ausgedrückt – eine Nebenfrau leistet und damit den Grundstein legt für dreifaches Unglück: sein eigenes, das seiner Frau und das seiner Freundin.

Männer, die unsicher sind, die alles haben wollen und sich nie entscheiden können, sehen auch nicht ein, weshalb man aus Liebe etwas aufgeben soll, weshalb man um einer neuen Beziehung willen eine alte abbrechen müßte, weshalb man überhaupt etwas hergeben soll. Und hier beginnt das Problem. Wenn sich dieser Männertyp zwei Frauen leisten kann, so wird er dies auch tun und, solange es geht, beide behalten wollen. Freiwillig wird er keine gehen lassen. Erst wenn er Gefahr läuft, beide zu verlieren, wird er sich für eine entscheiden. In neunundneunzig Fällen von hundert entscheidet er sich für die Ehefrau.

Die junge Rivalin, die es geschafft hat, einen verheirateten Mann von zu Hause wegzulocken oder anders ausgedrückt: die junge Frau, die sich von einem verheirateten Mann einfangen ließ, ist ein bemitleidenswertes Geschöpf. Sie hat meist keine Ahnung von dem, was ihr bevorsteht. Sie glaubt, bereits gewonnen zu haben, denn die Kämpfe, die dieser Entscheidung vorangingen, waren so hart, daß sie schon aus reinem Selbstschutz heraus annehmen muß, das Ärgste hinter sich zu haben.

Dennoch bedeutet die Tatsache, daß der Mann daheim ausgezogen ist, nichts Endgültiges. Die eigentlichen Kämpfe beginnen erst jetzt. Der Streit um die Kinder, um Geld, um Zeit, um Aufmerksamkeit und um Vorrechte kostet allen Beteiligten sehr viel Substanz. Und oft ist alles vergebens. Bis zur Scheidung ist noch ein weiter Weg; die meisten Männer gehen ihn nie.

Die letzten Jahre, die ich in Paris verbrachte, lebte ich mit einem Amerikaner zusammen. Er war zwölf Jahre älter als ich, seit siebzehn Jahren verheiratet und hatte zwei halbwüchsige Kinder. Die Auswirkungen dieses Verhältnisses auf meine Gesundheit kann man im Kapitel »Schönheit hängt nicht vom Alter ab« nachlesen. Aber hier geht es um Grundsätzlicheres.

Wir lebten also in Paris, und da sich gleich und gleich gern gesellt, bestand unser Freundeskreis hauptsächlich aus verheirateten Männern über vierzig in guter Position, die mit jüngeren Frauen von fünfundzwanzig aufwärts zusammenlebten.

Um es gleich vorwegzunehmen, von sämtlichen Paaren ist heute nur noch ein einziges zusammen. Alle anderen haben sich getrennt oder sind im Begriff auseinanderzugehen. Manche waren jahrelang zusammen. Aus einer Verbindung stammen sogar zwei Kinder. Aber eines merkte ich sofort: Das Klischee der verwöhnten, verzärtelten jungen Rivalin traf auf keine einzige meiner Bekannten zu. Im Gegenteil. Sie alle fühlten sich benachteiligt, kämpften um Liebe und Anerkennung, litten darunter, nur Nummer zwei zu sein, unternahmen in regelmäßigen Abständen Befreiungsversuche und konnten sich nicht daran gewöhnen, daß die Wochenenden sowie ein Teil des Urlaubes der Ehefrau und den Kindern gehörten. Alle fühlten sich betrogen, und ich wage zu behaupten, daß ein Eingeweihter eine junge Frau, die einen älteren verheirateten Mann liebt, von weitem zu erkennen vermag. Der gewisse leidende Blick, der in unbeobachteten Momenten zutage tritt, verrät Bände.

Mehr Geld für die Frau, weniger für die Rivalin

Die Männer, von denen hier die Rede ist, sind beruflich stark, aber privat schwach und unfähig, sich zu Entscheidungen durchzuringen. Es handelt sich um sogenannte B-P-P-Männer, denn in den Adreßbüchern ihrer Geschäftspartner, Freunde und Bekannten stehen neben ihrem Namen drei Telephonnummern: Büro-Privat-Privat. Unter der ersten Privatnummer erreicht man die offizielle Wohnung, in der Frau und Kinder leben, unter der zweiten die bedeutend weniger luxuriöse Behausung für ihn und die junge Geliebte. Die Familienwohnung wird gewöhnlich vom Gehalt, die Rivalinnenbehausung vom Spesenkonto finanziert. Und dies bringt uns bereits zum ersten großen Problem, das die Chancen der Freundin, die Rivalinnenzeit zu überwinden und zur rechtmäßigen Frau zu werden, ganz entscheidend beeinträchtigt – nämlich das Geld.

Geld ist im Ausweichhaushalt fast nie vorhanden. Erstens hat ein Mann mit zwei Frauen mehr Ausgaben als mit einer, zweitens mißtraut er seiner jüngeren Partnerin im Grunde seines Herzens. Die Hingabe, mit der sie anfangs den Schilderungen seiner beruflichen Erfolge gelauscht hat, die Bewunderung, die ihn zu Beginn so entzückte, kehrt sich meist ins Gegenteil um. Die Freundin wird dem Mann suspekt. Was will sie wirklich? Erhofft sie sich finanzielle Vorteile? Ist sie etwa nur deshalb mit ihm zusammen, weil sie ihn auszunützen gedenkt? Wenn sie ihn wirklich liebt, so soll sie dies beweisen. Am besten durch Anspruchslosigkeit und Dankbarkeit, daß er so viele Unannehmlichkeiten auf sich nimmt und so viel kostbare Zeit, die er seiner Familie raubt, mit ihr verbringt.

Die verlassene Ehefrau, deren Budget oft gekürzt wurde, um die Extravaganz der neuen Beziehung zu finanzieren, ist jedoch überzeugt davon, daß ihre Rivalin im Luxus lebt. Wohin geht das Geld, wenn nicht an die andere? Ein erbitterter Kampf um Bankkonten, Versicherungsprämien und Haushaltsgeld entbrennt. Die Frau glaubt, die einzige Leidtragende zu sein. Sie erstickt im Selbstmitleid und verliert dadurch viel zu viel Energie. Würde sie die Situation durchschauen und hätte sie trotz der mißlichen Lage noch Sinn für Humor, so würde sie etwas anderes empfinden, nämlich Schadenfreude.

Denn der Mann befindet sich in einer problematischen Stellung. Er, der seiner jungen Freundin gegenüber mit seiner Position und seinem Geld geprahlt hat, muß nun Einschränkungen verlangen. Und da er im tiefsten Innern nicht sicher ist, wie lange die Beziehung halten wird, versucht er, so billig wie möglich davonzukommen. Er spart, wo er kann, in erster Linie an der Miete. Dies wiederum kommt der Ehefrau zugute. Der Mann sehnt sich um so mehr nach seiner vertrauten, meist luxuriösen Umgebung, je unansehnlicher das Quartier ist, das er für sich und seine Freundin unterhält.

Als ich nach Paris kam und in den bereits beschriebenen Kreis hineingezogen wurde, merkte ich bald, daß die B-P-P-Männer gewissen Moderichtungen folgten. So galt es als schick, die Familie in einer eleganten Wohnung in der besten Wohngegend zu haben und mit der Freundin ein kleines Appartement im Studentenviertel zu bewohnen. Ebenso schick war es, die Besitzer gewisser Nachtlokale und die Vornamen gewisser Bardamen zu kennen, aber das nur nebenbei.

Leidet die verlassene Ehefrau unter Neidgefühlen und Eifersucht, so vergißt man nur zu leicht, was die junge Rivalin empfindet. Sie spürt instinktiv, daß sich der Mann in einer derart beschränkten Umgebung nicht wohlfühlen kann. Sie weiß zwar, daß er sich in seiner Rolle als Bohemien ganz gut gefällt, denn erstens gibt sie ihm die Illusion der Jugend und zweitens die Berechtigung zu sagen: »Schaut her, so bescheiden wohne ich, jeder kann sehen, daß ich meiner Familie nichts wegnehme.« Sie weiß aber auch, daß dies nicht lange anhalten wird. Ein Mann, der gewohnt ist, nach Büroschluß in eine Fünfzimmerwohnung heimzukommen, ein Bad zu nehmen und auszuspannen, gibt sich auf die Dauer nicht mit einer Dusche in einer Ecke der Küche zufrieden. Die Ehefrau hat meist keine Ahnung, welchen Konkurrenzkampf die junge Rivalin mit ihr und dem sie umgebenden vermeintlichen Luxus – der größeren Wohnung, dem Auto, dem Tennisclub, dem sie vielleicht angehört – führt.

Die Freundin eines Bekannten, sie war Deutsche, er Eng-

länder, begann eigenhändig eine Zementwand aufzubauen, die sie auch noch in mühevoller Arbeit tapezierte,
um das Vorzimmer ihres Appartements von der Küche zu
trennen. Ziel: die Illusion einer richtigen Wohnung.
Nichts konnte sie davon abhalten, seit sie die Zimmer-
flucht der Ehefrau zu Gesicht bekommen hatte, als diese
in Skiurlaub gefahren war.

Die Feindseligkeit, mit der ihr Freund, den sie vergötterte,
auf ihre Mühe reagierte, und seine Bemerkungen wie:
»Um jeden Pfennig, den du hier hineinsteckst, ist es
schade«, hätten ihr klarmachen müssen, wie es um ihre
Beziehung wirklich stand. Aber sie war zu jung und unerfahren und glaubte ihm, wenn er ab und zu verkündete:
»Mein Zuhause ist hier bei dir, und hier fühle ich mich
wohl.«

Lästige Verpflichtungen ruinieren die Liebe

Den ersten Streit zwischen verheiratetem Mann und
Freundin gibt es meist aus finanziellen Gründen; so etwa,
wenn ihr der Mann nicht genug Wirtschaftsgeld gibt. Die
idyllische Liebe, die sich die junge Frau und natürlich auch
der Mann erhofft haben, wird nun von Profanitäten erstickt. Ein Beispiel: das Wäscheproblem.

Es gibt zwar verheiratete Männer, die sich nicht scheuen,
der Frau, die sie verlassen haben, die Schmutzwäsche zu
schicken (und Frauen, die dumm genug sind, sie zu waschen), meist aber sieht sich die junge Rivalin bald mit der
Instandhaltung von Hemden, Unterhosen und Anzügen
konfrontiert. Und nun beginnt das Problem. In der kleinen Wohnung selbst zu waschen und alles vollzuhängen,

ist unmöglich und würde zu sehr nach Armut riechen. Die Wäsche außer Haus zu geben, ist aber teuer und verschlingt einen Teil des Haushaltsbudgets. Während die Ehefrau also um Geld für ihre Autoreparatur kämpft oder darum, daß sie die Kinder während der Ferien in ein Sommerlager schicken kann, rauft sich die junge Rivalin um Kleingeld für Butter, Fleisch und Milch.

Kein Mann gibt gerne Wirtschaftsgeld. Und die Unlust steigert sich dementsprechend, wenn nun statt einer zwei Frauen die Hand aufhalten. Aber auch hier hat es die Ehefrau in der Regel besser. Sie erhält ihren angestammten Scheck, während die Rivalin oft nur mit Barbeträgen, die der Mann gerade in der Tasche hat, abgefertigt wird. Und wenn sie noch so sparsam damit umgeht, ist sein Erstaunen ebenso groß wie sein Mißtrauen, wenn kein Geld mehr vorhanden ist.

Die Rivalin kann lange um eine regelmäßige Summe bitten. Sie wird ihr fast immer verweigert, da dies einer weiteren lästigen Verpflichtung gleichkäme. Verpflichtungen aber hat der Mann bereits genug seitens Ehefrau und Kindern. Was er mit der Freundin anstrebte, war eine leichte und sorgenfreie Beziehung. Je ähnlicher sie einer Ehe wird, desto unwohler fühlt er sich in seiner Haut.

In meinem Fall nahm das Geldproblem bizarre Formen an. Es gab ständig Streit um Kleinigkeiten. Mein verheirateter Freund bestand auf gutem Essen, verlangte jedoch, daß ich die Lebensmittel nicht in einem Delikatessengeschäft, sondern im Supermarkt kaufte. Nun besteht aber ein gewaltiger Qualitätsunterschied zwischen einem Monoprix-Supermarkt und einer Charcuterie, in der man frische, hausgemachte Pasteten und andere Delikatessen bekommt, auf die sein Gaumen eingestellt war. Ich war also auf jeden Fall die Verliererin: Entweder schmeckte das Essen nicht, oder es gab Streit, weil ich um fünf Franc mehr ausgegeben hatte, als ihm recht war.

Sogar über Fahrgelder stritten wir. Ich mußte jeden Tag in die Nationalbibliothek, um an meiner Dissertation zu arbeiten. Man konnte die Metro nehmen oder den Autobus. Die Busfahrt dorthin war schön, am Luxembourg-Garten entlang, über zwei Seinebrücken, vorbei an Notre Dame und dann nach dem Louvre das letzte Stück zu Fuß durch den wunderschönen Garten des Palais Royal. Wenn schönes Wetter war, leistete ich mir eine Autobusfahrt. Obwohl die Kosten minimal waren, wurden auch sie zum Streitpunkt: Die Metro war um die Hälfte billiger.

Alle aus jenem Bekanntenkreis, die sich in derselben Situation wie ich befanden, hatten Geldprobleme. Die meisten arbeiteten, manche zwar nur halbtags, aber es gab keine, die nichts tat und sich, wie es so schön heißt, aushalten ließ. Alle steckten das verdiente Geld in den Haushalt. Auch ich versuchte, wo es nur ging, etwas zu verdienen. Ich schrieb nebenbei Artikel, machte Übersetzungen und trotzdem hatte ich immer das Gefühl, ein Parasit zu sein. Streitigkeiten um Geld aber töten eine idyllische Liebe schneller als lange Trennungen. Um so mehr, wenn die Rivalin auch noch merkt, daß sie nicht ernstgenommen wird und daß die gesamte Verantwortung, deren der Mann fähig ist, der Frau und den Kindern zukommt. »Auch wenn du noch so lange studierst«, bekam ich ununterbrochen zu hören, »so werde ich doch immer mehr Geld verdienen als du.« Und dann folgte eine Aufzählung der Gelder, der Aktien und Pfandbriefe, der Versicherungen und Bausparverträge, die seinen Kindern und seiner Frau eine gesi-

cherte Zukunft bieten würden. Wagte man, den Mund aufzumachen und zu fragen: »Und wie stellst du dir meine
Zukunft vor?« so erntete man verblüfftes Schweigen. Die
Zukunft ist meist mehr, als der Mann verkraften kann, be-
wältigt er doch die Gegenwart nur mit größter Mühe. Was
er wirklich denkt, ist: Ach, sie ist jung und hübsch, außerdem ist sie schuld an meinem ganzen familiären Durchein-
ander. Sie wird sich schon durchschlagen, falls ich ihrer
überdrüssig werden sollte.

Zuviel Vergleiche, zuwenig Zärtlichkeit

Das zweitgrößte Problem, unter dem die junge Rivalin zu
leiden hat – und das kommt für die verlassene Ehefrau als
größte Überraschung – ist der Mangel an Liebe und Zärtlichkeit. Junge Menschen sind im allgemeinen zärtlicher
als alte, und Frauen brauchen mehr Zärtlichkeit als Männer. Die junge Frau ist also mit ihrem älteren Geliebten,
der noch dazu unter Schuldgefühlen seiner Frau und seinen Kindern gegenüber leidet, nicht zu beneiden.
Der Abnützungsprozeß in der Nebenbeziehung schreitet
viel schneller voran als in der Ehe. Da der Mann ununterbrochen zwischen Ehefrau und Freundin Vergleiche zieht
und bewußt oder unbewußt Gründe sucht, die es ihm er-
möglichen, die Freundin zu verlassen, wird ihr jede Kleinigkeit übelgenommen. Jedes Versagen wird mit Gereizt-
heit bestraft. Kaum macht sie auch nur den minimalsten
Fehler, so denkt er: Mein Gott, ich habe einen schlechten
Tausch gemacht.
Wenn ich jetzt Bilanz ziehe und die fünf Jahre, die ich mit
diesem Mann verbrachte, mit dem Rest meines Lebens

vergleiche, so wird mir kalt ums Herz. Daß ich mit so wenig Zärtlichkeit auskommen konnte, scheint mir unglaublich. Es gab Tage, an denen er kaum ein Wort mit mir sprach. Wenn wir ausgingen, benahm er sich wie ein Fremder. Da er in Kreisen verkehrte und Lokale frequentierte, in denen auch Freunde seiner Frau anzutreffen waren, konnte ich vom Verstand her sein Verhalten entschuldigen. Aber mein Gefühl ließ sich nicht überzeugen.

Er hielt nie meine Hand, er half mir nie in den Mantel, von einem Kuß in der Öffentlichkeit konnte keine Rede sein. Nach dem Essen im Restaurant stand er meist vom Tisch auf, strebte der Tür zu und schien mich vergessen zu haben. Versuchte ich, ihn zur Rede zu stellen, so erhielt ich als Antwort: »Daran mußt du dich gewöhnen.« Gab ich mich damit nicht zufrieden, so hieß es: »Wenn du nicht damit aufhörst, zwingst du mich, das Haus zu verlassen.« Ich war auf dem besten Weg, gefühlskrank zu werden.

In den ersten Jahren des Zusammenlebens ertrug ich es noch. Später stiegen mir bereits die Tränen in die Augen, wenn ich sah, wie ein Mann seiner Frau in den Mantel half oder ihr die Türe öffnete. Ich war so krank nach Zärtlichkeit, daß es absurde Formen annahm. Jeder kleinste Ausdruck von Gefühl rief in mir abgrundtiefe Verzweiflung hervor

Ich erinnere mich noch genau: Es war im letzten Jahr, und es war Frühling. Ich war auf dem Weg in die Bibliothek und fühlte mich schwach und lustlos, da ich bis drei Uhr früh auf ihn gewartet hatte. Angeblich hatte er mit russischen Geschäftspartnern gegessen. Wie dem auch sei, ich beschloß, in einem kleine Café unter den Arkaden, die den Garten des Palais Royal einschließen, etwas zu trinken. An der Seitenwand des Cafés befand sich eine große Voliere mit bunten Ziervögeln aller Art. Darunter waren zwei sogenannte Unzertrennliche, zwei Pfirsichköpfchen-Papageien, ganz reizende kleine Geschöpfe. Ich konnte meine Augen nicht von ihnen abwenden, so zärtlich waren die beiden Tiere zueinander.

Wie lange ich so gesessen und sie angestarrt habe, weiß ich nicht mehr. Doch erinnere ich mich, daß ich plötzlich in Tränen ausbrach und nicht mehr aufhören konnte zu schluchzen.

Die Serviererin setzte sich zu mir und versuchte, mich zu beruhigen, aber es dauerte eine halbe Stunde, bis ich fähig war aufzustehen. Die Arbeit, die ich an diesem Tag leistete, war dementsprechend.

Manchmal, wenn ich wirklich nicht mehr weiterwußte, ging ich ins Kino. Insgesamt sah ich achtmal »Harold and Maud«, nicht nur, weil es die Geschichte einer großen Liebe und einer der ästhetischsten Filme unserer Zeit ist, sondern wegen einer Szene, die mir für Stunden meine Kraft wiedergab. Es ist Abend, Harold und Maud sitzen nebeneinander am Ufer eines Sees. Man sieht nur ihre Silhouetten gegen den Abendhimmel – und Harold legt ganz langsam seinen Kopf auf Mauds Schulter. Das ist alles.

Die Emotionen, die dieser Film bei mir hervorrief – er zählt zu den modernen Klassikern und wird in Paris seit Jahren tagtäglich in den kleinen Kinos im Quartier Latin gespielt –, sind mir heute unverständlich. Damals waren sie mir lebenswichtig.

Auf die Freundin wird selten Rücksicht genommen

Wenn es in dieser ausweglosen Situation für mich einen Trost gab – und Trost ist ein schlechtes Wort –, so lag er darin, daß sich alle Männer in unserem Bekanntenkreis ähnlich benahmen. Wir Frauen hatten daher alle ziemlich dieselben Probleme. Wir fühlten uns als Anhängsel und völlig unwichtig. Eine gewisse Solidarität entwickelte sich allmählich unter uns, eine versuchte, die andere aufzumuntern. Man schimpfte über die Ehefrauen, die uns allen das Leben erschwerten und begriff nicht, daß die Schuld bei den Männern lag. Wenn diese habgierigen Frauen endlich vernünftige Forderungen stellen würden, so dachten wir, dann wäre eine Scheidung nur mehr eine Frage von Monaten. Daß die Entscheidung einzig und allein bei den Männern gelegen wäre, begriffen wir nicht.

Das größte Handikap der jungen Rivalin ist, wie schon gesagt, ihre Jugend. Nur ihrer Unerfahrenheit ist es zuzuschreiben, daß sie sich an Illusionen klammert, an Versprechungen, an einzelne, hingeworfene Sätze, die nicht ernst gemeint sind und nur eines zum Ziel haben: zu beschwichtigen. Die junge Rivalin hat keine Rechte. Sie ist im wahrsten Sinne des Wortes Aufputz, etwas, das man herumzeigt, ans Revers steckt und dann vergißt.

Natürlich hat sie sich in der Regel völlig anzupassen. Wichtig ist nur, was der Mann will. Ihre Vorstellungen von der Zukunft, ihre Bemühungen im Berufsleben oder beim Studium sind nebensächlich. Sie bekommt auch immer wieder zu hören, der Mann sei der Mittelpunkt der Welt, und dazu Ermahnungen wie: »Sei froh, daß sich ein Erfolgreicher wie ich um dich kümmert.« Rücksicht darf sie keine erwarten, schon gar nicht auf ihre Gefühle.

Dazu ein Beispiel: An den Abenden, die wir in unserem Bekanntenkreis verbrachten, hielten die Frauen meist den Mund und die Männer redeten. Und worüber? Über ihre Familien. Daß dieses Thema für uns äußerst schmerzhaft war, kam ihnen nicht in den Sinn. Sie wollten nur eines: sich gegenseitig beweisen, welch gute und besorgte Familienväter sie seien. Als nächstes prahlten sie mit ihren neuen Eroberungen, nämlich uns.

»Schaut mich an«, pflegte Simon, ein gutgestellter Beamter in einer internationalen Organisation, zu verkünden. »Mein ganzes Gehalt gebe ich meiner Frau und meinen Kindern. Und hier sitze ich und lasse mich von meiner Freundin, die nur halb so alt ist wie ich, erhalten.« Georgina war erst fünfundzwanzig und arbeitete als Assistentin bei einer Nachrichtenagentur. Sie war ursprünglich Simons Sekretärin gewesen und hatte sehr gut verdient. Als sich die Affäre herumsprach, hatte sie ihren Posten aufgeben müssen. Bei der Agentur verdiente sie etwa die Hälfte ihres früheren Gehaltes. Als Simon seine Frau verließ, liehen ihm Freunde Geld zur Anzahlung für eine Wohnung. Den Haushalt aber finanzierte Georgina allein – sieben ganze Jahre lang.

An solchen geselligen Abenden, die für mich jedesmal eine Tortur waren, wurde viel getrunken, meist bis in die Morgenstunden. Wir saßen brav daneben; der Gesprächsstoff war uns schon lange ausgegangen, und jede dachte nur: Wie kriege ich meinen Freund nach Hause? Bitten nützte nichts, Aufstehen und Gehen auch nichts. Also schliefen wir oft in Bars oder Wohnungen in irgendeinem Fauteuil ein. Wenn wir um sechs Uhr früh aufwachten, hatte uns niemand vermißt. Die Unterhaltung war gleich laut weitergegangen, die Luft war zum Ersticken wegen des vielen

Rauchs, das Thema immer noch dasselbe: die unzufrie-
dene Frau, die teuren Schulen für die Kinder und die Vorzüge früherer Freundinnen.

Wer Treue erwartet, wird enttäuscht

Die Ehefrau weiß es, aber die junge Rivalin will es sich
nicht eingestehen, daß nämlich sie nicht die einzige ist.
Verläßt ein Mann seine Familie und zieht er mit einer
Freundin zusammen, so heißt das noch lange nicht, daß er
vorhat, ihr auch treu zu sein. Warum sollte er? Ein Mann,
der zwei Frauen braucht, ist gewohnt zu lügen. Einmal
mehr oder weniger macht keinen Unterschied.
Die Männer aus unserem Bekanntenkreis machten auch
kein Hehl daraus. Sie sprachen ganz offen darüber, wenn
ihre Freundin nicht anwesend war. Simon erzählte mir
einmal bis ins kleinste Detail, wie er die Sekretärin seines
Vorgesetzten zu verführen gedachte. Er hatte wie ein
Schuljunge einen Schlachtplan ausgeheckt und war stolz
auf seine Strategie, die, wie er meinte, zum Sieg führen
müsse. »Und Georgina?« fragte ich naiv, »liebst du sie
denn nicht mehr?« Er sah mich mitleidig an. »Das hat doch
damit nichts zu tun. Das ist doch nur zum Vergnügen.
Georgina ist für die Dauer.«
Das Leben ist kompliziert und voller Extreme. Wäre nicht
alles so schmerzhaft, so könnte man darüber lachen. Die
Ehefrau sitzt zu Hause und klagt über Langeweile, die
Freundin wiederum muß ausgehen, ob sie will oder nicht.
Ausgehen ist für sie Pflicht, lästige, ermüdende, zeitver-
schwendende Pflicht. Georgina konnte noch so sehr bitten; wenn Simon in einem Restaurant festsaß, dann saß er

fest. Ihn allein zu lassen und nach Hause zu gehen, wagte sie nicht. Erstens konnte sie nicht einschlafen, zweitens kannte sie die Konsequenzen: eine Sauftour durch die zwielichtigen Bars der Place Pigalle. Ein einziges Mal war sie früher gegangen. Resultat: Sie hatte Simon zwei Tage nicht zu Gesicht bekommen. Niemand wußte, wo er war. Als man ihn schließlich fand – bewußtlos auf der Straße vor einem Zuhältercafé –, mußte er mit schwerer Alkoholvergiftung ins Krankenhaus gebracht werden.

Erst im Laufe der Jahre entwickelte Georgina eine Methode, die wirkte – und die im Grunde ihre ganze Hilflosigkeit verriet. Wir hatten in einem Restaurant zu Abend gegessen, und die Männer gaben untrügliche Zeichen von sich, daß sie eine ruhelose Nacht planten: ein kleiner Cognac zum Kaffee, dann ein doppelter zum Nachspülen, dann ein Bier und so weiter.

Georgina und ich wechselten Blicke, die alles verrieten. Georgina war blaß vor Müdigkeit. Sie mußte nach Hause. Sie hatte einen schweren Tag hinter sich und sollte früh aufstehen, um in den Außenbezirken streikende Arbeiter zu interviewen. Als keine ihrer Bitten Gehör fand, stand sie auf, ging zur Toilette und kam nicht wieder. Nach zehn Minuten ging ich sie suchen. Sie lehnte mit geschlossenen Augen an der Spiegelwand des Waschraumes. Als sie mich sah, glitt sie wortlos zu Boden und rührte sich nicht mehr.

Ich wußte: Es war Theater. Aber ich spielte mit. Simon schien es ebenfalls zu spüren, denn er war gar nicht aufgeregt, als ich ihn holte. Trotzdem änderte er seine Absichten, rief ein Taxi und fuhr mit Georgina nach Hause. Am nächsten Tag traf ich ihn zufällig, und er erzählte mir etwas, was mich für Georgina schwarzsehen ließ. »Wenn ich nur wüßte, was ich mit Joan anfangen soll«, sagte er (Joan war seine Frau), »dann würde ich Georgina heiraten.« – »Weil du ohne sie nicht leben kannst?« fragte ich. »Nein«, belehrte er mich, »weil sie dann die Sicherheit der Ehe hätte und sich nicht jedesmal so aufregen würde, wenn ich einen kleinen Seitensprung vorhabe.«

Nun, Simon und Georgina haben nicht geheiratet. Sie haben sich getrennt. Georgina ging nach London zurück, Simon wurde von seiner Frau wieder aufgenommen. Er hatte versprochen, sich zu bessern. Die Wohnung, in der er mit Georgina lebte, wurde verkauft. Bilanz für Georgina, die sich nichts sehnlicher wünschte als zu heiraten und Kinder zu kriegen: sieben Jahre in den falschen Mann investiert.

Zerstörtes Selbstbewußtsein und mißlungene Fluchtversuche

Die logische Frage ist natürlich: Warum hat sie ihn nicht schon viel früher durchschaut? Warum läßt sich eine junge Frau so schlecht behandeln? Warum stellt sie sich nicht auf die Hinterfüße? Die Antwort ist einfach: Weil sie kein Selbstbewußtsein mehr hat. Weil sie zu lange von einem Mann, dem sie anfangs blindlings vertraute, hören mußte, daß sie nichts ist, nichts hat, nichts kann und daß nie etwas aus ihr werden wird; daß sie Gott danken kann, weil sie beschützt wird; daß es für sie kein besseres Leben gibt. Diese Taktik wirkt fast immer. Sie hat auch schon Generationen von Ehefrauen in Zaum gehalten. Die Freundin aber wird durch das Hinhaltemanöver mit der bevorstehenden Scheidung noch gefügiger gemacht.

Im tiefsten Innern der Frau verbunden

Georgina teilte das Schicksal vieler junger Frauen mit verheirateten Männern. Ihr Freund dachte nicht im Traum daran, seine Frau aufzugeben. Sie gehörte zu den literarischen Kreisen von Paris, hatte ein Buch über die Französische Revolution geschrieben und spielte ausgezeichnet Klavier. Ein gewisses Prestige haftete ihr an, an dem Simon weiterhin teilhaben wollte. Auch wenn er im Freundeskreis mit Georginas Jugend prahlte und das Image des »tollen Kerls« genoß, der imstande ist, sich eine Fünfundzwanzigjährige als Sklavin zu halten, so fühlte er sich im tiefsten Innern seiner Frau verbunden. Sie würde, das wußte er, abwarten. Sie war katholisch und gehörte einer Generation an, die sich nicht scheiden ließ. Außerdem hatten sie vier Kinder miteinander.

Im allgemeinen ist folgendes zu sagen: Je jünger die Rivalin, je größer der Altersunterschied, desto geringer sind ihre Chancen, geheiratet zu werden. Der Mann hat viel zuviel Angst. Er fürchtet, ebenfalls im Alter verlassen zu werden, und weigert sich, seinen gesicherten Lebensabend, vor allem den materiellen Komfort, den er sich im Laufe seiner Ehe erworben hat, aufs Spiel zu setzen.

Ist die Freundin sehr viel jünger, so ist der geistige Unterschied, das geringere Bildungsniveau, Grund genug, um den Mann zu ermüden. Das Sprichwort »Männer lieben dumme Frauen« ist falsch. Männer sind meist besser, als man denkt. Nur dumme Männer wollen dumme Frauen. Ein anspruchsvoller Mann will und braucht eine geistig anregende Partnerin. Eine Frau, mit der er sich nicht unterhalten kann, auch wenn sie noch so bewundernd zu ihm aufblickt, ist auf die Dauer für jeden Mann lähmend.

Während meiner ersten zwei Jahre in Paris wohnte ich in der Nähe der Oper. Die Nachbarwohnung gehörte einem Bankdirektor. Sie war jedoch nur eine Zweitwohnung, da er mit seiner Familie in einem großen Haus auf dem Lande lebte. Die Wohnung wurde benützt, wenn man in die Oper gehen wollte und keine Lust hatte, nachts zurückzufahren, wenn Familienmitglieder nach Paris kamen, um einzukaufen, oder wenn man einmal umgekehrt die seltsame Lust hatte, ein Wochenende in der Stadt zu verbringen.

Natürlich konnte man annehmen, daß die Wohnung auch anderen Zwecken dienen sollte – für ungestörte Schäferstündchen etwa –, aber dies war nicht der Fall. Die ganzen zwei Jahre hindurch, die ich in diesem Haus lebte, hatte ich Monsieur Renaux nie mit einer anderen Frau als seiner eigenen die Wohnung betreten sehen.

Und wenn man Madame Renaux kannte, nahm das nicht wunder. Ich hatte mich mit ihr gleich zu Beginn angefreundet. Sie war eine korpulente Dame – nicht nach deutschem, sondern nach französischem Begriff –, Ende Fünfzig, mit einem sehr roten Mund und lustigen Augen. Sie war großzügig, borgte mir Lampen und Geschirr, wenn ich unerwartet Gäste bekam, und erteilte mir zwischendurch Lektionen über das Führen einer glücklichen Ehe.

Daß sie dies Gebiet beherrschte, bezweifelte niemand. Man sah es ihr an, daß sie glücklich war. Sie machte auch kein Hehl daraus, wie sehr sie ihre beiden großen Söhne und ihren Mann liebte. »Und ich habe keine Angst, was die Zukunft betrifft«, vertraute sie mir an. »Ich weiß nämlich, worauf es ankommt. Auf den Esprit. Ich amüsiere meine Männer, mit mir haben sie sich noch keine Sekunde gelangweilt. Ich sammle interessante Geschichten, und ich bin Gott sei Dank mit Humor gesegnet. Wenn wir zusammen essen, dann unterhalten wir uns anschließend noch stundenlang. Alle Probleme werden offen diskutiert. Und wenn mein Mann von einer Dienstreise zurückkommt, wissen Sie, was er dann sagt? Er sagt: ›Ach, hab' ich mich wieder ohne dich gelangweilt.‹ Und ich glaub' es ihm.«

Kaum zu überwinden: das Kommunikationsproblem

Zusammen reden und lachen zu können, ist für eine gute Partnerschaft Voraussetzung. Und was setzt dies voraus, wenn nicht ähnliche Intelligenz, verwandten Bildungsgrad und Humor? Man kann sich zwar auch mit geistig Unterlegenen einen Abend lang gut amüsieren, aber auf die Dauer wird das schon problematischer. Und hier ist von Dauer die Rede, von intellektueller Stimulierung und echtem Verstehen.

Das Kommunikationsproblem ist oft bereits zwischen Gleichaltrigen kaum zu bewältigen. Zwischen einem älteren Mann und einer viel jüngeren Frau aber nimmt es gefährliche Proportionen an, viel größere meist als zwischen einer älteren Frau und ihrem jungen Freund. Der Grund ist, daß Männer unduldsamer sind als Frauen, daß sie sich schneller verunsichern lassen und daher keine Gelegenheit versäumen, ihre Überlegenheit herauszukehren. Auf die junge Freundin wirkt dies katastrophal. Wie oft bekommt sie den Satz zu hören: »Ach, das verstehst du nicht«, und wie viele Aussprüche beginnen mit den Worten: »Du hast natürlich keine Ahnung, aber die Sache steht so und so.« Wie vernichtend dergleichen für das Selbstbewußtsein eines jungen Menschen ist, brauche ich nicht zu erläutern.

Und das Resultat, wenn die junge Freundin zu schwach ist, um sich zu wehren? Sie benimmt sich noch unterwürfiger, wird daher noch mehr getreten und noch weniger ernstgenommen. Die Beziehung verliert immer mehr an Spannung, und der Weg bis zur völligen Interesselosigkeit des Mannes wird immer kürzer.

Auf der Suche nach der verlorenen Jugend

Und nun zum Thema »Auf der Suche nach der verlorenen Jugend«. Frauen, die jüngere Männer haben, benehmen sich in der Regel sehr diskret. Männer dagegen wollen oft mit aller Gewalt ihre Jugendjahre wiedergewinnen, was freilich nichts anderes zur Folge hat, als daß ihnen der Altersunterschied auf die brutalste Art vor Augen geführt wird.

Mein Freund in Paris etwa bestand darauf, in Diskotheken zu gehen, in denen nur sehr junge Leute verkehrten, »damit du nicht glaubst, wegen mir kommst du nirgends mehr hin«. Allein wäre ich in die Lokale, die er aussuchte, nie gegangen, und die Wirkung, die ein teuer gekleideter, grauhaariger Mann auf ein Publikum, das größtenteils aus Lehrlingen und Studenten bestand, hatte, war dementsprechend peinlich. Noch dazu benahm er sich auffällig, heischte Anerkennung, zog mich auf die leere Tanzfläche, zwang alle, auf uns aufmerksam zu werden. Dabei tanzte er ohne jedes Talent. Sah er dann jemanden lachen, so war er zu Tode gekränkt und wollte Streit beginnen.

Natürlich hatte er keine Ahnung von dem Ritual, das in solchen Lokalen herrscht. Er wußte nicht, daß es zum guten Ton gehörte, zuerst nur die anerkannt besten Tänzer aufstehen zu lassen, und daß die anderen erst dann tanzten, wenn das Gewühl groß genug war, um unbeobachtet bleiben zu können. Er setzte sich über all dies hinweg und wunderte sich, wenn er Gelächter und Feindseligkeit erntete.

Manchmal versuchte er, sich zu guter Laune zu zwingen. Er trank Unmengen und lud anschließend die ganze Tischrunde ein. Richtige Stimmung aber wollte dabei nie aufkommen. Meist endeten diese Abende mit der Feststellung: »Ich bin schon wieder der Älteste im ganzen Lokal gewesen«, gefolgt von tagelanger schlechter Laune. Und trotzdem konnte er diese Ausflüge in die Jugend nicht lassen.

Grundlose Eifersucht *zerstört das Vertrauen*

Ein viel größeres Problem aber ist die Eifersucht. Und wenn nichts anderes das Verhältnis eines verheirateten Mannes zu seiner jungen Freundin zerstört, sie schafft es bestimmt. Die Freundin wird von Eifersucht auf die Ehefrau geplagt, der Mann aber ist glühend eifersüchtig auf die Freundin. Und das aus zwei Gründen: erstens aus seiner eigenen Unsicherheit heraus (vielleicht könnte ihr ein jüngerer Mann doch mehr bieten) und zweitens auf Grund der Tatsache, daß er selbst ununterbrochen untreu ist. Seine Frau betrügt er mit der jungen Rivalin und die junge Rivalin mit der Frau. Und wie einer ist, so denkt er. Wozu man selbst imstande ist, das traut man auch anderen zu. Ein Teufelskreis, aber auch ein klassisches Beispiel für Selbstbestrafung.

Bei den meisten Verhältnissen zwischen älteren verheirateten Männern und jungen Freundinnen ist das Mißtrauen geradezu greifbar – und es vergiftet alles. Simon war überzeugt davon, daß Georgina, wenn sie übers Wochenende zu ihren Eltern nach London flog, was aus Geldmangel ohnehin selten genug geschah, einen früheren Freund und Liebhaber besuchte. Warum? Weil er selbst, kaum daß sie ihm den Rücken drehte, zu seiner Frau ging und dort übernachtete.

Als Georginas Vater erkrankte und sie nach Hause mußte, zeigte sich die ganze Absurdität von Simons Eifersucht. Georgina hatte kurz vorher einen Hund geschenkt bekommen, der ihm ein Dorn im Auge war, da er auf jeden freundlichen Blick, auf jedes Streicheln neidisch war. Als nun der Abschied kam, weigerte er sich, den Hund zu füttern. Das arme Tier hätte sicher nicht überlebt, wenn nicht Simons Sohn, der in die Wohnung kam, um Schallplatten zu holen, sich seiner erbarmt und ihn mitgenommen hätte.

Simon hatte keinen einzigen Tag, den Georgina abwesend war, in der gemeinsamen Wohnung verbracht. Er fürchte sich, erklärte er, außerdem weigere sich, während seine Freundin sich in London amüsiere, an einem Ort zu bleiben, an dem sich keiner um ihn kümmere.

Eifersucht ist eine allgemein menschliche Erscheinung. Grundlose Eifersucht aber verletzt zu tief und wird nach einer gewissen Zeit unerträglich. Ich erinnere mich noch gut an den ersten Urlaub, den ich mit meinem verheirateten Freund auf einer Insel im Mittelmeer verbrachte. Wir wohnten bei einer italienischen Familie und mußten die Post in der nächsten Hafenstadt holen. Er besorgte dies, weil er, wie er meinte, auf den Bergstraßen mit dem Auto besser zurechtkomme. In Wirklichkeit aber wollte er verhindern, daß ich die Briefe, die ihm seine Frau schickte, zu Gesicht bekam. Er hatte mir vorgelogen, in keinerlei Kontakt mehr mit ihr zu stehen, und in meiner Unerfahrenheit hatte ich ihm geglaubt.

Briefe also bedeuteten für ihn Lügen, und als eines Tages mein Bruder schrieb, machte er mir eine furchtbare Szene. Er überreichte mir das Kuvert mit drohendem Blick, und als ich es öffnen wollte, begann er zu schreien. Meine Gier nach dem Brief beweise, daß mir an seiner Gesellschaft nichts liege. Ob ich nicht mit dem Lesen warten könne? War der Brief wirklich von meinem Bruder? Er bezweifelte es. Ich sei undankbar, unverläßlich und mit mir sei nichts anzufangen. Als ich spät am Abend den Brief zu lesen wagte, erfuhr ich, daß meine Mutter ins Krankenhaus gebracht worden war.

Ich verbrachte eine schlaflose Nacht und bestand darauf, am nächsten Morgen zu Hause anzurufen. Ich setzte es auch durch, aber mein Freund sprach drei Tage lang kein einziges Wort mit mir. Er war überzeugt davon, daß alles erlogen sei, daß der Brief von einem anderen Mann sei, daß eine Verschwörung gegen ihn bestehe, daß ich nur nach einer Ausrede gesucht hätte, um von ihm weg und zu irgendeinem Freund nach Wien zurück zu können. Es dauerte Tage, bis ich ihn beruhigt hatte.

Stein des Anstoßes: der frühere Freund

Der »frühere Freund« ist übrigens ein Thema für sich. Obwohl er meist gar nicht existiert, schadet er der Beziehung außerordentlich. Älteren verheirateten Männern fällt es überaus schwer zu begreifen, daß ihre junge Freundin kein Vorleben hatte, das der Rede wert ist. Sie selbst bestehen ja aus fast nichts anderem. Ihre Frau ist immer präsent. Und da sie von sich auf andere schließen, sind sie überzeugt davon, daß eine frühere Liebe existieren muß, die weiterhin eine Rolle spielt.

Auch ich litt ungeheuer unter diesen Verdächtigungen, und sie haben meine Gefühle für meinen Freund gewaltig dezimiert. Dazu kam noch, daß er einen konkreten Grund zu haben glaubte. Eines Tages nämlich, noch dazu an einem Sonntag, den er ausnahmsweise bei mir verbrachte (die Familie befand sich im Skiurlaub), rief ein Wiener Architekt an, den ich nur flüchtig kannte. Er hatte von einem gemeinsamen Bekannten meine Nummer erhalten und fragte mich nun, ob ich ihm ein günstiges Hotel empfehlen könne, da er vier Tage in Paris zu tun habe.

Ich hatte noch keine zwei Sätze gesprochen, als ich merkte, daß mein amerikanischer Freund hinter mir stand und vor Wut zu kochen begann. Immer wenn ich deutsch sprach, vermutete er das Schlimmste. Um ihn zu beruhigen, erzählte ich ihm, wer da anrief und worum es ging. »Du hältst mich wohl für einen Idioten«, war die Antwort. »Das ist dein früherer Freund. Er weiß genau, daß du sonntags meist allein bist, und will dich treffen.« Und so ging es weiter, eine geschlagene halbe Stunde lang, bis er im wahrsten Sinne des Wortes vor dem Mund schäumte. Der »frühere Freund« tauchte von dem Tag an bei jedem Streitgespräch auf, und wenn ich einmal später nach Hause kam, hieß es unweigerlich: »Aha, du hast deinen früheren Freund getroffen.«

Eifersucht ist der größte Verbündete der Ehefrau. Sie hat keine Ahnung von den Qualen, die ihr untreuer Mann auszustehen hat, und macht sich keine Vorstellung davon, was die angeblich so starke, junge Rivalin bewegt, wenn sie erfährt, daß der Mann hinter ihrem Rücken seine Familie besucht. Informanten gibt es immer, ob es sich nun um eine wohlmeinende Bekannte oder um die Sekretärin des Mannes handelt, die der jungen Freundin brühwarm die jüngsten »Treuebrüche« mitteilt: daß er Frau und Kinder neu eingekleidet hat, daß sein neuer Anzug ein Vermögen gekostet hat, daß für die Familie ein teurer Sommeraufenthalt in Griechenland geplant ist, daß er an Nachmittagen, an denen sie ihn im Büro vermutete, mit der Frau Tennis spielen ging, daß er die Gattin zu Arbeitsessen mitnimmt und sie ihn auf einer Geschäftsreise nach Brüssel begleiten wird.

Noch schlimmer wird es, wenn die junge Freundin erfährt, wie es wirklich zwischen den beiden aussieht. Daß von einem klaren Bruch keine Rede sein kann. Daß der Frau gesagt wurde: »Mach dir keine Sorgen, tagsüber bin ich immer für dich da, es bleibt auch sonst alles beim alten. Der einzige Unterschied ist nur, daß ich abends nicht mehr regelmäßig nach Hause komme.« Die Version für die Freundin lautete dagegen: »Ich habe nur mehr zu den Kindern Kontakt, mit meiner Frau verkehre ich nur noch per Rechtsanwalt.«

Der vielgefürchtete Familiensonntag

Auch wenn gemeinsame Bekannte nichts sagen, dämmert es der jungen Rivalin langsam, daß sie belogen wird. Und zum erstenmal denkt sie daran, den Mann zu verlassen. Das Wochenendtrauma, unter dem sie von Anfang an litt, wird noch schmerzlicher, die sogenannten Familientage werden ganz unerträglich. Selbst wenn in dieser Beziehung eine gewisse Routine eingekehrt ist, so ist die angeblich so starke Rivalin keineswegs sicher, ob der Mann nach einem Familiensonntag zu ihr zurückkommen wird. Kommt er erst nach Mitternacht, so hat sie bestimmt die Stunden seit dem Abendessen gezählt und sich die furchtbarsten Dinge ausgemalt. Sie hat keine Ahnung, was sich wirklich abspielt, befürchtet jedoch das Schlimmste.

Wäre es nicht so tragisch, so wäre das Ganze wirklich zum Lachen. Warum sich Männer derartiges aufbürden, ist unbegreiflich. Der gefürchtete Familiensonntag verläuft meist nach folgendem Schema: Der Mann erscheint in der ehelichen Wohnung, der Empfang ist frostig. Um der gespannten Atmosphäre zu entgehen, bringt er sich mit den Kindern in Sicherheit. Er führt sie ins Kino, geht mit ihnen Schwimmen oder Fußballspielen und bringt es fertig, das Eis langsam aufzutauen.

Hat er die Kinder auf seiner Seite, so wagt er sich wieder nach Hause, wo auch die Frau nach einer gewissen Zeit in der Lage ist, ihm in die Augen zu sehen und ein Gespräch mit ihm zu führen. Beim Abendessen ist dann das Familiengefühl wiederhergestellt, und es wird aufrechterhalten, bis die Kinder zu Bett gehen.

Anschließend, wenn die beiden allein sind, wird zuerst über ein neutrales Thema gesprochen, über Kinder- und Geldprobleme, wieviel die neuen Schultaschen gekostet haben oder was der Zahnarzt gesagt hat. Um sich zu entspannen, beginnt man Drinks einzuschenken, und nun kommt man langsam zum Kern der Sache. Der Mann beschwichtigt, gibt Hoffnung für die Zukunft, frischt, um die Gemeinsamkeiten zu betonen, alte Erinnerungen auf, spricht über die Schwiegereltern. Man beginnt, sich angeregt zu unterhalten. Der Mann hat das Gefühl, hier gehöre er her. Trotzdem steht er nach ein paar Stunden auf, um sich zu verabschieden. Und nun kommt immer wieder dieselbe gefürchtete Frage: »Jetzt war es fast wieder so wie früher – warum mußt du gehen?« Beim Abschied herrscht dann die gleiche frostige Stimmung wie bei der Begrüßung. Der Kreis hat sich geschlossen, und am nächsten Sonntag beginnt der Kampf von neuem.

Und kommt der Mann zu seiner Freundin zurück, so ist diese oft in Tränen aufgelöst und muß auf Trab gebracht werden – in der Tat ein mühsames Leben.

In diesem Stadium geht der Großteil der Verhältnisse zwischen älteren verheirateten Männern und jungen Freundinnen in die Brüche. Schluß macht gewöhnlich die junge Rivalin. Es bleiben nur Frauen, die alleine nicht die Kraft aufbringen, sich aus solchen Beziehungen zu befreien. Wer nämlich einen anderen Mann sucht, der kommt so schnell nicht los. Ein Gleichaltriger erscheint unwissend und unreif. Helfen könnte nur die Ehefrau.

Würde die verlassene Frau zu diesem Zeitpunkt den Kampf aufnehmen und sagen: »Ich warte keinen Tag länger – sie oder ich«, sie würde unweigerlich gewinnen. Aber meist kämpft sie nicht, weil sie keinen Einblick in das Verhältnis hat, weil sie die Nebenbeziehung überschätzt und viel zuviel Angst hat, den Mann ganz zu verlieren. Und was passiert? Die Frau bleibt passiv, der Mann läßt freiwillig nichts aus den Klauen, die Sache schleppt sich dahin, bis endlich eines schönen Tages – und bis dahin können Jahre vergehen – die junge Frau dann doch genug hat und geht. Bis es aber soweit ist, wurde unendlich viel Kraft vergeudet und alle Beteiligten sind bereits schwerstens geschädigt.

Den größten Fehler, den die verlassene Ehefrau machen kann, ist, im Selbstmitleid zu ersticken. Der zweitgrößte Fehler ist gekränkter Stolz und damit verbunden die Haltung: Mit dieser Person will ich nichts zu tun haben. Die Konzentration auf das eigene Unglück aber hindert die Frau daran, klar zu denken und logische Schlüsse zu ziehen. Gerade darin aber liegt ihre Stärke. Sie kann die junge Rivalin ausstechen, aber nur, indem sie sich in ihre Lage versetzt und herausfindet, wie es um das Verhältnis wirklich steht. Der unerfahrenen jungen Frau das ganze Unglück in die Schuhe zu schieben, ist falsch. Das Klischee der raffinierten Rivalin, die den armen Mann betört hat, die einen Unschuldigen auf dem Gewissen hat, kann man gleich zum Teufel schicken. Wer siegen will, muß reinen Tisch machen: Dies ist die Schuld meines Mannes, dies die Schuld der Freundin und hier habe ich versagt.

Den Mann kennt man. Nun geht es darum, auch die Freundin kennenzulernen, um herauszufinden, wer von beiden weniger belastbar ist, wer als erster aufgeben wird. Zeigt die Freundin Erschöpfungserscheinungen, so halte man sich an sie. Ist es der Mann, so versuche man, ihn zu einer Entscheidung zu zwingen. Doch darüber später noch Genaueres.

Auch der Mann schwebt nicht im Glück

Die Ehefrau muß sich unabhängig von der Schuldfrage immer vor Augen halten, daß ihr Mann ebenfalls leidet, daß er viel schwächer ist, als sie annimmt, daß er von schlechtem Gewissen gepeinigt wird, anfangs oft nächtelang vor Angst nicht schlafen kann, wochenlang Beruhigungspillen schluckt und nichts sehnlicher wünscht, als den alten Zustand wiederherzustellen.

Auch über das Ausmaß ihrer Präsenz in der neuen Verbindung hat die Ehefrau gewöhnlich keine Ahnung. Und doch trägt sie ständig und ohne etwas direkt zu tun dazu bei, daß der Druck auf die junge Rivalin unerträglich wird.

Männer neigen ganz allgemein dazu, Frauen mit ihrem Vorleben zu quälen. Schon bei Gleichaltrigen und in frühester Jugend ist dies ersichtlich. Burschen erzählen viel mehr über verflossene Liebschaften als Mädchen, schwärmen im Detail von ihren Eroberungen, prahlen mit den schönen Beinen und den wilden Orgasmen der Vorgängerinnen und geben der derzeitigen Freundin das Gefühl, sie werde erst dann, wenn die Beziehung zu Ende ist, richtig gewürdigt. Viele Männer sind nicht imstande, das, was sie besitzen, zu schätzen. Manche finden überhaupt nur jene Frauen, die sie nicht haben können, begehrenswert. Das große Plus der Ehefrau ist nun, daß sie sozusagen aus dem Verkehr gezogen ist und dadurch, so bizarr es klingt, erstrebenswerter ist als je zuvor – was der Freundin nicht verschwiegen wird. Und noch etwas hat die Ehefrau der jungen Rivalin meist voraus: Geduld und Zeit. Jedes Jahr, das letztere unverheiratet bleibt, geht für sie verloren. Dazu kommen noch die guten Ratschläge von Freunden und Familienmitgliedern, die ermahnen: »Du verschwendest dein Leben, er läßt sich ja doch nicht scheiden.« Und je mehr die Freundin auf eine Entscheidung drängt, desto starrköpfiger reagiert der Mann.

Eine »abgerichtete« Frau ist bequemer

Auch ihre Nachsicht kommt der Ehefrau zugute, wenn sie sich »abrichten« ließ und dem Mann Freiheiten erlaubte. Kam er eine Nacht nicht nach Hause und behauptete er, mit Geschäftsfreunden gegessen zu haben und anschließend im Auto eingeschlafen zu sein, so hatte sie gelernt, keine Fragen zu stellen. Im Vergleich dazu ist die junge Rivalin äußerst unbequem. Der Mann erwartet dieselbe Nachsicht, die Freundin aber kann sie kaum gewähren, da ihr Verhältnis der materiellen, rechtlichen und gewohnheitsmäßigen Sicherheit entbehrt und vor allem auf Gefühlen aufgebaut ist.

Die Ehefrau macht gern den Fehler, das Verhältnis zwischen ihrem Mann und seiner jungen Freundin als stabil zu betrachten. Sie weiß nichts von der Unsicherheit, die eine derartige Beziehung prägt. Nicht nur die Freundin bangt, ob sie den Mann nach einem Familiensonntag wiedersehen wird, auch der Mann ist sich seiner Geliebten nicht sicher. Er hat seine Frau verlassen – warum sollte ihm nicht ähnliches widerfahren?

Viele Männer brauchen erstaunlich lange, bis sie bereit sind, in einen anderen Menschen Gefühle zu investieren. Auch nach ein oder zwei Jahren des Zusammenlebens ist die Freundin oft immer noch die Fremde. Die Frau kennt er meist fünfzehn Jahre länger. Die Frau, das weiß er zudem, hat längst aufgehört, als Einzelperson zu funktionieren. Sie denkt im Team. Sie denkt an die Kinder, fühlt sich als Vertreterin des Clans und hat gelernt, das Geld des Mannes als Familiengeld zu betrachten. Die Frau ist damit ein Stück seiner Sicherheit; zu viele Stricke binden ihn an sie. Die Freundin aber hat den Großteil ihres Lebens ohne ihn verbracht, und was noch schlimmer ist, die Zukunft liegt offen vor ihr. Sie ist im Vergleich zur vertrauten Ehefrau Neuland, dem er mit Mißtrauen begegnet.

Ist die Ehefrau also auch hier in der stärkeren Position, so ist sie es erst recht in moralischer Hinsicht. Jahrhundertelang haben die Männer Frauen in gute und böse eingeteilt, in verläßliche, langweilige und brave, in aufregende, untreue und so weiter. Viele Männer können noch so sehr von der neuen Freundin fasziniert sein, unter die Guten werden sie sie nicht einreihen. Denn der Mann hat keine hohe Meinung von dem, was er tut. Er weiß, daß er ein brutales Spiel spielt und verachtet sich dafür, auch wenn er nicht vorhat, es aufzugeben. Und er denkt analog: Eine Frau, die bereit ist, dieses Spiel mitzuspielen – ist sie nicht ebenso verachtenswert?

Je länger sich das Verhältnis hinzieht, desto mehr wird die betroffene Ehefrau zur leidgeprüften Madonna und die junge Rivalin zur personifizierten bösen Versuchung. Je nachdrücklicher die Freundin, die das natürlich spürt, versucht, den Platz der Frau einzunehmen, desto deutlicher wird dies. Die Idee von der guten und der bösen Frau ist so stark, daß sie die Wirklichkeit verschleiert. Die Rivalin kann sich noch so bemühen, kann das mustergültigste Verhalten an den Tag legen, es wird ihr wenig helfen. Tatsache bleibt, daß sie den Mann dazu gebracht hat, die Familie zu verlassen, und dafür muß sie bestraft werden. Der Mann hat auch wenig Interesse, ihr eine Chance zu geben. Er hat schon eine Madonna und braucht keine zweite. Die Freundin kann kaum gewinnen. So oft sie auch versucht, das Thema zur Sprache zu bringen, die Antwort ist meist die gleiche: »Wie kannst du dich mit meiner Frau vergleichen?«

Und hierher gehört auch das Schuldgefühl – ein weiterer Verbündeter der verlassenen Ehefrau. Manche Männer scheinen Schuldgefühle geradezu gepachtet zu haben. Sie schwelgen darin mit fast pervers anmutender Freude. Sie leiden in einem Ausmaß, daß ihnen ihr Leben mit der jungen Freundin vergällt ist, und bringen es zuwege, daß die Stimmung im Zweithaushalt ständig bedrückt ist. Natürlich wird das Schuldgefühl oft als Ausrede benützt, etwa wenn sich der Mann betrunken hat (»Ich mußte mich betäuben, sonst würde ich das alles nicht durchstehen.«), wenn er die Familie verwöhnt, aber die Freundin vergißt (»Ich habe ihnen meine Liebe entzogen, aber niemand soll sagen können, ich lasse sie auch noch darben.«), oder wenn er die Wochenenden mit der Frau verbringen will.

Weil er sich schuldig fühlt, versucht der Mann oft, von der Bürde so viel wie möglich auf die Freundin abzuwälzen, und manchmal gelingt es ihm auch, die Last, die er zweifellos trägt, vollständig der jungen Rivalin aufzubürden. Und je jünger sie ist, je weniger Erfahrung sie hat, desto eher läßt sie sich davon überzeugen, daß sie allein die Schuld an allem Übel trägt, daß sie versagt hat, daß sie den Mann, dem sie eigentlich ein neues, glücklicheres Leben bereiten wollte, ins Unglück getrieben hat. Wenn sie stark ist, zieht sie die Konsequenzen und geht. Ist sie schwach, so könnte von der Ehefrau der nötige Impuls kommen, wenn diese über den Stand der Beziehung richtig informiert wäre. Die meisten Ehefrauen sind jedoch viel zu passiv. Sie warten, daß sich der Mann entscheidet – und das tut vielleicht einer von hundert. Was sie nicht wissen, ist, daß ein Mann zwischen zwei Frauen nach der ersten Begeisterung über die junge Rivalin meistens jede Entscheidung begrüßt, die klare Verhältnisse schafft.

Das Ende der sexuellen Harmonie

Ein weiterer Bereich, über den die Ehefrau im dunkeln tappt und wegen dem sie sich mit falschen Vorstellungen quält, ist die Sexualität. Die Ängste, die manche Frauen diesbezüglich ausstehen, sind geradezu absurd. Es muß nämlich von vornherein klargestellt werden: Besteht zwischen dem Mann und seiner Frau ein gutes körperliches Verhältnis, so wird die Ehe fast jede Krise überdauern. Es mag vielleicht zu Seitensprüngen kommen, aber ernste Gefahr droht nicht. Verstand man sich auf sexuellem Gebiet gut und leidet die Ehe nur unter Abnützungserscheinungen, so besteht immer Hoffnung. Die räumliche Trennung läßt die Ehefrau in einem anderen Licht erscheinen, da man die Alltagskämpfe jetzt mit einer anderen ausficht. Die Tatsache, daß man nun jede Begegnung mit der Ehefrau erkämpfen und oft mit schlechter Laune oder mit Tränenausbrüchen der Freundin bezahlen muß, macht sie begehrenswert. Man erinnert sich an die Faszination am Anfang der Beziehung, man zieht zunehmend Vergleiche, und schließlich wird die Angst, die Frau zu verlieren, unerträglich. Resultat: Der Mann kehrt nach Hause zurück. Und dies um so schneller, je bestimmter die Ehefrau mit dem totalen Bruch droht.

Wirklich in Gefahr sind nur schlechte Ehen, Ehen, die geschlossen wurden, weil man so schnell wie möglich aus dem Elternhaus weg oder eine »gute Partie« machen wollte, oder Ehen, die man einging, weil ein Kind unterwegs war. Ehen also, in denen weder geistiges noch körperliches Verständnis herrscht, in denen zwei Leute nebeneinander und nicht miteinander leben, Ehen, die es kaum verdienen, aufrechterhalten zu werden. Oft haben die Männer ihre

Frauen seit Jahren nicht mehr berührt und ein Eheleben geführt, in dem Sexualität ein Schimpfwort und Erotik nicht vorhanden war. Und trotzdem siegten die Frauen, die Bequemlichkeit, das Verlangen nach Frieden, der Wunsch nach einem gesicherten Alter und die Freude am materiellen Besitz, den zu teilen kaum ein Mann gewillt ist. Wenn sich nicht die Frau scheiden läßt, so bleibt auch hier die Ehe aufrecht.

Selbstsichere Frauen, die ihren Mann im Bett begehren, ohne ihn zu bedrängen, wissen, daß sie keine Angst zu haben brauchen. Allen jenen aber, denen das Wort Sexualität unbestimmte Angst einjagt, sei folgendes gesagt: Selbst wenn die körperliche Anziehungskraft zwischen Ehemann und Freundin stärker als gewöhnlich ist, selbst wenn sich die beiden am Anfang fast zu Tode lieben, heißt das noch lange nicht, daß dies in alle Ewigkeit so bleiben wird.

Zwei Menschen, deren Körper wirklich zusammenpassen, sind zwar ein kleines Wunder, trotzdem aber bleibt ihnen nicht erspart, ist die erste Euphorie einmal vorbei, genauso hart an der Aufrechterhaltung ihrer Beziehung zu arbeiten wie jedes andere Paar. Der Körper spielt im Leben eine äußerst wichtige Rolle. Aber die wichtigere spielt der Geist, und wird dieser geschändet, so bleibt nicht viel Hoffnung für den Körper.

Frauen sind in dieser Beziehung besonders labil. Verletzt sie ein Mann zu sehr, verlieren sie ihr Vertrauen in ihn, so haben sie auch bald kein Bedürfnis mehr, mit ihm zu schlafen. Männer begreifen das nur sehr schwer, denn für viele bedeutet Streit nichts anderes als eine willkommene Anregung. Man schreit, man droht, man haßt einander – um sich anschließend zu versöhnen und einander doppelt zu genießen. Die Rechnung aber geht nur anfangs auf; da schlagen die Spannungen, die Streitigkeiten erzeugen, tatsächlich oft ins Erotische um. Frauen aber haben, wie gerade erwähnt, eine niedrige Toleranzgrenze, und andauernde Feindseligkeiten verletzen ihre Liebesfähigkeit schwer.

Dazu kommt noch ein Mißverständnis zwischen den Geschlechtern: Frauen messen gewöhnlich Wörtern mehr Bedeutung bei als Männer. Wenn sie etwas Entscheidendes sagen, so meinen sie es auch. Männer dagegen spielen gerne Poker. Sie werfen einen Trumpf hin und warten, was geschieht. Für sie beginnt eine Sache oft erst dann, wenn sie die Frau im Streit davon überzeugt haben, daß alles zu Ende ist. Sie drohen zwar mit Trennung, denken aber nicht im entferntesten an sie. Sie wollten nur eines: Eine Reaktion provozieren.

Dies kann auf die Dauer nicht gutgehen. Der Mann blufft – die Freundin nimmt jedes Wort ernst, wird schwerer, als der Mann begreifen kann, verletzt, und zu den Streitigkeiten kommen noch Geldsorgen, Lügen, Schuldgefühle und Eifersucht, die dem erotischen Begehren der jungen Rivalin den Garaus machen.

Und was geschieht? Der Mann, der nicht so empfindet, weigert sich, dies zur Kenntnis zu nehmen. Er besteht weiterhin darauf, mit ihr zu schlafen. Merkt er ihren Widerstand, wird er böse. Hat er deshalb seine Frau verlassen, um von seiner Freundin frustriert zu werden? Ist das Ganze überhaupt der Mühe wert? Resultat: Die junge Rivalin bekommt es mit der Angst zu tun, heuchelt Lust und Begehren, beginnt sich selbst und den Mann zu verachten.

Eine Zeitlang geht dies vielleicht gut. Dann aber merkt jeder Mann, der auch nur einen Hauch von Sensibilität sein eigen nennt, woran er ist. Es folgen noch mehr Streit, noch mehr Mißtrauen und Eifersucht (Hat sie vielleicht einen anderen?) und der Anfang vom Ende.

Ehefrauen müssen kämpfen

Würden die Ehefrauen den Mut aufbringen, möglichst früh mit der Geliebten ihres Mannes zu sprechen – nicht hysterisch weinend oder drohend, sondern ganz einfach von Mensch zu Mensch –, so würde so manche Rivalin, wenn auch nicht sofort, so doch viel früher, als es dann ohnedies geschieht, das Verhältnis abbrechen. So aber hört sie immer nur die Argumente einer Seite, der Seite des Mannes, und die bringen es fertig, sie von der Wirklichkeit abzuschirmen. Man kann ruhigen Gewissens ein Schema aufstellen; es trifft auf alle Verhältnisse zwischen einem älteren verheirateten Mann und einer jungen Geliebten zu: Die glücklichste Zeit, wenn man überhaupt von einer solchen sprechen kann, ist für die junge Rivalin ganz am Beginn der Beziehung, ehe die Frau den Betrug bemerkt hat. Der Mann kann sich, ohne Mißtrauen zu erregen, gewisse Freiheiten nehmen. Diese präsentiert er der jungen Freundin als Beweis seiner kaputten Ehe. Er kommt anfangs vier-, fünfmal in der Woche, schaut nach Büroschluß oder dem Tennisspielen auf ein paar Stunden vorbei, bringt es irgendwie fertig, ständig mit ihr in Kontakt zu bleiben. Grund zum Optimismus glaubt die junge Rivalin auch noch im zweiten Stadium zu haben, dann nämlich, wenn die Frau den Betrug entdeckt und noch zu schockiert ist, um zu reagieren. Solange sie das bewährte Ich-willnichts-bemerken-Spiel spielt und wider alle Vernunft hofft, daß sich das Verhältnis ihres Mannes wie ein böser Spuk in Rauch auflöst, solange bleibt für den Mann und die junge Rivalin alles beim alten. Erst, wenn die Frau zu kämpfen beginnt, fallen die Schatten. Aber leider kämpfen die meisten mit viel zu wenig Energie und Überzeugung.

Die Koffer packen und vor die Tür stellen

Das wirksamste Mittel, eine junge Rivalin loszuwerden, ist, den Mann hinauszuwerfen. Es ist für alle Beteiligten das Beste. Geschehen sollte dies gleich zu Beginn, sofort, nachdem die Frau den Betrug entdeckt hat – und möglichst noch, ehe der Mann und seine Freundin Gewohnheiten ausgebildet haben.

Am effektivsten sind die drastischen Mittel: seine Sachen in Koffer zu packen, diese vor die Tür oder ins Büro zu stellen und anschließend das Schloß zu ändern. Man lasse sich auf kein Argumentieren ein, verweigere jedes Gespräch und auch den Kontakt zu den Kindern. Der Schock wird ihn zur Vernunft bringen.

Meine Freundin Greta hat dies mit großem Erfolg praktiziert – und mit viel Mut, denn sie liebte ihren Mann noch. Trotzdem gab es für sie keine andere Wahl. Er hatte vier Jahre lang ein Verhältnis mit seiner Sekretärin, von dem sie keine Ahnung hatte. Er war zwar manchmal spät heimgekommen, jedoch nie die ganze Nacht weggeblieben. Als er plötzlich begann, zwei bis drei Nächte nicht aufzutauchen, erfuhr sie zu ihrem Entsetzen, daß er mit der anderen eine Wohnung bezogen hatte. Als Greta ihn zur Rede stellte, gestand er zwar, beschwichtigte sie jedoch: »Aber trotzdem verbringe ich mehr Zeit mit dir und auch die Wochenenden gehören dir und den Kindern.«

Greta wartete genau zehn Tage. So lange brauchte sie, um Bilanz zu ziehen. Sie war zwölf Jahre verheiratet, war äußerst hübsch und hatte immer noch die Figur einer Schönheitskönigin. Sie hatte ihren Mann nie betrogen. Körperlich war das Verhältnis gut, sie hatten bis zum Eklat miteinander geschlafen. Nur in den sieben Jahren, die zwischen der Geburt der Tochter und der des Sohnes lagen, hatte sie drei Fehlgeburten erlitten und war aus diesem Grunde begreiflicherweise weniger an körperlicher Liebe interessiert gewesen als sonst.

Die Sekretärin war groß und dünn, gar nicht schön und neun Jahre jünger. Greta dachte folgendes: Wenn er mich nach zwölf Jahren Ehe wegen dieser Frau verläßt, dann lieber heute als morgen. Nach einer erschütternden Szene warf sie ihren Mann mit sämtlichen Kleidungsstücken hinaus. Resultat: In den folgenden sechs Wochen wurde ihm klar, was er in den vergangenen vier Jahren nicht zu eruieren vermocht hatte, daß nämlich Greta die Richtige war und daß er ohne sie und die Kinder nicht existieren konnte.

Und auch das kann man als Regel betrachten: Zwingt man einen Mann, sich zwischen zwei Frauen zu entscheiden, so wählt er, wenn die Ehe nicht völlig zerrüttet war, immer die Ehefrau, da sie ihm am vertrautesten ist. In diesem Fall aber ist ein Ende mit Schrecken auch die beste Lösung für die Rivalin.

Eine andere Möglichkeit, eine junge Rivalin aus dem Feld zu schlagen, ist weniger gewaltsam, aber im Endeffekt viel schmerzhafter. Sie besteht darin, die Schlacht fürs erste verloren zu geben und alle Kräfte aufs Durchhalten zu set-

zen. Warten, wie es so schön heißt, bis sich der Mann ausgetobt hat, bis die auf den vorhergegangenen Seiten beschriebenen Geld-, Kommunikations-, Liebes- und
Eifersuchtsprobleme das ihre getan und das Verhältnis
zerstört haben.

Aber auch hier soll und muß die Frau Entscheidungen
treffen und versuchen, die zermürbende Wartezeit zu ver-
kürzen. Dies kann man, indem man das Gespräch mit der
jungen Rivalin sucht. Vorbedingung ist jedoch, daß man
ruhig und absolut ehrlich ist. Hat man Angst, so bedenke
man, daß die junge Freundin noch viel unsicherer ist. Daß
sie, auch wenn sie sich stark und weltgewandt gibt, unglücklich und schwach sein muß, weil es in dieser verfah-
renen Situation kaum anders möglich ist. Besteht die Aussicht, daß der Mann eventuell nach Hause zurückkommen
wird, so hat man die ideale Basis für ein derartiges Gespräch. Nichts ist fataler für das Durchhaltevermögen einer jungen Freundin als eine Ehefrau, die selbstsicher, aber
freundlich verkündet, ihr Verhältnis zu ihrem Mann sei
immer noch gut und er werde gewiß zu ihr zurückkehren.
Will man ganz genau wissen, woran man ist – und dazu
gehört Mut –, so bestehe man auf ein Treffen zu dritt. Hier
muß der Mann Farbe bekennen. Es wird jedoch schwierig
sein, ihn dazu zu überreden, da er bewiesen hat, daß er
beide Frauen, so lange es geht, zu behalten gedenkt.

Das Treffen kam zu spät

Auch in meinem Fall kam es zu einem Treffen zwischen
der Frau meines amerikanischen Freundes und mir. Nur
war der Zeitpunkt schlecht gewählt; es war schon viel zu

spät. Ich hatte bereits Jahre mit ihm gelebt, und das Verhältnis war zu einer Gewohnheit – wenn auch nicht zu einer guten – geworden. Wir waren alle beide bereits so demoralisiert, daß wir uns zu keiner Entscheidung aufraffen konnten.

Ich traf die Frau zu Mittag in einem kleinen Café in der Nähe meiner Bibliothek. Ich war so nervös, daß ich, als ich sie kommen sah, mit dem Ellbogen den Brotkorb vom Tisch stieß. Nach der Begrüßung merkte ich jedoch zu meiner Erleichterung, daß sie ebenso befangen war wie ich. Sie konnte vor Nervosität kaum sprechen. Wir versuchten, freundlich zu sein und stürzten uns sofort in eine Debatte über Literatur. Den Namen meines Freundes brachte keine von uns über die Lippen. Das Treffen dauerte vielleicht eine Dreiviertelstunde, anschließend begleitete sie mich in die Bibliothek, wo ich ihr erklärte, wie man die Kataloge benutzt. Während der ganzen Zeit war kein einziges Wort über unser eigentliches Problem gefallen. Wir hatten beide keine Kraft mehr. Wir hatten zuviel gelitten. Die Angst war zu groß.

Als mein Freund von dieser Begegnung erfuhr, reagierte er äußerst gereizt. Natürlich fürchtete er, daß wir uns nun gegen ihn verbünden würden. Er fühlte sich als Verlierer. Aus Protest ließ er sich zwei Tage lang nicht blicken. Im Endeffekt aber mußte er seine Unentschlossenheit teuer bezahlen. Während der letzten drei Jahre, die wir miteinander verbrachten, war von Scheidung nie mehr die Rede. Jedesmal, wenn das Gespräch darauf kam, reagierte er mit einem gequälten Seufzer. Was würde aus den Kindern werden? Er habe die Familie nach Europa gebracht, er sei auch dafür verantwortlich, sie wieder zurückzubringen. Als ich mich von ihm trennte, hätte seine Frau ihn zurückgewinnen können, aber auch sie wollte nicht mehr: Ein Jahr später reichte sie die Scheidung ein.

Abschließend ist folgendes zu sagen: Eine gute Ehe zu führen, eine, die vor jüngeren und älteren Rivalinnen sicher sein soll (wobei die älteren viel gefährlicher sind als die jüngeren), bedeutet immer wieder Kampf. Vieles im Leben ist Kampf, ob man will oder nicht. So und nicht anders ist die Welt, in der wir leben, beschaffen, und wir haben uns dareinzufügen. Eine Frau, die mit einer jungen Rivalin konfrontiert wird – und es ist ein Trost, daß dies nicht allzuoft vorkommt – muß ihre unangebrachte Furcht bezwingen und kämpfen. Wo die schwachen Stellen liegen, das weiß sie jetzt. Sie auszunützen, muß ihr gelingen. Und was bleibt sonst noch zu tun? Ein altes Klischee ist abzubauen: das von der starken, selbstsicheren, verwöhnten und verzärtelten jungen Rivalin, die nur, weil sie jung ist, begehrt und geliebt, bevorzugt und mit Geschenken überhäuft wird. Es gibt sie nicht, diese stolze Siegerin, höchstens in der Welt fragwürdiger Romane. In Wirklichkeit ist sie nämlich ein Wesen, das nichts zu lachen hat; das eher zu bemitleiden ist als zu beneiden; das alles lieber sein möchte als eine junge Rivalin, denn es ist die undankbarste Aufgabe der Welt.

8. Ratschläge, die zum Ziel führen: kritisch denken, klar sehen und neu sprechen lernen

Im Sommer 1978 unterschrieb der amerikanische Präsident Jimmy Carter ein Gesetz, demzufolge in den USA ab 1. Januar 1979 kein Arbeiter oder Angestellter mehr unfreiwillig in Pension geschickt werden darf. Damit hat Carter offiziell verankert, was man ohnehin schon wußte: erstens, daß man mit fünfundsechzig nicht zum alten Eisen gehört, zweitens – und das ist wichtig –, daß der Alterungsprozeß bei jedem Menschen anders verläuft.

Das neue Gesetz bewies aber noch viel mehr, nämlich, daß die westliche Welt dabei ist, den Jugendkult zu überwinden und das Älterwerden mit neuen Augen zu betrachten. Alte Menschen, dies gibt man damit offiziell zu, sind auch für die Leistungsgesellschaft des Westens von großem Nutzen. Wer bis neunzig arbeiten will und kann, dem werden zumindest in den Vereinigten Staaten keine Hindernisse mehr in den Weg gelegt.

Jeder Mensch altert also verschieden, und wer die Augen offenhält, kann sich selbst davon überzeugen. Manche Menschen sind mit fünfzig bereits alt, andere mit siebzig noch jung, attraktiv und leistungsfähig. Die amerikanische Sprache hat dieser Tatsache auch schon Rechnung getragen. Man spricht in den Staaten von einer »jungen Fünfzigerin«, »a young fifty«, wenn sie nichts von ihrem

Schwung verloren hat, aber auch von einer »alten Fünfundzwanzigjährigen«, wenn sowohl im Aussehen als auch im Gehaben nichts mehr vom Elan der Jugend zu spüren ist.

Dies sollte uns in Europa zu denken geben. Im deutschen Sprachgebrauch existieren nämlich – und zwar schon lange Zeit – Redewendungen wie »eine flotte Vierzigerin« oder »ein rüstiger Sechziger«. Wir besitzen also längst, was man sich derzeit in den USA mühsam erarbeitet – nämlich das Wissen, daß ältere Menschen oft attraktiver sind als junge. Höchste Zeit, sich dieser Tradition wieder zu erinnern.

Mit dem Älterwerden ist es wie mit dem Schwimmen, dem Skifahren und den Prüfungen, die man ablegen muß: Man darf sich keine Angst einjagen lassen. Fürchtet man sich, so ist man benachteiligt und startet mit Minuspunkten. Fürchtet man sich nicht, so kann man nur gewinnen. Folgende Regel gilt: Solange man sich jung fühlt, solange ist man es auch. Will ein Neider das Gegenteil behaupten, so lasse man ihn reden. Man richte sich nur nach einem: seiner eigenen, privaten, persönlichen Norm. Nur die eigene Überzeugung gilt, denn jeder muß in erster Linie mit sich selbst leben. Findet man sich schön, so richte man sich getrost seine Wohnung mit vielen Spiegeln ein, um sich über sich selbst zu freuen. Wird man von wohlmeinenden Bekannten zur Rede gestellt: »Bist du aber eitel, du in deinem Alter«, so antworte man kühl: »Welches Alter meinst du? Ich weiß nur, daß ich jetzt endlich alt genug bin, um zu tun, was ich will.«

Einschüchtern lasse man sich auf keinen Fall. Die Zeiten, in denen man sich Zwänge auferlegte aus Angst davor, »was die Leute sagen«, sind schon längst vorbei. An sich selbst muß man glauben. An sein Leben. Wer sich aber einreden läßt, daß er alt ist, der wird sich auch benehmen, als sei er alt, etwas Altes ausstrahlen und schließlich von der ganzen Umwelt als alt angesehen werden.

Man muß sich gut »verkaufen«

Dazu ein guter Rat. Man muß lernen, sich selbst zu schätzen und dafür zu sorgen, daß die Mitmenschen das gleiche tun. Dazu muß man den Tatsachen ins Auge sehen und sich vor der Erkenntnis nicht verschließen, daß vieles im Leben eine Art Geschäft ist. Man weiß zwar, daß der Wert von Häusern, Bildern, Kunstgegenständen davon abhängt, daß man die Nachfrage anheizt, hartnäckig handelt und die Vorteile betont, eines aber wissen viele nicht: daß man sich auch ununterbrochen selbst »verkaufen« muß. Niemand will einen Verlierer. Jeder will am liebsten Menschen voll Schwung, Optimismus, Erfolg und Lebensfreude. Man muß also aufhören zu nörgeln, aufhören zu jammern, lernen positiv zu denken – und zwar in erster Linie von sich selbst.

Wie man es auf keinen Fall machen darf, zeigt das folgende Beispiel: Eine Bekannte, die von ihrem Mann getrennt lebt, beklagte sich, daß sie keinen Erfolg bei Männern habe. Sie ist Ende Dreißig, hat rote Haare, ein ansprechendes Gesicht, Stupsnase und eine gute Figur. Da sie von ihrem Mann relativ großzügig unterstützt wird, hat sie genügend Geld, um sich teuer zu kleiden. Auf den ersten Blick wirkt sie ausgesprochen attraktiv, und niemand würde ihr glauben, daß sie bereits seit einem halben Jahr erfolglos eine Bekanntschaft sucht.

Nach einem einzigen Abend aber wußte ich, warum sie allein blieb. Sie »verkaufte« sich so schlecht, daß es zum Weinen war. Ihr Mann hatte sie in den vierzehn Ehejahren so verunsichert, sie konnte sich einfach nicht vorstellen, von irgend jemandem begehrt zu werden. Und zu ihrem Unglück schaffte sie es immer wieder, auch andere davon zu überzeugen.

Ich hatte sie eingeladen, einen Abend mit mir und zwei anderen Bekannten zu verbringen. Sie unterhielt sich gut, verstand sich auch gleich mit dem Architekten, den ich für sie hergebeten hatte, und nach dem Abendessen war die Stimmung so gut, daß wir beschlossen, noch in eine Diskothek zu gehen.

Auf dem Weg dorthin wurde sie sichtlich unruhig. Sie sprach kein Wort mehr im Auto. Als wir geparkt hatten, verkündete sie plötzlich: »Wenn ihr wollt, bleibe ich hier sitzen.« Allgemeines Erstaunen. »Habt ihr denn nicht gesehen, daß dort zwei Frauen allein ausgestiegen und ins Lokal gegangen sind? Die suchen sicher Bekanntschaft.« Wir blickten sie verständnislos an. »Aber wir sind doch schon vergeben«, sagte der Architekt. Daraufhin stieg sie aus. Auf dem Weg zur Tür aber sagte sie noch einmal: »Wollt ihr wirklich mit mir hineingehen? Da drinnen sind sicher nur junge Mädchen. Die werden staunen, wen ihr euch da angelacht habt.«

Und so ging es den ganzen Abend weiter. Obwohl das Publikum gut war und nicht aus Kleinkindern bestand, obwohl sie zu den attraktiveren weiblichen Gästen gehörte. Anfangs versuchten wir ihr zu widersprechen. Nach einer Stunde ließ sie sich sogar zum Tanzen überreden. Aber immer wieder, mitten in der angeregtesten Unterhaltung, kam sie auf das leidige Thema zurück: Ihr scheinbar so störendes Alter.

Resultat: Ihre Selbstabwertung siegte über ihr Aussehen. Der Abend endete in schlechter Stimmung. Der Architekt, dem sie anfangs sehr gut gefallen hatte, ließ nie wieder von sich hören. Sie hat sich falsch »verkauft«. Ein Geschäftsmann, der einem Kunden sagt: »Das Aquarell, das Ihnen da zu gefallen scheint, ist in Wirklichkeit nicht besonders attraktiv und wird in Kürze verblassen«, darf nicht hoffen, einen guten Preis zu erzielen.

Auf die Wahl der Worte kommt es an

Es ist viel besser, falls man sich unsicher fühlt, zu wenig als zu viel zu sagen. Und dies bringt uns zu einem überaus wichtigen Thema: Dem Gebrauch der Sprache. Wörter sind Lebewesen. Kaum verlassen sie die Lippen, richten sie auch schon irgend etwas an: Sie bauen auf, drücken nieder, verängstigen oder erfreuen, auf jeden Fall beschwören sie vor dem geistigen Auge Bilder herauf. Und diese leben, meist viel länger, als einem lieb ist.

Dazu ein Beispiel: Höre ich das Wort »Greis«, so sehe ich ein zittriges Männchen, wie man es in Wirklichkeit kaum mehr zu Gesicht bekommt. Höre ich »altes Weib«, so entsteht in meiner Vorstellung alles andere als ein einladendes Geschöpf. Man muß also lernen, sich vorsichtig auszudrücken und Wörter, die unnötig Altersangst heraufbeschwören, vermeiden. Fatal ist vor allem das Wörtchen »noch«. So klein es ist, so gefährlich kann es sein. Es ist imstande, die schönste Beschreibung abzuwerten, die klaren Augen, die glatte Haut einer Frau zeitlich einzugrenzen und damit dem Untergang preiszugeben. »Wie sieht sie aus?« fragt man harmlos. »Noch recht gut«, ist die

Antwort, und dahinter schwingen Neid und das unausge-
sprochene »Aber-nicht-mehr-lange« mit.

Warum kann man nicht großzügiger sein? Warum nicht
ohne »noch« loben? Wenn man schon ein Kompliment
macht, dann mache man es doch aus ganzem Herzen und
ohne Hintergedanken. Denn im Grunde ist alles im Leben
»noch«. Wir sind noch gesund, noch leistungsfähig; meine
Kinder sind noch am Leben, mein Mann liebt mich noch,
noch geht die Sonne auf, noch habe ich keinen Krebs. Was
für ein Schwachsinn, immer die Vergänglichkeit miteinzu-
zubeziehen. Daß ich alt werde, weiß ich, und solange ich
schön bin, bin ich schön. Ohne »noch«. Und das gilt auch
für alle anderen.

Wie man sich zwingen muß, das Wort »noch« bei Perso-
nenbeschreibungen zu vermeiden, so muß man auch lernen, sich in Gesellschaft Jüngerer normal zu benehmen.
Erstaunlich viele Menschen fühlen sich bereits auf Grund
von fünf oder sechs Jahren, die sie anderen voraus sind,
bedroht und können es nicht unterlassen, die Altersbar-
riere, die ihrer Meinung nach besteht, voll herauszustrei-
chen. »Wenn ihr erst einmal so alt seid wie ich«, sagen sie
dann, oder: »Wenn ich euch so reden höre, wird mir erst
bewußt, wie alt ich bin.« Und das einzige, was sie erreichen, ist, daß sie sich selbst diskriminieren und alle Anwesenden zwingen, sich mit etwas auseinanderzusetzen, was
bis dahin niemanden gestört hat.

Von solchen Äußerungen ist unbedingt abzusehen, auch
wenn man sie nur mit dem Hintergedanken macht, Komplimente einzuheimsen. Wörter sind, wie gesagt, Lebewesen. Selbst wenn man sich selbst nur verbal entwerten
möchte, bleibt doch bei den andern immer etwas Unange-
nehmes zurück. Es ist eine alte Regel, nie auf Fehler auf-

250

merksam zu machen, schon gar nicht auf eingebildete. Die Umwelt macht sich nicht die Mühe nachzuprüfen, ob die Behauptung stimmt. »Wenn sie es selbst sagt, daß sie alt ist, so wird es schon stimmen«, heißt es dann. Das aber wollte man sicher nicht bezwecken.

Schluß mit den abfälligen Bemerkungen!

Frauen der älteren Generation neigen leider oft dazu, sich selbst, aber auch ihre Altersgenossinnen pauschal abzuwerten. Das Wort »Weib« kommt ihnen besonders oft über die Lippen. Gerade dieses Wort aber sollte man meiden. »Weib« hat seit dem Mittelalter eine enorme Bedeutungsverschlechterung erfahren und wird mit Ausnahme von »Prachtweib« nur mit negativen Beiwörtern versehen; mit zänkisch, alt, ungut, lästig, widerlich. Wenn man aber im Leben etwas ändern will, so empfiehlt es sich, vor allem Wörter zu vermeiden, die alte Zustände am Leben halten und ganz präzise darauf hinzuarbeiten, daß sie vergessen werden.

Man sage nie mehr: »Im Café sitzen lauter alte Weiber.« – »Alte Damen« klingt viel besser und beschreibt auch die Situation richtig. Ebensowenig verwende man, auch nicht im Scherz, die Ausdrücke Weibertratsch, Weiberzank, Weiberprobleme. Man nehme nie mehr ein Wort in den Mund, das absichtlich alt macht, das das Alter hervorkehrt oder alte Menschen abwertet. Auch wenn man selbst noch sehr jung ist, befolge man diese Regeln. Älter wird man sicher, und dann wird es einem zugute kommen.

Ein Paradebeispiel für Selbstabwertung ist der Ausdruck »zu meiner Zeit«. Verwendet man ihn im Gespräch, so sondert man sich sofort von den übrigen Anwesenden ab; man ordnet sich in eine andere Alterskategorie ein. Ich habe diese Redewendung nie verstanden. Was heißt »zu meiner Zeit« oder »zu meiner Zeit war das anders«? Meine Zeit ist doch jetzt. Solange ich lebe, ist meine Zeit. Von der Geburt bis zum Tode; jede Sekunde ist meine Lebenszeit. Nur wer die Hoffnung aufgegeben und seinen Optimismus verloren hat, nur wer nicht mehr mitreden will und keine Energie aufbringen kann, irgend etwas auf dieser Welt zum Positiven zu verändern, hat das Recht, »zu meiner Zeit« zu sagen und seine Jugendjahre zu meinen.

Man sollte lernen, viel präziser zu sprechen. Viel besser klingt zum Beispiel: »Als ich siebzehn war, verdienten die Frauen die Hälfte von heute«, oder: »Als ich zwanzig war, waren Kniehosen modern.« Und wenn man gefragt wird, wann das war, so sage man ohne zu zögern die Jahreszahl. Man braucht sich seines Alters nicht zu schämen. Man muß nur aufhören, es als unheilbare Krankheit zu behandeln. Und hört man als Reaktion: »Was, Sie sind schon siebzig?« so antworte man lächelnd: »Ja, ich bin siebzig. Und wie Sie sehen, ist das noch gar nicht alt.«

Bei meinem ersten Besuch in Washington hatte ich ein interessantes Erlebnis. Ich saß im Restaurant des schönen alten Teils der National Gallery und trank Kaffee. Am Tisch war noch ein Platz frei und eine sehr hübsche junge Frau setzte sich zu mir. Ich sehe sie noch genau vor mir. Sie war sehr schlank, fast dünn, hatte lange schwarze Haare und einen Teint wie eine Südländerin. Ihr Gesicht war schmal und intelligent. Der erste Satz, den sie an mich richtete, lautete: »Ich bin vierzig. Wie alt sind Sie?«

Als Europäerin erschreckte mich diese Offenheit, die zu den liebenswürdigsten Zügen der amerikanischen Staatsbürger gehört, für einen kurzen Augenblick. Dann entspann sich zwischen uns eine lebhafte Debatte über das Leben im allgemeinen und das Alter im besonderen. Mein Vis-à-vis war Bildhauerin und hatte beschlossen, sich an ihrem dreißigsten Geburtstag zum letztenmal über ihr Alter zu ärgern. »Ich hatte einen Freund, der zwölf Jahre jünger war«, erzählte sie mir, »und an diesem Geburtstag dachte ich mit Schrecken: In zwanzig Jahren bist du fünfzig und er ist erst achtunddreißig. Aber im nächsten Moment dachte ich: Soll ich mich vor einer Zahl fürchten? Was heißt, ich werde fünfzig sein? Ich werde in erster Linie ich sein. Ich weigere mich, eine Altersangabe zu sein. Ich bin ich. Ich stehe darüber. Ich bin keine Zahl. Ich bin mein Fleisch und mein Blut, und mein Gesicht wird dasselbe sein und auch meine großen Augen und mein Humor und mein Talent – und die Haare werde ich mir auch nicht schneiden lassen. Und ich habe recht gehabt. Ich bin auf dem halben Weg zum Fünfziger, und nichts hat sich geändert, außer daß es mir besser geht als vor zehn Jahren.« So und nicht anders muß man die Sache anpacken. Man muß zu seinem Alter stehen; nicht der Umwelt vormachen, daß man jünger ist, sondern sie überzeugen, daß das Alter, in dem man steht, durchaus nicht zu verachten ist, daß man drübersteht, daß einem die abstrakte Zahl nichts anhaben kann, daß man die Menschen in Kinder und Erwachsene einteilt, das ungefähre Alter ohnehin vom Gesicht ablesen kann und der Rest keine Bedeutung hat. Ist man aber zu feige oder zu bequem, um genaue Angaben zu machen, verwendet man Ausdrücke wie »noch« oder »zu meiner Zeit«, so streckt man die Waffen und ermuntert die Jugend indirekt, einem auf dem Kopf herumzutrampeln.

Immer das Alter verteidigen

Und noch ein paar Regeln zum Verhalten in Gesellschaft. Die erste lautet: Reden. Wer die Altersangst der anderen bekämpfen will, der muß, sooft das Gespräch auf das Thema Alter kommt, seine Meinung sagen; frisch von der Leber weg. Und dann seinen Mut, seine Haltung und seine Kraft mobilisieren, zu dem zu stehen und das zu verteidigen, was man gesagt hat.

Man lasse sich nicht beirren. Fallen Sätze wie: »Unser Hausherr ist eigenartig. Er lebt mit einer Frau, die seine Mutter sein könnte«, so sage man ruhig: »Was ist daran eigenartig? Gleiches Recht für alle. Es gibt genügend Frauen, deren Männer ebenso alt sind wie ihre Väter.« Sich nur zu denken: »Ach, ihr Armen, was redet ihr für dummes Zeug, ich könnte euch belehren, aber es ist mir nicht der Mühe wert«, bringt niemanden auch nur einen Schritt weiter. Man hat die Pflicht, den Mund aufzumachen. Und man wird, noch ehe viel Zeit vergangen ist, davon profitieren. Der Freundeskreis wird als erster bekehrt werden. Und ist dies geschehen, so fällt es leicht, auch in Gegenwart von Fremden das Alter zu verteidigen.

Ist man mit Unbekannten beisammen, so muß man sich sagen, daß die, die einem so einheitlich gegenübersitzen, absolut keine gemeinsame Front bilden. Sie sind nicht vereint oder verbündet. Sie sind keine Feinde. Sie sind nichts anderes als eine Gruppe einzelner mehr oder minder verunsicherter Individuen. Natürlich mache man sich auf Widerspruch gefaßt. Aber man darf nicht klein beigeben. Außerdem bleibt immer mehr hängen, als man glaubt. Diejenigen, die am meisten dagegen argumentieren, lassen sich am schnellsten überzeugen und schließen sich oft schon beim Nachhausegehen der Meinung an, daß ältere Frauen mehr Chancen im Leben haben als junge.

Ein besonderes Kapitel sind die Witze. Auch wenn man sich in der Gesellschaft relativ fremder Leute befindet oder das erste Mal eingeladen ist, darf man sich nicht dazu hergeben, über Witze, die auf Kosten alter Leute gehen (zum Beispiel Omawitze), zu lachen: Ist der Witz geschmacklos, so scheue man sich nicht, es auch zu sagen. Fühlt man sich selbst durch einen Witz gekränkt, so sage man es auch sofort.

Der Erzähler wird beschämt sein, auch wenn er vielleicht zur Selbstverteidigung meint: »Ach, sind Sie doch nicht so empfindlich, so war es ja gar nicht gemeint.« So war es aber doch gemeint. Sein Pech, daß es nicht ankam. Passiert ihm das noch einmal, wird er diesen Witz für immer ad acta legen.

Noch etwas darf man auf keinen Fall tun: Den Leuten sagen, was sie denken. Bemerkungen wie: »Ihr denkt wahrscheinlich, ich bin schon uralt«, kann man sich sparen, auch wenn sie nur scherzhaft gemeint sind. Ebenso unsinnig ist es, sich einzureden, man wisse, was die andern von einem halten. Noch unsinniger ist es, sich dieser eingebildeten Meinung zu beugen.

Wenn ein junger Mann einer reifen Frau den Hof macht, so akzeptiere sie es ruhig und selbstverständlich, ohne viel Hin und Her. Soviel Menschenkenntnis wird sie wohl haben, um festzustellen, ob es ernst gemeint ist oder nicht. Aber sich von vornherein aller Chancen zu berauben, sich zu sagen: »Der denkt doch sicher, ich bin viel zu alt für ihn«, ist Dummheit. Die Zeiten, in denen für eine Frau nur gleichaltrige oder ältere Männer in Frage kamen, ist vorbei. Die Grenzen sind schon gesprengt. Frauen müssen aufhören, selbst Barrikaden zu errichten. Die Freiheit, werden sie feststellen, ist grenzenlos.

Zwischen Theorie und Wahrheit unterscheiden

Und nun etwas äußerst Wichtiges. Wie man lernen muß, herabsetzende Worte zu vermeiden, so muß man auch lernen, sich nicht mehr von Worten, von puren, abstrakten Worten und den Bildern, die sie heraufbeschwören, verletzen zu lassen. Das, was man sagt, ist oft nicht das, was man meint. Der Mann jener rothaarigen Frau, der ihr Selbstbewußtsein gebrochen hatte und teure Kleider zur Wiedergutmachung offerierte, hatte verbal nur für Teenager geschwärmt und damit ihre Altersangst geschürt. Jedes zweite Wort war bei ihm »blonde Siebzehnjährige«. Nachgejagt ist er aber Gleichaltrigen, mit denen er sie auch betrogen hat. Für ihre Angst gab es also nur einen verbalen, einen theoretischen, aber keinen wirklichen Grund. Zu ihrem Unglück hat sie nie gelernt, das eine vom andern zu unterscheiden. Gerade dies aber ist sehr wichtig. Man quält sich oft wegen nichts und wieder nichts.

Besonders aufschlußreich ist auch all das, was sich abspielt, wenn eine Gruppe von Männern beschließt, sich am Abend »knusprige Mädchen« anzulachen. Es ist der Mühe wert mitzugehen. Die tatsächlichen Eroberungen, wenn sie überhaupt welche machen, stehen in keinem Verhältnis zu dem, was man sich als Frau qualvoll in der Phantasie ausgemalt hat. Drei Sommer hindurch hatte ich Gelegenheit, mich davon zu überzeugen.

Ich arbeitete bei einem deutschsprachigen Radiosender in Italien. Wir waren eine kleine Belegschaft, mehr Männer als Frauen, und das Studio befand sich in Oberitalien, wo es im Juli und August mehr Touristen gibt als Sand am Meer. Abend für Abend spielte sich nun dasselbe ab: Unsere Herren stürzten sich ins Nachtleben, um ihr Glück bei den massenhaft vorhandenen Urlauberinnen zu versuchen – nur bei der Jüngsten und Schönsten, wie sie sich ausdrückten, ehe sie verschwanden.

Wir Zurückgebliebenen malten uns bordellartige Szenen aus, Diskotheken voll braungebrannter Schönheiten, die unsere Radiostars umschwärmten, Ströme von Champagner und die üblichen Urlaubsklischees, die von der Werbung für die Männer erfunden werden. Die Wahrheit lernten wir kennen, als wir in einem mutigen Moment beschlossen, unsere Helden auf frischer Tat zu ertappen. Wir wußten, wohin sie gingen, kannten die Lokale, die sie der Reihe nach abklapperten, und überraschten sie in der letzten Station, einer ehemaligen Schmiede, die zu einem Tanzlokal umgebaut worden war.

Und was sahen wir? Von Schönheiten keine Spur. Drei unserer Moderatoren saßen allein an ihrem Tisch, der vierte tanzte mit einer eher molligen Dame reiferen Alters, die angeblich steinreich war. Das Lokal war halb leer, zwei hübsche Frauen saßen mit ihren Verehrern an ihrem Tisch, der Rest des Publikums bestand aus Gruppen und Grüppchen uninteressanter Halbwüchsiger, die von unseren angeblich so jugendbesessenen Radiogrößen keines Blickes gewürdigt wurden.

»Ist das immer so?« fragten wir frohlockend. »Leider«, brummte Gerd, unser Frauenheld vom Dienst, und erging sich anschließend in einer Schimpftirade, die ihn sichtlich erleichterte. Zwei Wochen habe er in diesen Spelunken vertan, in denen nichts los sei, meinte er. Er habe jetzt genug und werde sich ab morgen auf die Gäste des Hotels konzentrieren, in dem wir wohnten.

Das tat er auch. In erstaunlich kurzer Zeit fand er sogar genau das, was er suchte: eine dunkelhaarige ehemalige Ballettänzerin aus Mailand, wohlhabend, verheiratet, mit zwei fast erwachsenen Kindern; der Mann war nicht mitgekommen. Gerd, der gerade neunundzwanzig geworden war und kein Wort Italienisch konnte, verliebte sich gründlich. Von dem Tag an, an dem er Daniella – so hieß die ehemalige Tänzerin – erblickt hatte, sah man ihn kaum noch, wenn er dienstfrei hatte. Nach dem Essen stand er auf, faßte seine Freundin um die Mitte und stieg verklärten Blickes mit ihr in den Aufzug. Manchmal zeigten sich die beiden zum Abendessen, aber meist blieben sie verschwunden.

Im Sender erschien er zum Frühdienst mit dunklen Augenringen und immer erst im allerletzten Moment. Er schwärmte von Daniella – die übrigens kein Wort Deutsch sprach – und von seinem Glück, endlich, zum erstenmal in seinem Leben eine Frau gefunden zu haben, die ihn, wie er sich ausdrückte, »seine Männlichkeit beweisen ließ«. Endlich eine, die Ansprüche stellte, endlich eine, die zugab, ihn zu begehren.

Auch als Daniella abreiste, hielt die Liebe an, obwohl Gerd in relativ kurzer Zeit anfing, sich zu trösten. Aber Daniella rief regelmäßig aus Mailand an, und die Gespräche, die aus Urlauten oder deutsch-englisch-französischen Wortbrokken bestanden, dauerten endlos.

Und dann kamen neue Gäste. Drei flotte junge Sekretärinnen aus der Steiermark mit wallendem Haar und einem unerschöpflichen Vorrat an Bikinis, zwei Ehepaare aus Triest, eine dünne, superelegante Italienerin mit einem ebenso eleganten Afghanen, der täglich gebürstet wurde, ein älterer Anwalt aus Rom mit einem silbernen Lancia und eine brünette Lehrerin aus Udine, Mitte Vierzig, mit der Figur einer Walküre.

Am ersten Abend lud Gerd, um sich in seinem Kummer über Daniella zu trösten, die drei aus der Steiermark ein. Kurz nach Mitternacht war er bereits wieder zurück und setzte sich wortlos zu uns auf die Terrasse. Am zweiten Tag wanderte er nach Dienstschluß brütend in der Hotelhalle auf und ab, und am dritten saß er – mit wem wohl? – mit der Lehrerin aus Udine in der Hollywood-Schaukel.

Und bei ihr blieb er auch. Von da an gab es für ihn keinen Zweifel mehr: Die »Superfrau« war die reife Italienerin. »Die reife Italienerin, die weiß, worauf es ankommt«, pflegte er zu verkünden. »Diese Frauen haben Sex-Appeal, diese Frauen haben Würde. Da könnt ihr anderen euch gleich eingraben lassen.«

Und was beweist das? Daß man keine Depression zu kriegen braucht, wenn Männer von blonden Teenagern schwärmen, daß man herausfinden muß, was sie wirklich meinen; daß man zwischen Worten und der Wirklichkeit unterscheiden lernen muß. Wer die Altersangst völlig verlieren will, der muß lernen, kritisch zu denken. Und das ist ein eigenes, äußerst wichtiges Kapitel.

Die Medien kritisch betrachten

Mit kritischen Augen muß man vor allem Film und Fernsehen betrachten und das, was hier tagtäglich angerichtet wird. Regel Nummer eins, die nie vergessen werden darf:

Spielfilme bieten meist Illusionen, die mit der Wirklichkeit nichts zu tun haben. Natürlich gibt es Ausnahmen, aber was ist der übliche Spielfilm? Doch überwiegend der Versuch eines einzigen »kleinen« Mannes, sein Weltbild anderen aufzudrängen. Die meisten Filmregisseure sind Männer. Und da sich Männer auf sexuellem Gebiet meist unsicherer fühlen als Frauen – darüber später noch Genaueres –, drehen sie für sich und ihre Geschlechtsgenossen Aufbaufilme. Da sieht sich dann ein älterer Mann von zwei oder drei bildschönen jungen Frauen umschwärmt, aber warum sie dies tun, wird nicht erklärt. Der Regisseur findet dies nicht der Mühe wert. Es geht nicht um die Wahrheit, sondern um den Wunschtraum, um die Illusion. Ein typisches Beispiel neueren Datums ist die einfallslose TV-Serie »Charlie's Angels« oder der französische Abklatsch, der kürzlich im österreichischen Fernsehen gezeigt wurde: »Charlie und seine zwei Hübschen«. Zur Illustration die Handlung:

Charlie ist ein Marktschreier – klein, eher häßlich, um die fünfzig –, der zwei gerade der Schule entwachsene Mädchen vor dem Arbeitsamt kennenlernt und sie für sich an seinem Stand arbeiten läßt. Es dauert keine zwei Minuten und der Regisseur kommt zum Kern der Sache. Die beiden sind natürlich vom ersten Moment an in Charlie verliebt, und der Dialog hat dies dem Zuschauer einzuhämmern, da die Handlung zu schwach ist. »Gefällt er dir?« fragt die eine die andere. »Ja, er ist ganz toll«, erwidert diese und kommt zur Kernfrage: »Würdest du mit ihm schlafen?« Pause, um die Zuschauer zappeln zu lassen – aber keine Angst, der Regisseur verläßt sie nicht –: »Ja, sofort«, lautet die befreiende Antwort, »Charlie ist ein richtiger Mann.« Und als solcher benimmt er sich auch. Die nächste Szene spielt in einer Diskothek. Sie ist voller junger Leute. Charlie kennt keine falsche Scham und tanzt mit der Schwarzhaarigen, die er bevorzugt. Die Blonde sitzt inzwischen allein an der Wand. Was tut sie? Sie wehrt alle Aufforderungsversuche der Jünglinge ab und hat nur verklärte Augen für ihren Helden. Auch sie – das ist klar – will einen »richtigen Mann«. Und sie bekommt ihn. Am nächsten Tag, auf dem Markt, lernt sie einen glatzköpfigen Händler kennen, gegen den Charlie eine wahre Schönheit ist. Er ist mindestens vierzig Jahre älter als sie und verkauft Miniaturkathedralen. Ein Blick in seinen Wohnwagen, und ihr Widerstand schmilzt. Sie verliebt sich von einer Sekunde zur andern, verläßt die Freundin und Charlie und beschließt, mit dem Glatzköpfigen gen Süden zu ziehen.

In der nächsten Szene ist sie bereits im Unterhemd und serviert ihrem Lustobjekt, das auf dem zerwühlten Bett liegt, ein kaltes Bier. Der Glatzköpfige erweist sich später leider als Betrüger, weshalb sie ihn wieder verläßt. Wäre er aber ehrlich gewesen, so hätte er – laut Regisseur – für die Kleine einen ernstzunehmenden Partner abgegeben.

Männer sind sich selbst am nächsten

Daß dieser Film vor allem Männer ansprechen soll, zeigt sich schon an der Auswahl der Schauspieler. Charlie und der Kathedralenhändler sind Typen, die zwar von Männern anerkannt werden, die Frauen im wirklichen Leben jedoch kalt lassen. Trotzdem stellt man diesen herbmännlich unsentimentalen Gestalten im Film kleine, liebe, anbetende Mädchen gegenüber, die – allen Unglaubwürdigkeiten zum Trotz – hinschmelzen.

Hätte sich der Regisseur die Mühe gemacht, die Figur des Glatzköpfigen mit Charme, Humor und Liebenswürdigkeit auszustatten, mit einer geistreichen Art zu reden, mit irgend etwas, das für ihn einnimmt, man würde ihm eher glauben. Aber er tat es nicht, handelt es sich doch um einen Aufbaufilm mit der Aussage: Mädchen lieben ältere Männer, die nicht einmal schön sein müssen. Ein richtiger Mann zu sein genügt. Und so mangelhaft, so lächerlich diese Filme auch gemacht sind, eines tun sie doch: Sie machen für die Kombination alter Mann – junge Frau Reklame.

Ist man aber als Frau in der Lage, dies zu erkennen, so wird man sich von solchen Filmen nicht mehr entmutigen lassen. Ihre Regisseure sind, wie schon gesagt, in der Regel Männer, und die sind sich selbst am nächsten. Wenn ihre Filme Frauen kränken und beleidigen, geschieht das oft unabsichtlich, ganz einfach deshalb, weil sie gar nicht an Frauen als Publikum gedacht haben. Sie zeigen ganz einfach die Welt von ihrer eigenen, männlichen Warte aus. Und der Rest interessiert sie nicht.

Aufbaufilme für Frauen gibt es nur ganz wenige. Aber in der Zukunft liegt die Hoffnung. Und bis es soweit ist, bleibt die Schulung des kritischen Denkens das Wichtigste zur Bekämpfung der Altersangst. Dazu noch ein Beispiel aus dem Kino: Man kann es nicht oft genug wiederholen, aber die Phantasie des Menschen ist gefährlicher als die Wirklichkeit. Und man muß, koste es, was es wolle, lernen, zwischen beidem zu unterscheiden.

Franco Zeffirelli drehte einen Film über den heiligen Franziskus. Er hieß »Fratello sole, sorella luna«. Darin wimmelt es von Alten und Kranken und Armen, die so entstellt sind, daß man das Kino nur in tiefster Depression verläßt. Die Maskenbildner müssen halbe Tage damit verbracht haben, die Gesichter der Statisten zu verunstalten, um noch mehr Beulen, noch mehr Runzeln zu applizieren, um noch mehr Horror hervorzurufen.

Natürlich gehört das zum Geschäft. Man will das Publikum schockieren. Aber der Regisseur hatte sicher nicht die Absicht, unter den Zuschauern Angst vor dem Alter zu verbreiten. Ihm ging es vielmehr darum, zu zeigen, wie groß die Güte und Selbstaufopferung des Heiligen gewesen sein mußten, der sich dieser gebrechlichen Geschöpfe angenommen hatte. Trotzdem aber taucht die Altersangst, wenn auch unbewußt und als Abscheu empfunden, als Nebenwirkung dieses Filmes auf.

Ich war in Indien und kenne die Slums von Bombay. Ich habe Menschen gesehen, die als Kinder von ihren Eltern entstellt wurden, um beim Betteln mehr Mitleid zu erregen. Ich sah Alte und Kranke in großer Zahl, am Hafen, in Wellblechhütten, im Rinnstein. Ich habe ihnen ins Gesicht geblickt. Natürlich war ich zutiefst berührt, entsetzt über ihr Schicksal. Aber keiner dieser alten Menschen hat mir so viel Abscheu und Altersangst eingeflößt wie die Figuren in Zeffirellis Film.

Und warum? Weil die Gestalten Zeffirellis seiner Phantasie entsprungen waren, weil sie nichts Menschliches mehr hatten. Menschliches Elend kann man ertragen. Das Elend von entstellten und völlig ausdruckslosen Schimären dagegen erweckt nur noch Grauen. Die Augen der Phantasiegestalten waren leer – die Augen der Alten in Indien dagegen tief und bis zum Rand gefüllt mit Geduld, Wissen und Leiden. Angesichts dieser Augen vergaß man die abgezehrten Gesichter. Man empfand sie nicht einmal mehr als häßlich.

Jeden Abend Bilanz ziehen

Das ist der Unterschied zwischen Phantasie und Wirklichkeit: Mit der Wirklichkeit kann man fertig werden, weil man selbst wirklich ist. Gegen die Scheinwelt ist man wehrlos, außer man hat gelernt, sie zu ignorieren. Ein gutes Mittel, das kritische Denken zu schulen, besteht darin, am Abend eines jeden Tages Bilanz zu ziehen. Was hat mir heute Angst vor dem Alter eingejagt? Ein Film? Ein Buch? Ein Artikel in einer Zeitung? Eine hingeworfene Bemerkung? Hatte ich Gedächtnislücken? Hat mein Mann eine jüngere Frau bewundert? Oder war es nur eine unbewußte Angst? Dann gehe man kritisch ans Werk. War der Film der Grund, so weiß man: Der Film ist das Werk eines einzelnen Menschen, der seine Ansichten verwirklichen will. Kein Grund, sich davon deprimieren zu lassen. Dasselbe gilt für Bücher. Bücher fallen weder vom Himmel noch verkünden sie göttliche Weisheit. Niemand zwingt mich, ein Buch, das mich bedrückt und einschüchtert, zu Ende zu lesen. Das Leben fordert Kraft genug; wer wird mit widerwilliger Lektüre Energie vergeuden! Ähnlich ist es mit Zeitungsartikeln. Journalisten wiederholen oft aus Zeitmangel alte Klischees und überholte Weisheiten. Weil sie häufig gar nicht dazukommen, ausgiebig zu recherchieren, füllen sie ganze Absätze, indem sie wiederholen, was »man« über dieses Thema weiß, um erst am Schluß ein winziges Stück neue Information zu bringen. Resultat: Vorurteile werden am Leben erhalten – die Jugend ist immer jung und schön, die andern sind immer alt und krank –, und am Status quo wird nicht gerüttelt. Was soll man tun? Sofort aufhören zu lesen, das Ganze nicht ernst nehmen, umblättern, vergessen.

Hat mich eine böse Bemerkung gekränkt? Nun, so muß ich mich fragen, warum sie fiel. Etwa aus Vergeltung? Habe ich sie bei meinem Partner herausgefordert? Wenn nicht, so gibt es eine ausgezeichnete Taktik, um sich in Zukunft davor zu schützen, dieselbe, die man anwenden muß, wenn der Mann, der einem etwas bedeutet, lautstark jüngere Frauen bewundert. Sie heißt: Sich wehren. Gleiches mit Gleichem vergelten.

Männer sind oft erstaunlich unsensibel. Warum? Weil sie keine Ahnung haben, wie sehr das, was sie sagen, verletzt. Erst wenn sie dergleichen auch am eigenen Leib spüren, werden sie rücksichtsvoller. Bewundert ein Mann, während man ihn begleitet, eine junge Frau auf der Straße, so sagt man am besten sofort: »Ja, aber ihr Begleiter ist auch nicht schlecht.« Hat sie keinen bei sich, so wähle man irgendeinen Mann, der sich in der Nähe aufhält, zum Beispiel: »Und ich finde den jungen Polizisten dort recht aufregend.« Das Resultat wird meist grenzenlose Verblüffung sein. Man kann getrost offen zugeben, daß man ein Vergeltungsspiel spielt, indem man dieselben Worte gebraucht, die der Begleiter benützt hat. Er wird zwar darüber lachen, aber angenehm ist es ihm sicher nicht. Außerdem – wer weiß –, vielleicht war es doch ernst gemeint? Den Stich hat er trotzdem gespürt.

Wenn man eine Zeitlang konsequent jede Taktlosigkeit zurückzahlt, auf jede lieblose Bemerkung mit einem passenden Gegenspruch antwortet, so wird man in relativ kurzer Zeit kaum noch auf diese Art beleidigt werden. Wie aber ist es mit den Gedächtnislücken? Ist man denn in der Jugend nie zielstrebig zu einem Schrank gegangen, um dann, nachdem man ihn geöffnet hatte, partout nicht mehr zu wissen, was man eigentlich darin wollte? Ich bin erst siebenunddreißig Jahre alt und trotzdem ist mir kürzlich vier ganze Stunden lang der Vorname eines Kollegen, mit dem ich im Sommer in Italien monatelang zusammengearbeitet habe, nicht mehr eingefallen.

Wenn mir derartiges passiert, sage ich lachend: »Ich bin wirklich dumm!« Meine neunundsiebzigjährige Mutter sagt dagegen in derselben Situation todernst: »Ich kann mir nichts mehr merken, das ist das Alter.« Hier muß man aufpassen. Man darf nicht alles auf das Alter schieben. Am Schluß ist dann an jedem Übel nur das Alter schuld: daß man nicht geliebt, nicht befördert und im Geschäft nicht ordentlich bedient wird, bei Diskussionen nicht zu Wort kommt, am Abend nicht einschlafen kann und in der Frühe nicht aufstehen will. Das Alter wird damit zum Wall, hinter dem man sich versteckt, um sich nicht mehr anstrengen zu müssen. Was man dabei vergißt, ist jedoch, daß der Wall isoliert, daß man sich damit, ohne es zu ahnen, vom Leben abschneidet. Die Schuld an gewissen Versagen nicht mehr bei sich, sondern bloß beim Alter zu suchen, ist viel zu gefährlich. Man lasse sich erst gar nicht darauf ein.

Das Alter verändert einen Menschen nicht von Grund auf. Es kann nur eines: die Anlagen, die man sein ganzes Leben hindurch gehabt hat, unmerklich verstärken. Kleine Versehen, die man auf das Alter schiebt, Vergeßlichkeiten, Konzentrationsstörungen, haben meist ganz andere Ursachen wie Nervosität, Übermüdung oder simple, an kein Alter gebundene Zerstreutheit.

Die Zellen Zellen sein lassen

Dazu noch ein guter Rat: Man lasse die Finger von jener Alterswissenschaft von den absterbenden Gehirnzellen. Ich war fünfundzwanzig Jahre alt, als ich zum erstenmal mit ihr konfrontiert wurde. Einer meiner Bekannten, ein Medizinstudent, kam von der Vorlesung nach Hause und erklärte: »Also, mit dir geht es auch schon abwärts, denn du bist über fünfundzwanzig und jeden Tag sterben in deinem Schädel -zigtausend Zellen.«

Anfangs war ich so verblüfft, daß ich kein Wort hervorbrachte. Dann bekam ich einen Lachkrampf, auf den er sehr böse reagierte. Aber ich konnte nur lachen. Ich war im Vollgefühl meiner Kraft und nicht gewillt, mich durch halbverdaute Forschungsergebnisse einschüchtern zu lassen. Und das kann man allen empfehlen. Man lasse Zellen Zellen sein, vor allem die des Gehirns, denn wie sich die Denkvorgänge genau abspielen, ist noch immer ein Rätsel. Mit Zellen verschwendet man nur seine Zeit und läßt sich unbegründete Angst einjagen. Zellen sind winzig; wir leben in einer anderen Dimension. Was man weiß, ist, daß das Hirn eines Vierzigjährigen besser funktioniert als das eines Zwanzigjährigen und daß ein Sechzigjähriger häufig mehr zu sagen hat als ein Dreißigjähriger. Man kann es an den Universitäten sehen, wenn ältere Menschen zu studieren anfangen. Sie tun sich in vielem leichter als die Jungen, weil sie mehr Erfahrung haben und die Zusammenhänge schneller begreifen – und darauf kommt es im Leben an.

Mit siebzig Ski fahren lernen

Im Grunde gilt folgende Regel: Es ist nie im Leben für irgendwas, was man gerne tun möchte, zu spät. Man kann auch mit vierzig noch Geige spielen lernen – wenn man es auch nicht zum weltberühmten Solisten bringt, zur Hausmusik wird es sicher reichen. Mein Bruder begann mit zweiundvierzig Jahren Flöte zu spielen. Drei Jahre später gab er Konzerte. Ich hatte einen Studienkollegen, der mit sechzig zu studieren begann. Mit siebenundsechzig promovierte er in Geschichte.

Man kann auch mit siebzig noch Ski fahren lernen. In Österreich gibt es seit vier Jahren in dem Ort Ramsau in der Steiermark eine Seniorenskischule. Der älteste Teilnehmer vom Vorjahr war neunundsiebzig Jahre alt. Die Kurse sind voll besetzt, die meisten Teilnehmer stehen zum erstenmal auf Skiern. Unterrichtet wird in kleinen Gruppen mit nicht mehr als zehn Schülern. Niemand wird zu irgend etwas gezwungen. Man tut, was einem Freude macht, nicht mehr. Begonnen wird mit dem Stemmbogen, der Großteil aber bringt es schließlich sogar zum Parallelschwung und zum Wedeln. Mit Fortgeschrittenen und besonders Talentierten werden lange Ausflüge unternommen. Siegmund Royer, der Leiter der Skischule, bedauert, daß er nicht schon früher auf die Idee kam, ältere Menschen zu unterrichten. Sie zählen zu seinen gelehrigsten Schülern und sind viel weniger zimperlich als die Jungen.

Und zum Schluß noch der letzte Punkt unserer Tagesbilanz: die unbestimmte Altersangst. Diese ist keine echte Altersangst, sondern Lebensangst. Man bekommt sie, sofern keine erbliche Belastung besteht, wenn man körperlich erschöpft ist, zu wenig geschlafen hat, wenn man wetterabhängig ist, eine Erkältung hat, sich in einem allgemeinen Tief befindet. Hier helfen die üblichen Methoden: eine Kur, eine Reise, Urlaub machen. Aber eines muß man wissen: Mit dem Altersproblem hat das Ganze nichts zu tun.

Vorsicht vor Versagern

Wichtig im Leben sind Vorbilder, Menschen, mit denen man sich identifizieren kann. Jeder kennt sogenannte Beispiele ewiger Jugend. Diese sollte man nicht beneiden und in ihrer Abwesenheit mit abfälligen Bemerkungen schänden, sondern man sollte ihnen nacheifern. An ihrem Beispiel kann man sich Kraft holen, zum Wettbewerb aufstacheln lassen. Man muß dabei auch lernen, großzügig zu sein, sich am Erfolg anderer zu freuen, an das Gute im Menschen zu glauben. Der Schlüssel zur Überwindung der Altersangst liegt schließlich darin, Optimist zu sein und nicht in schlechten Zeiten zu verzweifeln. Die Änderung kommt oft über Nacht.

Vorbilder gibt es heute genug. Frauen, die mit den Jahren nicht nur attraktiver, sondern auch liebenswerter und erfolgreicher werden, gibt es für den, der keine privaten Beispiele hat, in großer Menge im öffentlichen Leben. An den Erfolgreichen muß man sich orientieren; nicht an den Versagern. Von letzteren kann man nur lernen, wie man es nicht machen darf. Frauen, die sich vom Leben oder, genauer gesagt, von untreuen Ehemännern, schlechten Liebhabern, neidischen Arbeitskollegen, tyrannischen Vorgesetzten und unfähigen Eltern zerbrechen ließen, mit vierzig bereits alt aussehen und sich zu nichts mehr aufraffen, können mir keine Kraft und schon gar keinen Rat geben. Enttäuscht werden wir alle. Aber das heißt noch lange nicht, daß man aufgeben darf. Wenn man weiß, was man will, wenn man die Kraft aufbringt, sich nicht entmutigen zu lassen und zu sagen: »Das gilt vielleicht für dein Leben, aber nicht für meines«, dann kann nicht viel schiefgehen. Dazu muß man eines wissen: Alle, die im Leben versagt haben, benützen das Wort »Alter« als Waffe gegen die Jüngeren, die Schöneren, die Talentierteren, die Erfolgreicheren, die Tüchtigeren. Die Taktik ist immer gleich. Auch sie, behaupten sie, hätten diese Eigenschaften besessen, seien begehrt, schön, talentiert, erfolgreich, tüchtig gewesen, aber das Alter habe ihnen alles geraubt. Häßliche Frauen, die nie eine Augenweide waren, betonen, wie sehr sie in ihrer Jugend um ihrer Schönheit willen begehrt gewesen seien. Die Panik, die eine junge Zuhörerin bekommen kann, ist leicht zu bekämpfen. Naheliegenderweise denkt man: Um Himmels willen, wenn ich alt bin, werde ich auch so aussehen. Natürlich ist das nicht der Fall. Eine schöne Frau bleibt immer eine schöne Frau. Jung ist nicht gleich schön, und alt ist nicht gleich häßlich. Hohe Wangenknochen bleiben auch im Alter hohe Wangenknochen, glänzende Augen sind nicht von den Jahren abhängig, sind kein Privileg der Jugend. Manche Frauen werden überhaupt erst in späteren Jahren schön, um es ihr ganzes Leben lang zu bleiben.

Wer im Alter häßlich ist, war meist in der Jugend nicht viel schöner. Das gilt auch für Männer. Und das gleiche Prinzip gilt vor allem auf sexuellem Gebiet: Schlechte Liebhaber, die nie in ihrem Leben eine Partnerin glücklich gemacht haben, schieben ihr Versagen auf das Alter. Das Resultat ist oft panische Potenzangst auf seiten junger Zu-

hörer. In der Regel aber gilt, daß ein Mann, der mit fünfunddreißig ein guter Liebhaber ist, auch im Alter nicht zu
Klagen Anlaß geben wird, wenn er halbwegs vernünftig
gelebt hat. Und Frauen täten gut daran, ihren Männern
dies immer wieder zu sagen.

Potenzangst führt zu Aggressionen

Und nun zur weiter oben angedeuteten sexuellen Unsicherheit der meisten Männer, die dem Verhältnis Mann –
Frau nicht gerade förderlich ist, da sie Aggression gegenüber den Frauen hervorruft und die Altersangst florieren
läßt. Frauen vergessen leicht ihre privilegierte Stellung auf
sexuellem Gebiet. Sie sind von dem Trauma befreit, auf
Kommando potent sein zu müssen. Frauen haben keinen
Körperteil, den sie argwöhnisch betrachten, ob er funktionieren wird oder nicht, der noch dazu suspekt ist, weil
er eine Art Eigenleben führt. Frauen brauchen nur einzu-
willigen, und schon sind sie zur Liebe bereit, bis ins hohe
Alter fähig, ohne Anstrengung ihrerseits.
Frauen sind also davon befreit, etwas beweisen zu müssen.
Und die männliche Aggresssion wird erst verschwinden,
wenn sie dies begreifen und aufhören, Männern bewußt
durch Witze oder spitze Bemerkungen Potenzangst ein-
zujagen, oder Potenzstörungen lächerlich zu machen, sei
es aus Rache oder um endlich einmal die eigene Überlegenheit herauszukehren. Ein Mann, der sich von einer
Frau sexuell bedroht fühlt, wird versuchen, sie dort zu
treffen, wo es am meisten schmerzt. Und da er nicht Gleiches mit Gleichem vergelten kann, behauptet er ins Blaue
hinein: »Na warte nur, in ein paar Jahren wird dich ohne-

hin niemand mehr haben wollen!« Und hier befinden wir uns an einem entscheidenden Punkt: Die Altersangst wird der Frau eingeflößt, um sich für Potenzängste zu rächen. Männer wälzen ihre eigene Furcht auf Frauen ab. Diesen Zusammenhang muß man nicht nur erkennen, sondern man muß, soweit man dies als Frau kann, Situationen, die Angst und damit Aggression heraufbeschwören, vermeiden. Wenn es den Frauen gelingt, den Männern ihrer Umgebung diese Angst zu nehmen, dann ist die Schlacht gegen den Altersterror für beide Geschlechter gewonnen.

Natürlich bedeutet dies keine grenzenlose sexuelle Unterwerfung. Das rechte Maß erkennt eine erfahrene Frau sofort; eine jüngere wird sich dabei schwerer tun. Obwohl der Großteil der Männer zumindest körperlich die Voraussetzungen zum guten Liebhaber besitzt, gibt es doch eine ganze Reihe von chronischen Untalenten. An diese kostbare Zeit zu verschwenden, ist fatal.

Ein schlechter Liebhaber ist für eine Frau, die Angst vor dem Älterwerden hat, verhängnisvoll. In seiner Unfähigkeit sieht sie nämlich ihren eigenen Anfang vom Ende. Ein schlechter Liebhaber ist erbarmungslos. Er schiebt immer die Schuld an seinem Versagen auf die Frau. Ist sie jung, so behauptet er etwa, ihre Haut sei zu unrein und ihr Busen zu klein, außerdem bemühe sie sich nicht genug. Ist sie älter, klagt er, sie habe nicht mehr das Zeug dazu, ihn zu erregen. Auf Aussprachen läßt er sich gar nicht erst ein. Jeder Ratschlag wird mit einem unwirschen »Bitte predige mir nicht, was ich im Bett zu tun habe« abgelehnt.

Bei so einem Mann ist jede Liebesmüh vergebens. Man vergesse seine Beschuldigungen und gehe ihm aus dem Weg, sofort. Und zur Aufheiterung nun die Frage: Wie erkenne ich einen guten Liebhaber? Ich habe eine Freundin in Paris. Sie ist Malerin und behauptet, ein Untalent sofort an der Art, wie es ißt, zu erkennen. Schaufle der Mann gierig in sich hinein, so sei von ihm im Bett nicht viel Rücksicht und Zartgefühl zu erwarten. Ebenso suspekt sei einer, der das Essen so schnell wie möglich hinter sich bringen will, der den Kellner antreibt, sofort alle Spuren zu beseitigen und die Teller, kaum daß sie leergegessen sind, zu entfernen. Diese Angst vor den »schmutzigen« Tellern hat tiefe psychologische Gründe. Sie beweist, daß der Mann mit Schuldgefühlen gegessen hat, daß ihm also sinnlicher Genuß nicht ganz geheuer ist. Er ist beschämt, weil es ihm geschmeckt hat. Ein Mann aber, der ein gestörtes Verhältnis zu seinen Sinnen hat, der kann kein guter Liebhaber sein.

Und woran erkennt man nun das Talent? Bezeichnenderweise an all jenen Handlungen, die man außerhalb Frankreichs gern als Unarten bezeichnet: am langsamen und genußvollen Essen, am Pausenmachen, daran, daß der Mann während des Mahles über das Essen spricht, am vertrauten Umgang mit Speisen und daran, daß er Brotreste wollüstig mit der Hand knetet; wenn man Teller und Schüsseln länger auf dem Tisch stehen läßt, »spielt« er mit den Hühnerknochen herum, um vielleicht doch noch einen Genußbissen zu ergattern.

In erster Linie aber erkennt man einen guten Liebhaber daran, daß er keine schmutzigen Witze erzählt. Körperliche Liebe ist für ihn zu schön, um damit ordinäre Wörter in Verbindung zu bringen. Er braucht sich nie mit seinen Fähigkeiten zu brüsten und sucht seine Bestätigung bevorzugt bei reifen Frauen.

Männer sind zwar die größten Spezialisten im Einjagen von Altersangst, gleich nach ihnen aber kommen die

Frauen – und zwar die jungen. Viele haben in ihrer Unerfahrenheit noch nicht begriffen, daß alles, was sie vermeintlich nur anderen antun, unweigerlich auf sie selbst zurückfallen wird. Wenn sie sich über ältere Frauen lustig machen, so bereiten sie nur den Boden für ihre eigene Lächerlichkeit vor, wenn sie einmal in der Mitte des Lebens stehen.

Junge Frauen müssen aufhören, anderen, vor allem reiferen Frauen, das Leben zur Hölle zu machen. Manche entwickeln in der Gesellschaft von Männern einen derartigen Geltungsdrang, daß sie jede andere schlechtmachen, nur um selbst besser dazustehen. Sie ertragen kein Lob, das einer anderen gebührt. »Was«, sagen sie mit verhaltenem Neid, »diese Person findet Anklang? Die ist doch mindestens fünfzehn Jahre älter als ich.« Daß aber auch sie die Jugend nicht gepachtet haben, kommt ihnen nicht in den Sinn. Das Rivalinnendenken muß jedoch aufhören, wenn man der Altersangst zu Leibe rücken will. Wir sitzen alle im selben Boot, wir werden alle älter. Und aus dieser Einsicht muß man handeln. Betrachtet man das Leben in seiner vollen Breite, so kann man sich nur über den Erfolg einer älteren Frau freuen. Jedes Kompliment, das heute einer Älteren gilt, kann morgen einem selbst gelten.

Jung, dumm und geduldet

Warum aber ist die Jugend so aggressiv? Warum benimmt sie sich so präpotent? Warum schreit sie dauernd: »Wir sind jung – und ihr seid alt«? Die Antwort ist simpel: Weil dies ihre einzige Waffe ist. Weil junge Leute ein geringeres Maß an Erfahrung und Wissen haben, weil sie noch wenig geleistet haben, auf das sie stolz sein können, weil sie kaum auf Erfolg zurückblicken können, weil sie meist von Erwachsenen abhängig sind. Ihre Jugend ist so ziemlich das einzige, mit dem sie prahlen können. Und wen wundert es, wenn sie versuchen, diese einzige Trumpfkarte so gut wie möglich auszuspielen?

Dazu kommt jedoch noch etwas sehr Wichtiges. Die Jugend kann nur deshalb ungehindert prahlen, weil die Erwachsenen es zulassen. Wir leben in einem Zeitalter allgemeiner Toleranz und wollen Kinder und Jugendliche nicht mehr unterdrücken. Aber blicken wir zurück. Noch vor zwei Generationen hätte kein Backfisch gewagt, die Eltern zu belehren. Niemandem wäre in den Sinn gekommen, Unreife als Vorteil hinzustellen. Man dachte ganz richtig, daß der Sinn der Jugend im Erwachsenwerden besteht und daß das, was endgültig zählt, der erwachsene Mensch ist. Eine vernünftige Einstellung; erwachsen ist man viel länger als in der Entwicklung. Wer die Jugend einseitig glorifiziert, der betrügt nicht nur sich selbst, sondern auch die Heranwachsenden um den größten und besten Teil des Lebens.

Man muß wissen, daß der Leitfaden der Jugend Unsicherheit heißt. Je aggressiver sich ein Halbwüchsiger gibt, desto unsicherer ist er in der Regel. Man erinnere sich doch selbst zurück an den Babyspeck, die Minderwertigkeitskomplexe, die extreme Rivalität zwischen Klassenkameradinnen, die unerklärlichen Ängste und vor allem den ständigen Liebeskummer.

Freundschaft zwischen reifen Menschen

Wer als erwachsene Frau sagt: »Ach, früher, da war es leicht, einen Freund zu finden, da wimmelte es von gleichaltrigen jungen Männern, die alle unverheiratet waren«, der erinnert sich an falsche Tatsachen. Denn so leicht war es früher auch nicht. Es schien zwar mehr Auswahl zu geben, aber den, den man wollte, konnte man meist nicht bekommen. Der, für den man schwärmte, war meist in eine andere verliebt, und bekam man ihn ausnahmsweise am Ende doch, so entdeckte man oft, daß er doch nicht der Richtige war. Man wußte selbst nicht, was man wollte und wer zu einem paßte. Andererseits wurde man von Verehrern verfolgt, die einem lästigfielen, da sie einem nichts bedeuteten.

Ähnlich ist es mit den Freundschaften. Der Mythos, daß man nur in der Jugend Freundschaften schließen kann, ist längst überholt. Es gibt genügend Gegenbeweise. Jene Menschen, die wirklich zu einem passen, findet man meist erst im späteren Leben. Natürlich gibt es Ausnahmen. Es gibt Schulfreundschaften, die ein ganzes Leben überdauern. Aber denken wir doch kritisch nach: Mit wem verkehrten wir in der Jugend? Selten mit jenen Menschen, die man sich ausgesucht hat, sondern mit denen, die einem aufgedrängt wurden. Die in der Nähe wohnten, zufällig in dieselbe Schule gingen, denselben Tanzkurs besuchten. Aus diesem Kreis, den man sich nicht selbst ausgesucht hatte, konnte man wählen. Und die Grenzen waren eng gesteckt.

Als Erwachsener dagegen hat man weniger Beschränkungen. Man kommt in der Welt herum, lernt sich selbst besser kennen, wählt Freunde und Bekannte bewußt aus.

Vielleicht schließt man weniger schnell Freundschaft. Wenn man es aber tut, dann hat es Bedeutung. Auch der Beruf bringt Vorteile. Ich kann gar nicht zählen, wie viele interessante Menschen ich als Journalistin kennengelernt habe, Menschen, von denen ich in meiner Kindheit und Jugend nur träumte.

Mein Bekanntenkreis hat sich in den letzten Jahren um ein Vielfaches erweitert und ist – verglichen mit dem meiner Teenagerzeit – unendlich aufregender geworden. Und so geht es nicht nur Journalisten, sondern allen, die einen Beruf haben, der sie mit Menschen in Kontakt bringt. Man kann Verkäuferin sein oder Ärztin, Kosmetikerin, Friseuse oder Rechtsanwältin, Krankenschwester oder Architektin, wenn man aufgeschlossen ist und kontaktfreudig, wenn man am Mitmenschen Interesse hat und nicht nur an sich selbst, so wird man sein ganzes Leben lang neue Freunde finden.

Die »unbeschwerte« Vergangenheit

Man muß, wie gesagt, kritisch zu denken beginnen. Man muß lernen, sowohl die Gegenwart als auch die Vergangenheit im richtigen Licht zu sehen. Man muß das, was man hat, schätzen lernen und nicht anderen Zeiten nachweinen. Warum erscheint oft Vergangenes so schön und unbeschwert? Warum sieht man sich in der Erinnerung als junges Mädchen fröhliche Feste feiern und denkt: So unbeschwert möchte ich noch einmal sein?

Dafür gibt es drei Gründe, wobei das Wort »unbeschwert« schon fast alles erklärt. Ruft man sich im Geist eine Situation aus der Vergangenheit zurück, lebt man sie in der

Vorstellung noch einmal durch, so fühlt man die Schwere des Körpers nicht. Aber nicht nur vom eigenen Gewicht, das man sonst immer spürt, bleibt man »unbeschwert«, auch von den kleinen Unannehmlichkeiten, die einen damals plagten: ein Staubkorn im Auge, drückende Schuhe, das Unbehagen über eine schlechtsitzende Frisur, die Schnittwunde am Zeigefinger, Zahnweh, Kopfweh und andere Beschwerden, die das Allgemeinbefinden gedämpft haben.

Der zweite Grund besteht darin, daß man die Situation nicht nur aus den körperlichen Beschwerden herauslöst, sondern auch aus den psychischen. Ich beschwöre das Fest herauf, aber ohne die Angst vor der Zahlkarte, die ich vielleicht nicht mehr einbezahlen konnte, die Furcht vor der kommenden Schularbeit oder nur der Turnstunde, wenn man nicht sportlich ist. Ich erlebe es frei von den Sorgen um den kranken Vater und ohne Zittern, ob das Bewerbungsschreiben von Erfolg gekrönt sein wird.

Und der letzte Grund ist ganz einfach die Gewißheit, daß wir die Situation in der Vergangenheit überlebt haben. Alles, was man abgeschlossen hat, überlebt hat, scheint uns sicher. Und so glauben wir rückblickend, daß wir uns auch damals genauso sicher gefühlt haben.

Tagebuchführen hilft

Jeder Mensch sollte Tagebuch führen, um die Perspektive nicht zu verlieren. Dann wird er sehen, wie »unbeschwert« die Jugend wirklich war. Man braucht nicht ganze Seiten vollzuschreiben, ein paar Notizen in einem kleinen Taschenkalender genügen, und schon ist man zehn, zwanzig

Jahre später wieder im Bilde. Ich habe seit meinem neunzehnten Lebensjahr Buch geführt und daher keine Illusionen über meine glorreiche Jugend.

Im Gegenteil. Versetze ich mich in meine damalige Vorstellungswelt zurück, geniere ich mich fast, daß ich so naiv sein konnte. Der größte Nachteil der Jugend ist wirklich, daß der Verstand noch nicht richtig funktioniert. Nichts im Leben ist leichter, als einem jungen Menschen etwas vorzumachen. Und ich denke nicht nur an die Hitlerjugend oder die Roten Khmer in Kambodscha, die zum Großteil aus verblendeten Fünfzehnjährigen bestanden, sondern auch an die Alltags- und Altersprobleme ganz unpolitischer junger Menschen. Ich war vierundzwanzig Jahre alt und befand mich in Australien. Um eine Studienreise zu machen, war ich von Marseille nach Ägypten gefahren, dann nach Indien, Ceylon und Singapore. Über Neuguinea kam ich schließlich nach Sydney, wo mir das Geld ausging und ich in einer Importfirma die Rückreise verdienen mußte. In derselben Firma arbeitete eine Tschechin namens Anna, die mir von Anfang an gefiel, weil sie hübsch und lustig war.

Nach einigen Tagen brachte ich den Mut auf, eine Kollegin über Anna auszufragen und erfuhr dabei auch ihr Alter. Ich war entsetzt: Anna war dreiunddreißig Jahre alt. Ich konnte es nicht glauben, war ich doch selbst erst vierundzwanzig und ein williges Opfer des Altersterrors. Die Zahl Dreiunddreißig erweckte in mir Angstgefühle. Und das Resultat? Anna wurde mir unheimlich. Wenn ich ihr nachsah, wie sie nach Dienstschluß fesch und jung mit ihrem kleinen grünen Hut zur Bushaltestelle schritt, dachte ich nur: »Das kann nicht wahr sein.« Ich wußte nicht mehr, was ich denken sollte.

Mein Verstand funktionierte noch nicht richtig. Ich war unfähig, mir zu sagen: Anna ist der lebende Beweis dafür, daß dreiunddreißig jung ist. Man hat ja die Leute betrogen, man hat falsche Normen aufgestellt, Bürger, wehrt euch! Nein. Nichts von alledem. Ich begann vielmehr, in Annas Gesicht krampfhaft nach Falten und anderen kleinen Altersspuren zu suchen. Ich fand aber keine. Ihre Haut war glatt, ihre Augen blitzten lustig. Aber auch das überzeugte mich nicht. Ich verstand die Welt nicht mehr. Und hätte ich im Mittelalter gelebt und Anna wäre der Zauberei angeklagt worden, ich hätte mitgebrüllt: »Sie ist eine Hexe, eine Hexe.«

Soviel zu meiner Geisteshaltung als Vierundzwanzigjährige, die ich damals als die einzig vernünftige verteidigt hätte. Denn verunsichert, jung und dumm wie ich war, war ich überheblich. Der Jugendkult war meine einzige Sicherheit.

Das Ende des Jugendkultes

Im September 1978 kam der amerikanische Schauspieler Robert Mitchum nach Österreich, um hier »Steiner II« zu drehen. Er war knapp über sechzig und hatte versprochen, mir ein Interview zu geben, falls ich zum Drehort, einem Truppenübungsplatz in der Nähe von Wels in Oberösterreich, käme. Ich verbrachte einen ganzen Tag auf dem Gelände, das stark nach Weihrauch duftete. Dergleichen wurde verbrannt, um Rauchschwaden an der Front vorzutäuschen. Zwischen den Aufnahmen hatte ich genügend Zeit, um mit Mitchum zu reden und herauszufinden, was er über den Jugendkult in den USA dachte. (Mitchum ist ein faszinierender Erzähler, man muß nur den anfänglichen Hagel an Kraftausdrücken überstehen, ohne wegzulaufen.)

Der Jugendkult machte Mitchum jedenfalls nicht zu schaffen. Er wußte, was er wert war, und fühlte sich von keinem bedroht. Außerdem, meinte er, sei das Ganze nur eine wirtschaftliche Angelegenheit. Zum erstenmal habe die Jugend Geld, und nur deshalb würde ihr nach dem Munde geredet. »Blue jeans und John Travolta«, kommentierte er, »wer bringt die zusätzlichen Millionenumsätze? Die Jungen. Und das ist das ganze Geheimnis. Nicht die Frage, wer mehr wert ist, jung oder alt. Mit einer Werbekampagne, das können Sie mir glauben, könnte man den Jugendkult über Nacht umbringen.«

Wir leben in einem demokratischen Zeitalter. Von Umbringen kann keine Rede sein, wohl jedoch vom Zurechtrücken gewisser Werte und dem Pendel der Geschichte, das vor und zurück, nicht immer nur in eine Richtung schwingt. Daß es zu weit in Richtung Jugend ausgeschlagen hat, darüber kann kein Zweifel bestehen. Ebensowenig wie über die Verteilung der Welt. Allen Schlagworten zum Trotz gehört diese nicht der Jugend.

Auch wenn »jung«, »locker« und »swinging« Begriffe sind, die über alle Vernunft hinaus an Bedeutung gewonnen haben, so ändert sich nichts an der Tatsache, daß die Macht bei den Erwachsenen liegt, und zwar in überwiegendem Maße bei denen über fünfzig. Es gibt zwar junge Millionäre, junge Generaldirektoren, junge Bankiers und einen Young Presidents' Club für Firmenchefs unter vierzig, aber der Großteil der Menschen, die wirklich etwas zu sagen haben, ist über fünfzig, ob nun in Politik, Wirtschaft, Wissenschaft oder Kunst. Jeder Erwachsene, der sich vor der Jugend fürchtet, sollte sich auch daran erinnern.

»Ich bin zu alt, um mich zu fürchten«

Und nun ganz konkret zur Angst. Das Leben ist zu kurz, um es sich durch Angst, speziell durch Altersangst zu vergällen. Angst ist eine gefährliche Sache. Sie führt zu Mißverständnissen zwischen Menschen, die sich lieben, zu Streit und Krieg, zu Aggressionen daheim und im Berufsleben. Angst kann einen Menschen um die Höhepunkte seines Lebens bringen.

Der schönste Satz, der in der Bibel steht, heißt: »Fürchtet euch nicht.« Das Ziel eines jeden vernünftigen Menschen muß heißen: Sich nicht mehr zu fürchten. Und man kann dies ganz bewußt erreichen.

Dazu eine aufschlußreiche Begegnung, die ich bei einer Buchpräsentation in einer Wiener Nobelgalerie hatte. Fernsehen, Rundfunk und die gesamte österreichische Prominenz waren vertreten. In sämtlichen drei Etagen der eleganten Galerie drängten sich extravagant und teuer gekleidete Menschen. Es war schwer, eine ruhige Ecke zu finden, aber ich entdeckte eine – am unteren Absatz der Mitteltreppe. Dort stand sogar ein schwarzes Ledersofa und ein Sitz war noch frei. Nach der ersten Freude über diese Entdeckung wandte ich mich meiner Nachbarin zu. Diese war eine elegante ältere Dame mit grauen Haaren und einem vergnügten Gesicht. Sie gefiel mir auf Anhieb, vor allem deshalb, weil sie sich von dem Trubel nicht nervös machen ließ. Sie lächelte heiter vor sich hin, trank ihren Orangensaft, und wir kamen bald in ein Gespräch.

Es stellte sich heraus, daß sie kurz zuvor ein Schloß nördlich von Wien gekauft und mit viel Geld renovieren lassen hatte. Im folgenden Jahr wollte sie ein gemeinnütziges Kulturzentrum daraus machen. Meine erste Frage war: »Halten Sie die politische Situation in Österreich für so stabil – wir befinden uns immerhin direkt am Eisernen Vorhang –, daß sie soviel Geld zu investieren wagten? Haben Sie denn keine Angst?«

Ihre Antwort beeindruckte mich sehr. Sie lautete: »Nein, mein Kind. Ich bin zu alt, um mich noch vor irgend etwas zu fürchten.« Kaum hatte sie das gesagt, fiel es mir wie Schuppen von den Augen. Mein Gott, dachte ich, sie hat recht. Wieviel Zeit verschwendet man, sich vor Dingen zu fürchten, die, wenn sie eintreffen, nicht halb so schlimm sind, als man angenommen hat? Man muß lernen, ohne Furcht zu leben. Und wie man sieht, kann man das. Wie leicht ist es doch, ständig vor irgend etwas Angst zu haben. Viel leichter, als mutig zu sein, alle Kraft zusammenzunehmen und zu sagen: »Ab heute habe ich keine Angst mehr. Ich bin zu alt, um Angst zu haben.«

Läßt man sich aber einmal in seiner Altersangst treiben, so kommt man nur schwer wieder weg davon. Es ist ganz ähnlich wie bei Depressionen. Haben diese eine gewisse Tiefe erreicht, so beginnt der Teufelskreis. Man tut alles, wenn auch unbewußt, um nicht mehr nach oben zu kommen. So weit darf man sich nicht treiben lassen. Man muß nicht nur lernen, das zu schätzen, was man hat, die Vorteile zu genießen, die jedes Lebensalter mit sich bringt, sondern sich auch ganz bewußt auf gewisse Dinge im Leben freuen. Ganz gleich, ob es sich um den Geburtstag oder Urlaub handelt. Man darf auf keinen Fall sagen: »Ich hab' mich schon so oft umsonst gefreut, ich warte lieber ab, was passiert.« Dadurch bringt man sich um viel Schönes. Dann verliert man sicher – man verliert die angenehme Zeit der Vorfreude.

Man soll und muß diese Vorfreude auf etwas genießen. Die Angst darf nicht siegen. Katastrophen geschehen ohnehin meist aus heiterem Himmel. Und sind sie eingetroffen, ist immer noch Zeit, sich zu fürchten. Nur wird man staunen, über sich selbst staunen, wieviel man zu ertragen imstande ist und wie schnell man sich anpassen kann, wenn man sich anpassen muß. Kostbare Lebenszeit mit Angst zu vergeuden, ist absurd. Eines lernt man im Laufe der Jahre: Es gibt Situationen, die ausweglos erscheinen, und trotzdem geht es immer weiter. Und es geht besser und schneller weiter ohne Angst.

Mit achtzig durch den Dschungel

Und für alle, die sich vor der Gebrechlichkeit des Alters fürchten, abschließend noch ein Beispiel. Kürzlich studierte ich einen Reiseprospekt, den eine Spezialfirma für Studienreisen herausgegeben hat. Darin war von einer neuen Reise zu den Philippinen die Rede, die sehr verlockend klang. Der Aufenthalt dauert drei Wochen, man besucht Koralleninseln, Stromschnellen, berühmte Tempel und die ältesten Steinkirchen, die die spanischen Eroberer gebaut haben, den kleinsten Vulkan der Erde und natürlich auch die berühmten Reisterrassen, die »Treppen zum Himmel«, ewig grün wie lebende Jade.

Ich rief bei dem Reiseveranstalter an und verlangte genauere Auskünfte. Vor allem die kunstvoll auf Berggipfeln angelegten Reisfelder interessierten mich. »Man fliegt eine

Stunde von Manila«, erklärte eine freundliche Dame am anderen Ende der Leitung, »und die ersten Felder erreicht man nach relativ kurzem Fußmarsch. Wenn man aber die eindrucksvollsten Anlagen besichtigen will, dann muß man mehrere Stunden Marsch durch den Dschungel auf sich nehmen.«

Auf meine Frage, ob die anderen Reiseteilnehmer dazu bereit seien, antwortete sie: »Das wird kein Problem sein, denn es haben sich genügend alte Damen gemeldet.« Auf mein verblüfftes Schweigen wurde mir gesagt: »Das können Sie nicht wissen, aber für uns in der Reisebranche ist es eine Tatsache, daß die Alten rüstiger und unternehmungslustiger sind als die Jungen. Unsere alten Damen marschieren mit Begeisterung ein paar Stunden durch den Dschungel. Und dann genieren sich die Jungen und gehen auch mit. Für unsere Neuguineareise haben sich zwei Achtzigjährige gemeldet. Wir haben sie mit Freuden genommen. Die beschweren sich gewiß nicht, wenn die Moskitos stechen und wenn sie eine Nacht im Schlafsack verbringen müssen. Mit denen, das wissen wir, haben wir keine Probleme.«

Also, wozu Angst haben? Freuen wir uns, daß wir leben, freuen wir uns, daß wir älter werden, freuen wir uns, daß man heutzutage mit fünfzig noch jung ist und mit sechzig noch lange nicht alt. Halten wir uns an positive Vorbilder, die es in jeder Lebenslage, in jedem Beruf gibt. Auch – um beim Körperlichen zu bleiben – bei den Tänzern.

Tanz, hieß es lange Zeit, sei etwas für junge Menschen. Wenn ein Kind zum Ballett wollte, fragte man: »Und was tust du dann mit vierzig?« Auch dieses Vorurteil ist heute überholt. Margot Fonteyn, wohl die bekannteste Tänzerin unserer Zeit, ist sechzig und tanzt noch immer. Die Primaballerina des weltberühmten Bolschoi-Balletts in Moskau, Maja Plissezkaja, war 1979 fünfundfünfzig Jahre alt – und tanzt noch immer. Daß Martha Graham, die Begründerin des modernen Tanzes, mit achtzig noch auf der Bühne stand, habe ich eingangs schon erwähnt.

Mit dem Tanzen ist es wie mit dem Leben. Wer nicht warten kann, wer zu schnell Höchstleistungen erbringen will, der hält sich meist nicht lange. Schlecht ausgebildete Tänzer haben immer Unfälle. Sie setzen nach dem Springen falsch auf, verletzen ihr Rückgrat, ihre Knöchel. Mit vierzig zeigen sich dann die ersten Abnützungserscheinungen an den Gelenken und Knien. Ein gut ausgebildeter Tänzer wie Nurejew aber, der nichts übereilte, kommt erst mit vierzig richtig in Schwung. Der wird noch mit fünfzig und sechzig auch ein verwöhntes Publikum zu Beifallsstürmen hinreißen, denn der Ausdruck, der die Schönheit eines Tanzes ausmacht, kommt erst mit der Reife. Die Reife aber ist der Sinn des Lebens. Nichts kann sie ersetzen, auch nicht das hübscheste Gesicht. Wir leben in einem anspruchsvollen Zeitalter. Wir wollen Inhalt, nicht nur Form. Wir wollen für alles eine logische Erklärung. Wir glauben nicht mehr blind. Überlieferte Vorurteile haben keinen Platz mehr in dieser Welt. Falsche Bescheidenheit schon gar nicht. Niemand läßt sich heute mehr die Hälfte seines Lebens wegnehmen. Altersangst ist lächerlich. Teenager sind aus der Mode. Frauen über vierzig sind gefragt, und daran ist nicht zu rütteln.

Ein neues Zeitalter hat begonnen. Ein besseres, freieres, toleranteres.

Und es gehört der reifen Frau.